W9-CRP-740

设计的品格

The Esthetics Of InDesign

Daphne Shao
Recto & Verso Studio ——— 著

人民邮电出版社
北京

推荐序

前台湾艺术大学/校长
王铭显

——

作者Daphne是我以前的学生，我担任过她的主任、导师，甚至教授过几门课程，她的成绩名列前茅，是一个品学兼优的学生，毕业后无论是去留学，或回来工作，总是跟老师们保持联络。

在我从台湾艺术大学退休的那年，她跟景文技术学院几位老师亲自到台艺大校长办公室，邀请我退休后到景文担任客座教授，深受她的感动，在几所邀请学校中，我毅然决定选择到景文。跟她相处共事一年后，她因为成绩优秀，再加上我的推荐得以公费留学澳洲，并预计在不久的将来学成归来。

想不到她能在读博士期间，在百忙之中以设计美学的概念写出好书《设计的品格——探索╳呈现╳进化的InDesign美学》，这本书写得十分用心，也花了很多年修改与琢磨，是作者多年来在设计教学上积累的丰富经验和自己的创作，相信对学习设计领域的人会有所帮助，在这里祝福她大作完成，也祝福学成归来。

屈指一算，我教电脑绘图17年了。早年我的学生中有许多设计师，他们是对时代趋势敏感，希望从传统转到数字的专业人士。十几年来，我们的环境有很大的变化，数字不只完全取代了传统的设计方法，还广泛应用在影视、动画、音乐，甚至我们的生活中。软件可说是现代生活的基本要素。

无论教软件、学软件，一本好书绝对扮演关键的角色。好的软件书要能循序渐进而且清楚明了。此外，学习绘图软件的目的是为了做设计。在学习过程中，如果能了解软件功能如何应用在设计实务中，以及多欣赏专家作品，对于学习成效有莫大的帮助。这就是本书的特色：不只教大家软件，还讨论了设计观念和美学。

这是一本用心规划的书，也是作者十几年教学经验的结晶。如果我来教InDesign，这本书肯定是很棒的教材，就像邀请作者到课堂上现身说法一样有用。我认识Daphne已经有15年了，她是一位非常认真负责、很受学生爱戴的老师。每次系里有视觉传达、编排设计、电脑绘图等课程的需要，我都会想到她。请她来授课的同时，也是我向她学习的机会。

欢迎大家跟我一起进入Daphne老师的教室，学软件也学做设计师。

政治大学广告系 / 副教授
吴岳刚

推荐序

明道大学设计学院 / 院长
叶茉俐

——

作者Daphne与我在景文科大视传系共事10年，期间只要有学校重大事件的美术编辑设计，如"教育部"数字化艺术欣赏教学建设计划、台大医学院生命教育网站规划、教育部门的艺术（美术音乐设计）整合课程规划，以及改制大学及系所评论简报制作、景文故事专辑等，都依靠她的倾力相助，而她专业又独特的美感，更令人赞叹。

今日欣见她终于能排除万难（为人母、为人妻且正念博士班），将多年在业界、学界的设计过程与心得，细致地整理成书与大家共享，诚属不易，这是很多同事、学生们的一直的期盼，我们深深引以为荣。

更期望她早日学成归来，以充沛的创意美学精力，造福莘莘学子，培育更多优秀的设计人才，为设计领域的未来加油！

作品协助 | Index of Contributors

• 黄瑞怡：P120、P136、P153、P159、P161、P180、P210、P212、P221、P222～P231、P260～P269、P293～P302、P311、P337 • 彭禹瑞：P38、P39、P113、P232～P241、P307 • 林俞瑾：P111、P118、P191、P221、P242～P247 • 李亦凯：P74、P110、P126 • 林维冠：P287、P323、P328～P329 • 刘晏如：P110、P213、P215、P260～P269、P283 • 郭胤显：P124、P125、P181、P203 • 王嵩贺：P75、P293～P302 • 林宜慧：P78、P314～P315 • 谢贤亚：P309～P310 • 郑家伟：P75、P255 • 萧咏桦：P118～P121 • 刘怡静：P31 • 周如蕙：P79 • 萧正鼎：P109 • 李思睿：P111 • 丁于庭：P112 • 钟翌纶：P121 • 曲翎华：P135 • 吴孟颖：P141 • 陈柏良：P145 • 吴俊彦：P147 • 蔡必妍：P211 • 周唯扬：P288 • 林士强：P290 • 贺宣洁：P39 • 陈欣婷：P69 • 张婉蓉：P330 • James：P217 • Professor Dorothee Weinlich，University of Applied Sciences and Arts in Hanover P220

※ 本书所刊载的商品文字或图片仅作为说明辅助，并作为商标使用，原商品商标的所有权归原权利人所有，特此依作品数量及设计者姓名顺序排列。

技术支持 | Technical Support

李亦凯：Lesson 2、Lesson 4、Lesson 14

彭禹瑞：Lesson 1.6

张婉蓉：Lesson 14

致谢 | Acknowledgements

诚挚感谢以下人士支持与协助本书顺利出版。

I would like to express my appreciation to the following people for their support and help in making this book possible.

王铭显 教授

吴岳刚 副教授

叶茉俐 副教授

Dr. Laurene Vaughan

Dr. Linda Daley

安塔小姐

张婉蓉小姐

Nonie Rickard

Julie Crosthwaite

Wendy Mattschoss

脱家枝小姐

林士民先生

| 特别感谢 |

林维冠 & Zoe

爸、妈 & I.R. & T.J. & Jack

以及

Recto & Verso Studio

作者序

已开始的起点
若不连到另一个端点
人生——
是无法前进的

——

使用钢笔工具开始了一个描点
若没延续下一个描点
是无法连成一条线或一个完整形状的
已开始的起点，若不连到另一个端点
人生是无法前进的

这是在写这本书时的写照
起笔在很多年前
身边写书的朋友已经出版许多本书
我带着这个起点
来到澳洲，边念博士、边带小孩、边写书

若说，当初在台湾那种便利的生活环境下写书
远比在国外什么大小事都要自己动手来得轻松
在念博士的过程中
身心的矛盾与挑战很多
不少人在一开始就放弃
也有些人，在第二年也投降了
现在，我的博士班已进入第三年
突然，如当头棒喝敲醒自己
若是这本开始多年的书都没办法完成
我想，我博士班的旅程可能也无法结束
这是人生的里程碑

就这样
在Recto & Verso Studio与编辑超越时空的协助下
这个不可能完成的任务
终于努力过
也完成了

现在，是我准备进入博士班的最后学期
成功挑战写书的Mission Impossible
接下来——
就是把另一个同时进行的起点
连到终点，形成一条线或一个完整形状
希望明年学业顺利完成！

设计难分好坏
只有取舍

——

Daphne Shao
Recto & Verso Studio

写书跟人生一样
进退两难
希望完美无瑕
便要付出更多代价

完美没有绝对的期限
观众没有绝对的品味
设计难分好坏
只有取舍

这本书的前身
奋斗了两年
最终还是辜负了以前编辑的期待

全新启程的出版社
给了很人性的时间
很自由的空间
也了解到一个人的能力极限
不是万能

Tomas——一个合作多年
经常一起挑灯夜战赶稿的学生

Ruiyi——一个喜欢创作
对原创美感执着的女生

Reiyo——最后加入团队
作品与人都带着细腻情感的男生

这本书是Recto & Verso Studio的起步

当然非常感谢
所有曾经与现在

参与的人

关于——Recto & Verso Studio

伙伴们
对着梦想
一起努力奋斗

———

Tomas Lee 技术指导

喜欢随性涂鸦，也享受阅读
更热衷挑战新软件。

一个小人物，退伍后不知道方向
听了妈妈的建议去念书
也因为年纪较大，被班上同学拥护
当了系会长
因此认识了老师。

有一次，老师找我帮忙制作相关项目
慢慢合作，有了默契
也得到老师的鼓励，渐渐改变了
我的生活形态
从消极变成积极，也更有自信

经常工作到晚上，还一边帮忙做项目
事情多得差点喘不过气。

看了航海王之后，更相信伙伴的重要

伙伴们———
对着梦想一起努力奋斗！

感谢老师与编辑，能够体谅工作繁忙的我
并给予这个机会与鼓励，让我有
旺盛的斗志。

简单的人
过着简单的生活
平凡也满足

——

Ruiyi & Reiyo 视觉美术

我们
已经不需要去做些不同的事情
来表现自己很帅的年纪

毕业后
在一间顶楼的私人工作室里工作
一年多过去了
也还算热血
会尽力去沟通我们认为好的设计
即便——
结果往往是最糟的

除了有实际的业界工作经验
学习融入社会
也学习判断这个环境现在的状态
我们了解到如果对目前的现状不满
就得有勇气去接受这种状态
并努力学习
然后——
让自己过更好的生活

简单的人
过着简单的生活

平凡也满足

目录 CONTENTS

PART——1
〔EXPLORATION〕初探InDesign

PART——2

〔PRESENTATION〕开始设计流程

〔色彩和编排〕

05.

〔绘图功能〕

06.

〔InDesign 常用工具〕

04.

〔对象和框架〕

07.

〔图像的置入和效果〕

08.

〔图表设计〕

09.

PART——3
〔APPLICATION〕InDesign高级应用

EXPLORATI

PART/1

ON

第❶篇 探索设计×初探InDesign

Exploration
——文字和排版

EXPLORATION
lesson 1.1 —— 文字初步

文字属性

一般文字分类大致按以下几种属性：大写、小写、阴影字、手写体、正体、斜体和粗体等，适当地使用和编排，以及良好的重点规划，可提高阅读速度。所以，合理地应用文字属性，对于设计排版而言，是很重要的基本概念。

◎ 文字基本属性

UPPER

· 大写（*Capital*）「窗口」→「控制」→TT

SMALLCAP

· 小型大写字（*Small Capital*）「窗口」→「控制」→Tᴛ

LIGHT

· 正体字细体（*Light*），字体：华康黑体W5

BOLD

· 正体字粗体（*Bold*）字体：华康黑体W12

ITALIC

· 斜体（*Italic*），字体：Times New Roman Italic

◎ 文字特殊效果

Kabel Shaded

· 阴影字（*Shaded*）

Script typeface

· 书写体（*Script*），字体：Bickham Script Pro

Kabel Raised

· 浮雕（*Raised*）

SHADOWED SWASHES

· 花体阴影效果（*Swashes*）字体：Rosewood Std

Hand writing

· 手写体：Comic Sans MS

文字属性控制面板

在设置文字属性时，选择「窗口」→「控制」，在将工具栏选择为「文字工具」的状态下，将出现文字属性控制面板，详情可参阅《Lesson 4.7——文字属性控制面板》。可以直接选择 T 或 T 等选项。其他设置，比如拼音、着重号、斜变体、下划线选项，以及删除线选项等更细微的文字属性设置，则单击控制面板最右侧的「菜单」按钮，这样就会出现很长的下拉菜单，提供较完整的选择。

◎ 下划线（Underline） 字体：Birch Std

Underline

「窗口」→「控制面板菜单」→「下划线选项」

启用下划线：粗细0.25mm、位移1mm

Underline

启用下划线：粗细0.5mm、位移0mm

Underline

启用下划线：粗细2mm、位移3mm

类型：虚线；设置颜色及间隙颜色，并使用空格键延长下划线，获得下划线的视觉效果

Underline

启用下划线：粗细1mm、位移2mm

颜色：C=0 M=1 Y=90 K=68

Underline

启用下划线：粗细1mm、位移2mm

类型：空心菱形、设置颜色及间隙颜色

◎ 删除线（Crossline）

~~Crossline~~

字体：Arial Regiular

◎ 下划线应用效果

Sample 1

Usto essit nonum quam, quat vel el il ent inustrud et landigniam del ulla faci blanditiUd tat. Giamcon sequis nummy niamet, quat. Dui tat. Ut nullummy nosto odolor aliqui delessi.Unt praestrud

Sample 2

Usto essit nonum quam, quat vel el il ent inustrud et landigniam del ulla faci blanditiUd tat. Giamcon sequis nummy blanditiUd tat. Giamc;

Sample 3

Usto essit nonum quam, quat vel el il ent inustrud et landigniam del ulla faci niamet, quat. Dui tat. Ut nullumny nosto odolor aliquisl delessi.Unt praestrud

Sample 4

Usto essit nonum quam, quat vel el il ent inustrud et landigniam del ulla faci blanditiUd tat. Giamc;

◎ 调整下划线

当字体大小不同时，下划线自然就会高低不平。为了克服这种视觉干扰，可以应用「控制面板菜单」→「下划线选项」中的「位移」，来调整下划线和文字的位置。

未经过下划线位移调整的文字 — 下划线统**整**

经过下划线位移调整的文字 — 下划线统**整**

EXPLORATION
lesson 1.2 ——造字原则

1.2.1——比例架构 | Step1：Structure of Letter |

中英文字的字体架构需先规划结构（骨架），最后再加上笔画。早期的学字课程，我们练习过米字结构及中文永字八法的笔画。在今天完全计算机化的设计产业中，本章仍依循旧法，帮助读者了解基本的英文字体的架构和笔画原理，并创造个人专用的英文字体。

◎ 大写的比例架构

CL.1
CL.2
CL.3

※字体：DIN Alternate Medium

分别由大写上缘线CL1、大写中线（腰线）CL2，以及大写下缘线CL3切割成两部分，大写中线的位置可以调整

SHADOWED SWASHES

※字体：Eccentric Std

如左图的Eccentric Std字体属于中线偏高的字体

◎ 小写的比例架构

※字体：Arial Black

CL.1
CL.2
CL.3

SL.1
SL.2
SL.3
SL.4
SL.5

X-height

acemnorsuvwxz

位于小写X-height上下基线之间的小写字母

bdfhiklt

使用小写上升线的小写字母（Ascenders）

gpqy j

使用小写下降线的小写字母（Descenders）

◎ 海岸线

红色的线条称为海岸线（Coastline），当小写上升线的字母遇到小写下降线的字母时，其行距会产生较拥挤的感觉。因此，行距之间就产生如海岸线般、弯弯曲曲的留白空间。若留白空间太不均匀，在阅读段落时会产生视觉干扰。因此，可以应用字符间距微调，以免行距过于拥挤。

◎ X-height

X-height相同的小写字母，在视觉上容易被判断成同字号的字。其实字体大小并不是以X-height的大小区分，而是以文字的上下下划线间的距离来计算。

在小的版面空间里，字体大小运用容易受到限制，X-height较长的字体，在小字号的应用上，有较好的阅读效果。当字体大小的选择无法拥有太大弹性时，选择X-height较大的英文字体，可以让文字有放大感，又不至于影响可读性。X-height较长的字体，也适用于交通指标或广告标示上的英文字体应用，在远距离时仍具较好的可读性。

反之，X-height较小的英文字体，可以让版面具细腻感，对喜欢运用小号英文字体的设计师来说，当遇到坚持大号字体的客户时，除了可以把大号的英文字体做一些水平缩放外，选择X-height较小的英文字体，也是一种折衷的方法。

◎X-height相同的字体，虽字号不相同，字体大小看起来却十分相似

◎反之，X-height相差较明显的字体，即使字号完全一样，X-height较长的字体，看起来比X-height较短的字体，具有放大膨胀的感觉

balance contrast symmetrical equilibrium harmonious

X-height相同，字号大	X-height相同，字号小
abpd	abpd

X-height小，字号相同	X-height大，字号相同
abpd	abpd

1.2.2——笔画设置 | Step2：Strokes of Letter |

文字结构如同人体的骨架，是决定文字高矮比例的先决条件。第二个重要的造字因素是「笔画」，它如同人体的肌肉一样，可以决定字体的胖瘦。同样的字体家族，结构比例相同，但笔画粗细则有细体（Light）、中等（Medium或Regular）、粗体（Bold）或特粗（Extra Bold或Black）等。

◎ 华康明体家族

W3 ———	ABCDEFGHIJKLMNOPQRSTUVWXYZ	0123456789
W5 ———	ABCDEFGHIJKLMNOPQRSTUVWXYZ	0123456789
W7 ———	ABCDEFGHIJKLMNOPQRSTUVWXYZ	0123456789
W9 ———	**ABCDEFGHIJKLMNOPQRSTUVWXYZ**	**0123456789**
W12 ———	**ABCDEFGHIJKLMNOPQRSTUVWXYZ**	**0123456789**

◎ 英文笔画分析

中文的永字八法说明了中文字的基础笔画，英文的笔画也可分为几种基础笔画，大致分为：

· 垂直线
· 水平线
· 斜线
· 弧线
· 连接线

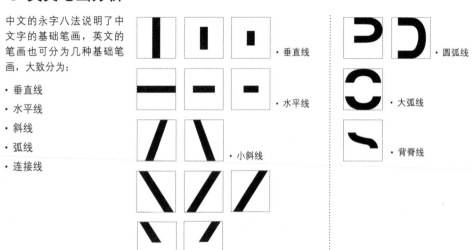

· 垂直线
· 水平线
· 小斜线
· 大斜线
· 圆弧线
· 大弧线
· 背脊线

A～Z的字母笔画分析

不同笔画设计的字体练习

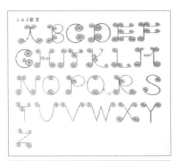

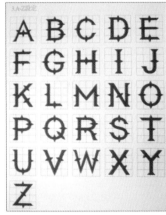

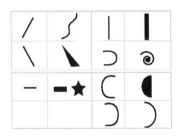

应用以上分析的基本笔画，可尝试有趣的笔画设计。在初步的练习中，只需要发挥创意，而无需拘泥于笔画的精确性

1.打开「库」

2.组合所需的字母

3.存储

制作属于自己的矢量笔画

将矢量绘制的基本笔画存入InDesign「文件」→「新建」→「库（Library）」的文件中，这个功能如同Illustrator的图库，再将创建的笔画用拖曳的方式，组成需要的字母。依此类推，再打开另一个库，将组合好的字母存储起来。

1.2.3——衬线设计 | Step3：Serifs or San Serifs |

衬线设计是字体设计的另一个元素，分为衬线（Serifs）和无衬线（San Serifs）两种。常见的衬线字，如华康明体或英文字体Times New Roman等，这种字体在小字号时有较好的可读性，大多用于报纸或杂志内容的编辑；无衬线字，如华康黑体或英文字体Arial等，这些字体较具现代感，适合用作文章标题。

无衬线的字体，具有简单的现代感

有衬线的字体，比较具有装饰性，给人较严肃的感觉

衬线的设计有如身上的装饰品，可十分醒目或很低调。可以是很均匀利落的现代线条，或具有圆弧的古典线条

SAN SERIFS
SAN SERIFS
SAN SERIFS
SAN SERIFS
SAN SERIFS
SAN SERIFS

SERIFS
SERIFS
SERIFS
SERIFS
SERIFS
SERIFS

1.2.4——曲线轴角度 | Step4：Axis of Loop |

曲线轴的角度（Loop）大多设置为垂直90度，有些字体则会设计为水平轴或倾斜。虽然轴线的变化只影响有弧线的字母，例如，C、D、G或O等，但是，运用轴线和粗细的变化，可增加字体设计的变化。

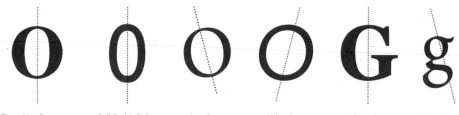

　· Times New Roman　　· Bell Gothic Std　　· Arno Pro　　· Lithos Pro　　· Georgia　　· Arno Pro

1.2.5——装饰设计 | Step5：Swashes |

除了字体集提供的装饰字体外，还可以运用现改造的字体，执行「文字」→「创建轮廓」把文字转换成矢量图形，再移动和修改其锚点或加入图案，以产生丰富的变化。此外，使用材质或立体化的效果，也是延伸文字情感的一种方式。

METRIX

· *Arial Bold*

METRIX

· 创建轮廓后，运用工具栏的剪刀工具切割，移动之
  后即产生切断效果

METRIX

· 创建轮廓后，破坏锚点而产生的锐利效果

METRIX

· 文字的纸片有如被折过的三维效果

METRI

· 以剪刀工具纵向切割，移动之后即产生切断效果

METRIX

· 点阵化效果的文字

· 利用Photoshop的效果产生爆破感的文字

WESTERN

· *Rosewood*

Script typeface

· *Giddyup Std*

ORNAMENT

· *Mesquite Std*

· *Bickham Script Pro*
  加上白色波纹

· *Franklin Gothic Medium*

  创建轮廓后，改变笔画的尾部锚点，再
  加上花草图案搭配

EXPLORATION
lesson 1.3 —— 文字游戏

1.3.1——文字的情感表达

文字是可以表达感情的，利用一些单字，按照其字面上的意思，应用简单的元素去表达其含义。比如，利用空间感（2D/3D）、切割、揉捏、破坏后再重组。通过这样的练习对大标题的应用很有帮助。

根据文字的字面意思，无论是重新编排还是采用立体化的方式，都能产生文字趣味。

Throw意为「抛掷」，将纸张捏皱，表达被丢弃的感觉

Knit意为「编织」，将纸张尾部以编织的方式处理

Radiation是「辐射」的意思，用切割的方式，将Radiation重新组合成放射状

Reverse（颠倒/翻转）：将Reverse做水平切割，再把
上方的一半，上下颠倒衔接下半部，与字面意思吻合

Undo（还原）：运用立体纸片，
将Un（否定）和do（执行）分
开，利用翻页的效果，呈现do和
Undo两种状态

Fall（掉落）：将文字最后的两个L字母，以不规
则方式切割，再以掉落状排列组合。如秋天的落
叶般缤纷，其实Fall这个字，也有秋天的意思

Balance（平衡）

将写有Balance的纸片，中间对折，产生左右平衡的效
果。Kneel中文意思为「跪」，将纸张尾部折叠，让它立
体化，达到字面「跪」的效果。另一个Kneel「跪」的表
现方法，是直接将这个字以跪姿呈现。

1.3.2——创意字体应用

利用基本的英文造字原理来开发自己的字体，并将其应用于标题及广告媒体上。通过我们曾介绍的英文造字原则进行训练，类似的设计理念，对中文造字也有帮助。我们也曾经与华康字体配合开发中文书写字。

字体在标题及广告媒体上的使用范例

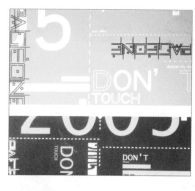

1.3.3——字体概念延伸

如上所述的基本英文造字原理，并非造字的唯一原则。利用辅助线，比如，使用格子、点或复杂的结构线，同样可以设计和开发出所需要的字体。了解了以上整体文字结构的概念，就能轻松为自己设计标题了。

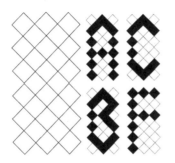

利用菱形格子，设计如织物状的字体

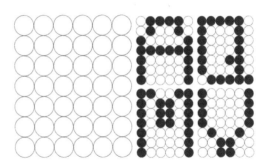

将圆形点以垂直水平线排列，设计如网点般的字体

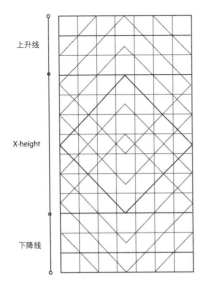

这套复杂的结构图，应用了垂直、水平及45度斜面的设计，并设置了X-height的位置，是专为英文小写字体设计的

1.3.4——字体设计流程

以下所介绍的范例，为大学一年级文字造型与排版课程中的一个练习。我们将造字的基本流程，分为5个主要步骤，说明如下：

创建辅助架构图形

即设置字体比例架构，可以用标准的上下缘线和中线进行设置，或设计特殊的结构。

基础笔画分析与设计

即笔画设置，主要是做基础笔画分析，然后做笔画的设计。

应用设置（字母A–Z）

将设计好的笔画应用到辅助架构图形。

字体设计在标题上的应用

从设计的字母中组合成所需的标题，调整字符间距到适当大小，并由此延伸至另外两组标题变体的设计。

字体设计在媒体上的应用

根据上面组合的标题字，选择符合内容的图文，应用于平面、立体或多媒体设计。

◎ 创建辅助架构图形

辅助线设计

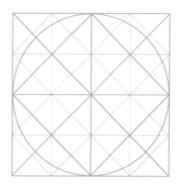

设计理念——伊朗设计师Reza Abedin的作品，运用阿拉伯文字作为元素进行设计，非常特别且让人感动。独具匠心地将英文与阿拉伯文相结合，把英文字变得具有异国情调，辅助线的设计取自中文文字的米字格概念，试图创建较方正平衡的字体结构。

◎ 基础笔画分析与设计

基础笔画

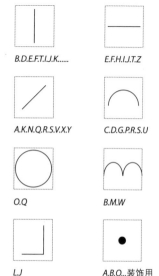

笔画设计

◎ 应用设置（字母A～Z）

◎ 字体设计在标题上的应用

变体设计——羽化

「效果」→「基本羽化」：羽化宽度：*1mm*；
角点：扩散

变体设计——轮廓

◎ 字体设计在媒体上的应用

※Design by 刘怡静

设计理念——决定使用墨水笔来表现阿拉伯文文字神秘浪漫的气氛。墨水笔绘制的笔画，所呈现出的粗细自由感，正好适合所设计的阿拉伯文字的笔画特性。利用基础笔画，在之前设计的辅助架构图形中进行设计，字母就能轻易组合完成。

设计理念——因为字体设计线条笔画十分自由随意，加上过多的装饰反而容易使字体过于复杂且不易阅读。所以，变体的部分仅做单纯的羽化及轮廓效果。羽化让字体更具手写字效果；轮廓则让字体看起来像云纹般的图案。

设计理念——将字体仿真应用于公益海报，阿拉伯人民因长期处于战乱的恐惧中，急需世界外援助。红色标题代表战争的创伤，羽化的文字也象征着阿拉伯文化和生命的脆弱性，大面积的绿色背景则象征对和平的渴望。

EXPLORATION
lesson 1.4 —— 单位和度量

文字单位

常见的文字单位有点（美规、Point/Pt）或级（日规）。其实，文字的度量系统除了美规（Point）外还有欧规（The Didot System）及公规（The Metric System），共三大系统。在「编辑」→「首选项」→「单位和增量」中，除了可以对文件的单位进行修改，文字的单位也在此设置。

了解单位的主要目的是让用户不再对字体大小产生恐惧感，例如，60号的字在版面上大概多大？适合做什么用途？在排版过程中，常常要花很多时间将稿件打印到纸张上，以方便进行字号的调整。其实，只要记住72号字体等于2.53cm，用你的手指头比一下，就可以预测实际大小。此外，以下简表也提供了基本的字体大小概念，希望能帮助您提高排版的效率。

◎ 字体高度度量单位

度量	美规	欧规	公规（十进制）
系统换算	POINT 美规点制	DIDOT 欧规迪多系统	METRIC 公规系统
单位换算	1 point = 0.0138 inch 72 point = 6 picas 　　　　= 1 inch 1 picas = 12 point	1 cicero = 1 didot 14 cicero = 15 picas 1 picas = 12 point	1 inch = 25.3mm 　　　= 6 picas 　　　= 72 point
口诀	72 pt = 6 Picas = 1 inch = 2.53 cm		

◎ 字体大小参考使用表

文字类型	用途	字体大小（pt）
最小印刷	分类广告（Classified-ad） 报纸分类、公告	5、5.5、6
正文	正文（Body Type） 书、杂志、报纸	8、9、10、11、12、14
标题	展示（Display Type） 头条、标题	18、20、24、30、36、48、60、72
展板文字	海报（Poster Type） 海报、展览	96、120、144或更高

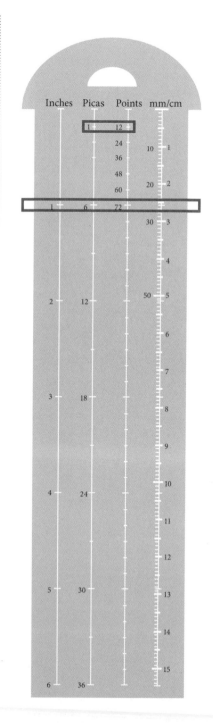

◎ 字体宽度度量单位

之前讨论的单位是大家比较熟悉的字体高度，其实，文字宽度也有其特定的单位，较常用的是美规单位，我们称为em。em的一半称为en（1em = 2 en）。中文字的字宽则称为全角空格，2bu=1/2全角空格，4bu=1/4全角空格。

· 美规字宽的单位称为em，另一个单位是en，为em的一半

空格-无
1/8 全角空格
1/4 全角空格
1/3 全角空格
1/2 全角空格
3/4 全角空格
1个 全角空格

全角空格

1/2全角空格

1/3全角空格

1/4全角空格

1/8全角空格

设计小技巧——Design Tips

小小动作
就能让版面文字
更加整齐！

全角空格（2bu=1/2 全角空格）全角空格

T 比例间距　　T 字符前挤压间距　　T 字符后挤压间距

使用网格工具时，文字的排列以网格为基本准则。但遇到标点符号或数字等字符时，通常会因为这些字符的宽度不等，而造成字符间距不整的困扰。此时，可以调整「窗口」→「控制」中的比例间距，包括字符前后的挤压间距，让文字排列看起来较为均匀

只要这样做
文字
也能轻松处理

书	名	设 计 品 格
作	者	Daphne Shao
编	辑	Vicky Chang
发 行	人	Anta Shu
出 版	社	DelightPress

水平网格工具

水平网格工具主要用于等宽但不等字数的文字排版，如版权页的作者、出版商等信息。此范例将左右分为两个字框，并分别设网格数为3和4，文字便在这些固定网格内以双齐方式排列

EXPLORATION
lesson 1.5 —— 字符

字符间距

计算机的文字并不会自动将每个字母按其所产生的视觉空间作适当调整，所以需要设计人员自行调整字符间距（Letter Space）。可试着观察下列几组字，因字母的形状而产生的空间差异感。当字母缺口遇到另一个缺口（例如E和V）时，在视觉上会产生亮感，有字符之间分离的感觉。反之，若是封闭图形的字母并排时（例如H和D），则让字符之间变得拥挤，而产生视觉的暗感。请观察哪一组字母间产生太大或太小的空间。

VALUE

间距大所产生的亮感

hillbilly

间距小所产生的暗调

schoolbus

当字符间的空间产生视觉的不均衡感时，称为视觉干扰（Optical Interruption），在「窗口」→「控制」中，选择字偶间距调整 或字符间距调整 ，进行视觉的修正

mummy

VALUE

选择A和L两个字符，将字偶间距调整设置为-50，将L和U的字偶间距调整也设置为-75

schoolbus

两个o之间的视觉间距最大，将字偶间距调整设置为-50，其余字母除了L和B之间外，其他都将字偶间距调整设置为-25或-10等

文字——需被读、被看、被听见
被感觉及被体会。
文字——不只是文字
而是点、线、面的元素！

◎ 字偶间距调整

缩短字符距分为三种：Tight（紧）、Touch（衔接）和Lap（重叠）。适当地使用字偶间距调整来拉近字符间距，以便达到文字的均衡感。但衔接和重叠效果易降低文字的辨识度，仅适用于美感需求，而不是文字阅读。

come little · Tight -1

come little · Touch -2

come little · Lap -3

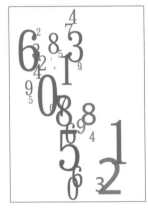

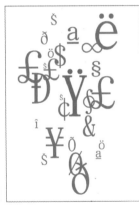

daphne
yun-ju
shao

yun-ju
shao

应用字体大小、字符间距和羽化等变化，让单纯的文字元素变得具有丰富的感情。

缩减字符间距或行距，可能会降低视觉辨识度，不过，也是排版设计时的一种变化方式。利用字符间距或行距的紧密或疏松关系，让文字之间产生空间上的关联性。

EXPLORATION
lesson 1.6 —— 字体

字体

字体（Typography）的应用容易让人产生联想，以电影《黑客帝国》的英文名Metrix为例，若使用Jokerman字体时，会让人对这部电影产生幽默喜剧的印象。反之，若使用Broadway字体，则容易让人联想到20世纪50年代百老汇的华丽歌舞剧。

在《Lesson 1.1——文字初步》单元中，介绍了字体主要分为Serifs（无衬线字）和San Serifs（衬线字）两类。大多数的衬线字除了给人较正式的感觉，常用于报刊杂志的正文或标题。其常见的英文字体，如Garamond、Georgia、Palatino和Times等，中文则以明体为代表。这些衬线字字体，也适合应用在需要较小阅读文字的地方，如分类广告，因其笔画有粗细，所以印刷时不会在缩小的情况下，产生文字模糊的缺点。

但是，从字体演变的历史来看，无衬线字的字体是随着铅字印刷技术发展起来的新字体。因为笔画粗细一致和简洁，所以，这类字体给人带来现代的感觉，最广泛应用的无衬线字，如Arial、Avant Garde、Helvetica、Lucida等，中文则以黑体最具代表性。

※按字母顺序排列的英文字体

Academy Engraved LET
ABCDEFGHIJKLM
NOPQRSTUVWXYZ
abcdefghijklm
nopqrstuvwxyz

Amaze
ABCDEFGHIJKLM
NOPQRSTUVWXYZ
abcdefghijklm
nopqrstuvwxyz

ITC American Typewiter
ABCDEFGHIJKLM
NOPQRSTUVWXYZ
abcdefghijklm
nopqrstuvwxyz

ITC ANNA
ABCDEFGHIJKLM
NOPQRSTUVWXYZ

Antique Olive
ABCDEFGHIJKLM
NOPQRSTUVWXYZ
abcdefghijklm
nopqrstuvwxyz

Arial
ABCDEFGHIJKLM
NOPQRSTUVWXYZ
abcdefghijklm
nopqrstuvwxyz

Arial Black
ABCDEFGHIJKLM
NOPQRSTUVWXYZ
abcdefghijklm
nopqrstuvwxyz

Arial Narrow
ABCDEFGHIJKLM
NOPQRSTUVWXYZ
abcdefghijklm
nopqrstuvwxyz

AvantGarde Bk BT
ABCDEFGHIJKLM
NOPQRSTUVWXYZ
abcdefghijklm
nopqrstuvwxyz

AvantGarde Md BT
ABCDEFGHIJKLM
NOPQRSTUVWXYZ
abcdefghijklm
nopqrstuvwxyz

BANCO
ABCDEFGHIJKLM
NOPQRSTUVWXYZ

Bangle
ABCDEFGHIJKLM
NOPQRSTUVWXYZ
abcdefghijklm
nopqrstuvwxyz

Bart
ABCDEFGHIJKLM
NOPQRSTUVWXYZ
abcdefghijklm
nopqrstuvwxyz

ITC New BasKerville
ABCDEFGHIJKLM
NOPQRSTUVWXYZ
abcdefghijklm
nopqrstuvwxyz

Bauhaus
ABCDEFGHIJKLM
NOPQRSTUVWXYZ
abcdefghijklm
nopqrstuvwxyz

Bimini
ABCDEFGHIJKLM
NOPQRSTUVWXYZ
abcdefghijklm
nopqrstuvwxyz

Blackletter685 BT
ABCDEFGHIJKLM
NOPQRSTUVWXYZ
abcdefghijklm
nopqrstuvwxyz

Book Antiqua
ABCDEFGHIJKLM
NOPQRSTUVWXYZ
abcdefghijklm
nopqrstuvwxyz

ITC Bookman
ABCDEFGHIJKLM
NOPQRSTUVWXYZ
abcdefghijklm
nopqrstuvwxyz

Bookman Old Style
ABCDEFGHIJKLM
NOPQRSTUVWXYZ
abcdefghijklm
nopqrstuvwxyz

Broadway BT
ABCDEFGHIJKLM
NOPQRSTUVWXYZ
abcdefghijklm
nopqrstuvwxyz

Brush Script
ABCDEFGHIJKLM
NOPQRSTUVWXYZ
abcdefghijklm
nopqrstuvwxyz

Caflisch Script Pro
ABCDEFGHIJKLM
NOPQRSTUVWXYZ
abcdefghijklm
nopqrstuvwxyz

Calligaph421 BT
ABCDEFGHIJKLM
NOPQRSTUVWXYZ
abcdefghijklm
nopqrstuvwxyz

Adobe Caslon
ABCDEFGHIJKLM
NOPQRSTUVWXYZ
abcdefghijklm
nopqrstuvwxyz

Adobe Caslon Pro
ABCDEFGHIJKLM
NOPQRSTUVWXYZ
abcdefghijklm
nopqrstuvwxyz

Catateo BT
ABCDEFGHIJKLM
NOPQRSTUVWXYZ
abcdefghijklm
nopqrstuvwxyz

Century
ABCDEFGHIJKLM
NOPQRSTUVWXYZ
abcdefghijklm
nopqrstuvwxyz

Century Gothic
ABCDEFGHIJKLM
NOPQRSTUVWXYZ
abcdefghijklm
nopqrstuvwxyz

Chasm
ABCDEFGHIJKLM
NOPQRSTUVWXYZ
ABCDEFGHIJKLM

Comic Sans MS
ABCDEFGHIJKLM
NOPQRSTUVWXYZ
abcdefghijklm
nopqrstuvwxyz

Cooper
ABCDEFGHIJKLM
NOPQRSTUVWXYZ
abcdefghijklm
nopqrstuvwxyz

Monotype Corsiva
ABCDEFGHIJKLM
NOPQRSTUVWXYZ
abcdefghijklm
nopqrstuvwxyz

Courier
ABCDEFGHIJKLM
NOPQRSTUVWXYZ
abcdefghijklm
nopqrstuvwxyz

Courier New
ABCDEFGHIJKLM
NOPQRSTUVWXYZ
abcdefghijklm
nopqrstuvwxyz

Dolaphin
ABCDEFGHIJKLM
NOPQRSTUVWXYZ
abcdefghijklm
nopqrstuvwxyz

ECCENTRIC
ABCDEFGHIJKLM
NOPQRSTUVWXYZ

ITC Eras
ABCDEFGHUKLM
NOPQRSTUVWXYZ
abcdefghijklm
nopqrstuvwxyz

Eurasia
ABCDEFGHIJKLM
NOPQRSTUVWXYZ
abcdefghijklm
nopqrstuvwxyz

Flat Brush
ABCDEFGHIJKLM
NOPQRSTUVWXYZ
abcdefghijklm
nopqrstuvwxyz

METRIX
· Arial

METRIX
· Palatino

METRIX
· Lucida

METRIX
· Jokerman

METRIX
· John Handy

METRIX
· Broadway

METRIX
· Calligraph

METRIX
· Monotxt

ITC Flora
ABCDEFGHIJKLM
NOPQRSTUVWXYZ
abcdefghijklm
nopqrstuvwxyz

Franklin Goth Medium
ABCDEFGHIJKLM
NOPQRSTUVWXYZ
abcdefghijklm
nopqrstuvwxyz

Friz Quadrata
ABCDEFGHIJKLM
NOPQRSTUVWXYZ
abcdefghijklm
nopqrstuvwxyz

Galant
ABCDEFGHIJKLM
NOPQRSTUVWXYZ
abcdefghijklm
nopqrstuvwxyz

Garamond
ABCDEFGHIJKLM
NOPQRSTUVWXYZ
abcdefghijklm
nopqrstuvwxyz

Adobe Garamond Pro
ABCDEFGHIJKLM
NOPQRSTUVWXYZ
abcdefghijklm
nopqrstuvwxyz

Gaze
ABCDEFGHIJKLM
NOPQRSTUVWXYZ
abcdefghijklm
nopqrstuvwxyz

Georgia
ABCDEFGHIJKLM
NOPQRSTUVWXYZ
abcdefghijklm
nopqrstuvwxyz

Giddup
ABCDEFGHIJKLM
NOPQRSTUVWXYZ
abcdefghijklm
nopqrstuvwxyz

Hanttenschweiler
ABCDEFGHIJKLM
NOPQRSTUVWXYZ
abcdefghijklm
nopqrstuvwxyz

Nighlight LET
ABCDEFGHIJKLM
NOPQRSTUVWXYZ
abcdefghijklm
nopqrstuvwxyz

Impact
ABCDEFGHIJKLM
NOPQRSTUVWXYZ
abcdefghijklm
nopqrstuvwxyz

Adobe Jenson Pro
ABCDEFGHIJKLM
NOPQRSTUVWXYZ
abcdefghijklm
nopqrstuvwxyz

John Handy LET
ABCDEFGHIJKLM
NOPRRSTUVNXYZ
abcdefghijklm
nopqrstuvwxyz

Jokerman LET
ABCDEFGHIJKLM
NOPQRSTUVWXYZ
abcdefghijklm
nopqrstuvwxyz

ITC Kabel
ABCDEFGHIJKLM
NOPQRSTUVWXYZ
abcdefghijklm
nopqrstuvwxyz

Kartika
ABCDEFGHIJKLM
NOPQRSTUVWXYZ
abcdefghijklm
nopqrstuvwxyz

Kaufmann
ABCDEFGHIJKLM
NOPQRSTUVWXYZ
abcdefghijklm
nopqrstuvwxyz

Kelt
ABCDEFGHIJKLM
NOPQRSTUVWXYZ
abcdefghijklm
nopqrstuvwxyz

La Bamba LET
ABCDEFGHIJKLM
NOPQRSTUVWXYZ
abcdefghijklm
nopqrstuvwxyz

Letter Gothic Std
ABCDEFGHIJKLM
NOPQRSTUVWXYZ
abcdefghijklm
nopqrstuvwxyz

Liberale
ABCDEFGHIJKLM
NOPQRSTUVWXYZ
abcdefghijklm
nopqrstuvwxyz

LITHOS
ABCDEFGHIJKLM
NOPQRSTUVWXYZ

LITHOS PRO
ABCDEFGHIJKLM
NOPQRSTUVWXYZ
ABCDEFGHIJKLM
NOPQRSTUVWXYZ

ITC Lubalin Graph
ABCDEFGHIJKLM
NOPQRSTUVWXYZ
abcdefghijklm
nopqrstuvwxyz

Lucida Comsole
ABCDEFGHIJKLM
NOPQRSTUVWXYZ
abcdefghijklm
nopqrstuvwxyz

Lucida Sans Unicode
ABCDEFGHIJKLM
NOPQRSTUVWXYZ
abcdefghijklm
nopqrstuvwxyz

Lynda Cursive
ABCDEFGHIJKLM
NOPQRSTUVWXYZ
abcdefghijklm
nopqrstuvwxyz

ITC MACHINE
ABCDEFGHIJKLM
NOPQRSTUVWXYZ

Melomb LET
ABCDEFGHIJKLM
NOPQRSTUVWXYZ
abcdefghijklm
nopqrstuvwxyz

Microsoft Sans Serif
ABCDEFGHIJKLM
NOPQRSTUVWXYZ
abcdefghijklm
nopqrstuvwxyz

One Stroke Script LET
ABCDEFGHIJKLM
NOPQRSTUVWXYZ
abcdefghijklm
nopqrstuvwxyz

Orange LET
ABCDEFGHIJKLM
NOPQRSTUVWXYZ
abcdefghijklm
nopqrstuvwxyz

Minion
ABCDEFGHIJKLM
NOPQRSTUVWXYZ
abcdefghijklm
nopqrstuvwxyz

Mirror
ABCDEFGHIJKLM
NOPQRSTUVWXYZ
abcdefghijklm
nopqrstuvwxyz

MisterEarl BT
ABCDEFGHIJKLM
NOPQRSTUVWXYZ
abcdefghijklm
nopqrstuvwxyz

Myriad
ABCDEFGHIJKLM
NOPQRSTUVWXYZ
abcdefghijklm
nopqrstuvwxyz

Myriad Pro
ABCDEFGHIJKLM
NOPQRSTUVWXYZ
abcdefghijklm
nopqrstuvwxyz

News Gothic
ABCDEFGHIJKLM
NOPQRSTUVWXYZ
abcdefghijklm
nopqrstuvwxyz

OCRA
ABCDEFGHIJKLM
NOPQRSTUVWXYZ
abcdefghijklm
nopqrstuvwxyz

Odessa LET
ABCDEFGHIJKLM
NOPQRSTUVWXYZ
abcdefghijklm
nopqrstuvwxyz

ITC Officina Sans
ABCDEFGHIJKLM
NOPQRSTUVWXYZ
abcdefghijklm
nopqrstuvwxyz

ITC Officina Serif
ABCDEFGHIJKLM
NOPQRSTUVWXYZ
abcdefghijklm
nopqrstuvwxyz

OldDreadfubNo7 BT
ABCDEFGHIJKLM
NOPQRSTUVWXYZ
abcdefghijklm
nopqrstuvwxyz

One Stroke Script LET
ABCDEFGHIJKLM
NOPQRSTUVWXYZ
abcdefghijklm
nopqrstuvwxyz

Orange LET
ABCDEFGHIJKLM
NOPQRSTUVWXYZ
abcdefghijklm
nopqrstuvwxyz

ORATOR
ABCDEFGHIJKLM
NOPQRSTUVWXYZ
ABCDEFGHIJKLM
NOPQRSTUVWXYZ

Palatino Linotype
ABCDEFGHIJKLM
NOPQRSTUVWXYZ
abcdefghijklm
nopqrstuvwxyz

Paris
ABCDEFGHIJKLM
NOPQRSTUVWXYZ
abcdefghijklm
nopqrstuvwxyz

ParkAvenue BT
ABCDEFGHIJKLM
NOPQRSTUVWXYZ
abcdefghijklm
nopqrstuvwxyz

Poplar Std
ABCDEFGHIJKLM
NOPQRSTUVWXYZ
abcdefghijklm
nopqrstuvwxyz

Pump Demi Bold LET
ABCDEFGHIJKLM
NOPQRSTUVWXYZ
abcdefghijklm
nopqrstuvwxyz

Quixley LET
ABCDEFGHIJKLM
NOPQRSTUVWXYZ
abcdefghijklm
nopqrstuvwxyz

Rage Italic LET
ABCDEFGHIJKLM
NOPQRSTUVWXYZ
abcdefghijklm
nopqrstuvwxyz

Rusch LET
ABCDEFGHIJKLM
NOPQRSTUVWXYZ
abcdefghijklm
nopqrstuvwxyz

Russell Square
ABCDEFGHIJKLM
NOPQRSTUVWXYZ
abcdefghijklm
nopqrstuvwxyz

Scruff LET
ABCDEFGHIJKLM
NOPQRSTUVWXYZ
abcdefghijklm
nopqrstuvwxyz

Serpentine
ABCDEFGHIJKLM
NOPQRSTUVWXYZ
abcdefghijklm
nopqrstuvwxyz

Short Hand
ABCDEFGHIJKLM
NOPQRSTUVWXYZ
abcdefghijklm
nopqrstuvwxyz

Simpson
ABCDEFGHIJKLM
NOPQRSTUVWXYZ
abcdefghijklm
nopqrstuvwxyz

Smudger LET
ABCDEFGHIJKLM
NOPQRSTUVWXYZ
abcdefghijklm
nopqrstuvwxyz

Square721 BT
ABCDEFGHIJKLM
NOPQRSTUVWXYZ
abcdefghijklm
nopqrstuvwxyz

Staccato222 BT
ABCDEFGHIJKLM
NOPQRSTUVWXYZ
abcdefghijklm
nopqrstuvwxyz

STENCIL
ABCDEFGHIJKLM
NOPQRSTUVWXYZ

Surfer
ABCDEFGHIJKLM
NOPQRSTUVWXYZ
abcdefghijklm
nopqrstuvwxyz

Sylfaen
ABCDEFGHIJKLM
NOPQRSTUVWXYZ
abcdefghijklm
nopqrstuvwxyz

Tahoma
ABCDEFGHIJKLM
NOPQRSTUVWXYZ
abcdefghijklm
nopqrstuvwxyz

Tekton
ABCDEFGHIJKLM
NOPQRSTUVWXYZ
abcdefghijklm
nopqrstuvwxyz

Times New Roman
ABCDEFGHIJKLM
NOPQRSTUVWXYZ
abcdefghijklm
nopqrstuvwxyz

Tirant Solid LET
ABCDEFGHIJKLM
NOPQRSTUVWXYZ
abcdefghijklm
nopqrstuvwxyz

TRAJAN
ABCDEFGHIJKLM
NOPQRSTUVWXYZ

TRAJAN PRO
ABCDEFGHIJKLM
NOPQRSTUVWXYZ

Trebuchet MS
ABCDEFGHIJKLM
NOPQRSTUVWXYZ
abcdefghijklm
nopqrstuvwxyz

University Roman LET
ABCDEFGHIJKLM
NOPQRSTUVWXYZ
abcdefghijklm
nopqrstuvwxyz

Verdana
ABCDEFGHIJKLM
NOPQRSTUVWXYZ
abcdefghijklm
nopqrstuvwxyz

Victorian LET
ABCDEFGHIJKLM
NOPQRSTUVWXYZ
abcdefghijklm
nopqrstuvwxyz

Vrinda
ABCDEFGHIJKLM
NOPQRSTUVWXYZ
abcdefghijklm
nopqrstuvwxyz

Westwood LET
ABCDEFGHIJKLM
NOPQRSTUVWXYZ
abcdefghijklm
nopqrstuvwxyz

中文字体应用

每一种字体都有其「形感」，如楷书、隶书、行书等较为典雅且圆润活泼；黑体方正具有现代感；明体感觉正式庄重常用于书报、杂志或正式公文文件，加上明体缩小时不易模糊，也适合于使用极小字的分类广告。因此，选择合适的字体并搭配版面，才能使图文相得益彰。

一般标题字宜采用较粗的「粗、特、超」字体样式，正文字则以笔画较细的「细、中」样式为主。其理念和英文字体的概念类似（请参阅《Lesson 1.2.1——比例架构》及《Lesson 1.2.2——笔画设置》。文字感观上的大小，视不同字体而定，比如，相同字号的仿宋、楷书、行书等非正方等比架构或笔画较细的书写字体，看起来就比明体、黑体、圆体等结构方正的字体小。因此，字体因特性和神韵不同，用途也随之改变，唯有恰当使用才能发挥字体传达信息的最佳功用。本节提供较常用的明体、黑体和楷体三种范例，可根据作品表现的不同氛围，学习中文字体的创作。另外，还提供部分华康中文字体列表让读者参考。

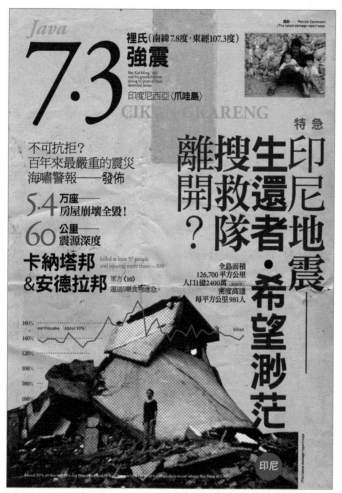

◎明体带着人文气息，此杂志封面范例使用大量明体作为标题，具有庄严和尊重的主题氛围。以明体为主的版面构成，因为字体本身就带有笔画粗细的变化，单独应用时并不会显得单调，但加入少数黑体作为点缀，可增加版面文字的层次感，突出架构的主从关系

※Design by Reiyo

黏稠
度。
Viscid

※Design by Reiyo

※Design by 贺宜洁

④楷体的运用较为不易，带有较多传统保守的风格，此范例通过字体大小和字符间距离疏密的变化，将楷体笔画柔和中带些坚毅的特质表现出来，与明体的内敛和黑体的直率相比，楷体更带有口语式传达的感情特征

⑤相对于明体，黑体则较适合流行和时尚的排版应用，当遇上较活泼的版面时，可配合图片和对象的造型将文字倾斜应用，如此一来，可降低文字在版面上的突兀感，更能融入整体画面

※華康正體字		
華康明體W5	1234567890 AaBbCcDdEeFfGgHhIiJjKk	
華康明體W7	1234567890 AaBbCcDdEeFfGgHhIiJjKk	
華康明體W9	1234567890 AaBbCcDdEeFfGgHhIiJjKk	
華康明體W12	1234567890 AaBbCcDdEeFfGgHhIiJjKk	
華康黑體W5	1234567890 AaBbCcDdEeFfGgHhIiJjKk	
華康黑體W7	1234567890 AaBbCcDdEeFfGgHhIiJjKk	
華康黑體W9	1234567890 AaBbCcDdEeFfGgHhIiJjKk	
華康黑體W12	1234567890 AaBbCcDdEeFfGgHhIiJjKk	
華康圓體W5	1234567890 AaBbCcDdEeFfGgHhIiJjKk	
華康圓體W7	1234567890 AaBbCcDdEeFfGgHhIiJjKk	
華康圓體W9	1234567890 AaBbCcDdEeFfGgHhIiJjKk	
華康圓體W12	1234567890 AaBbCcDdEeFfGgHhIiJjKk	
※華康書法字		
華康行書體	1234567890 AaBbCcDdEeFfGgHhIiJjKk	
華康郭泰碑	1234567890 AaBbCcDdEeFfGgHhIiJjKk	
華康新篆體	1234567890 AaBbCcDdEeFfGgHhIiJjKk	
華康楷書體	1234567890 AaBbCcDdEeFfGgHhIiJjKk	
華康瘦金體	1234567890 AaBbCcDdEeFfGgHhIiJjKk	
華康魏碑體	1234567890 AaBbCcDdEeFfGgHhIiJjKk	
華康仿宋體	1234567890 AaBbCcDdEeFfGgHhIiJjKk	

※華康東方古典字型		
華康古印體	1234567890 AaBbCcDdEeFfGgHhIiJjKk	
華康行楷體	1234567890 AaBbCcDdEeFfGgHhIiJjKk	
華康金文體	1234567890 AaBbCcDdEeFfGgHhIiJjKk	
華康勘亭流	1234567890 AaBbCcDdEeFfGgHhIiJjKk	
華康歐陽詢體	1234567890 AaBbCcDdEeFfGgHhIiJjKk	
※華康手書風字型		
華康竹風體	1234567890 AaBbCcDdEeFfGgHhIiJjKk	
華康秀風體	1234567890 AaBbCcDdEeFfGgHhIiJjKk	
華康采風體	1234567890 AaBbCcDdEeFfGgHhIiJjKk	
華康流風體	1234567890 AaBbCcDdEeFfGgHhIiJjKk	
華康斜風體	1234567890 AaBbCcDdEeFfGgHhIiJjKk	
華康雅風體	1234567890 AaBbCcDdEeFfGgHhIiJjKk	
華康寶風體	1234567890 AaBbCcDdEeFfGgHhIiJjKk	
※華康趣味字型		
華康POP體	1234567890 AaBbCcDdEeFfGgHhIiJjKk	
華康少女文字	1234567890	
華康娃娃體	1234567890 AaBbCcDdEeFfGgHhIiJjKk	
華康連連體	1234567890 AaBbCcDdEeFfGgHhIiJjKk	
華康童童體	1234567850 AaBbCcDdEeFfGgHhIiJjKk	

◎ 字体特征

利用字体本身所特有的感情特征，作为个人名片设计的概念，例如，使用较圆润或较瘦和骨感的字体，与人的外形或性格做联想。最后，按个人喜好所挑选的色彩，作为另一设计要素。虽然中文字体笔画比英文复杂，但相同的理念也可以延伸开来。

EXPLORATION
lesson 1.7 —— 段落

字体大小（*The size of type*）
行间距（*The leading*）

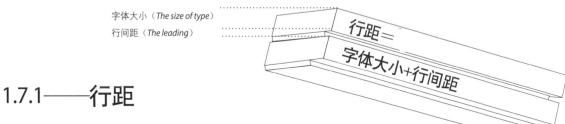

行距＝
字体大小+行间距

1.7.1——行距

行距=字体大小+行间距

行距是指段落中行与行之间的距离，行距的数值是字体大小（Size）加上行间距（Leading）的总和，所以，计算机默认的行距都比字号大。一般行距的设置，大约在字号的基础上再加上1~4pt的行间距。阅读性较强的排版则必须行间距大于字符间距，这样才不会混淆行和列的关系。

如右图所示，段落A和段落B，其字体大小、段落宽度、行距都相同，最大的差异在于选用的字体不同。段落A的X-height高度明显小于段落B，虽然是同样字体大小、同行距的段落，X-height高度较小的段落，在行距上产生较多的视觉留白，因此感觉行距变大。反之，X-height高度较大的字体构成的段落，在视觉上文字有膨胀感，相对来说，行和行之间的间距缩小。所以，使用较大的行距，可以舒缓视觉的拥挤感。

段落C和段落D两者的字体、字体大小、行距都相同，最大的差异在段落宽度不同。段落C的段落宽度小于段落D，同行距且同样字体大小的文字，当排列的段落宽度较小时，适合眼珠活动的范围，因此，阅读不容易疲累。反之，当段落宽度过大时，眼睛阅读活动的范围宽，则不易阅读。因为后者容易造成眼睛疲劳，所以需要给予较大的行距来放松眼睛。

Assignments workflow

Work with assignments that contain only the InDesign CS2 elements you need, from a specific area of a page to an entire document. Track and manage file status, and view design changes as the designer makes them available to you.

· 段落A

Assignments workflow

Work with assignments that contain only the InDesign CS2 elements you need, from a specific area of a page to an entire document. Track and manage file status, and view design changes as the designer makes them available to you.

· 段落B

Assignments workflow

Work with assignments that contain only the InDesign CS2 elements you need, from a specific area of a page to an entire document. Track and manage file status, and view design changes as the designer makes them available to you.

· 段落C

Assignments workflow

Work with assignments that contain only the InDesign CS2 a page to an entire document. Track and manage file status, makes them available to you.

· 段落D

学校已经开学

我今天要上学

新的学期开始

新的生活启动

学 校 已 经 开 学
我 今 天 要 上 学
新 的 学 期 开 始
新 的 生 活 启 动

㊀字符间距大于行间距时，本来水平排列的文字段落，容易误认为是垂直排列

1.7.2——段落排列

段落排列的方式，大体上可分为左对齐、双齐（末行不强制对齐）、全部强制双齐、右对齐和居中对齐。除此之外，在InDesign的文字控制面板上，段落的排还更增加了「朝向书脊对齐」和「背向书脊对齐」两个按钮。

左对齐 每行的左侧对齐，右侧保持参差不齐，因横式段落由左至右的文字书写方式，齐左的段落让阅读顺畅，即使长段落的阅读（二三十行以上），也不易产生疲惫感，因为人们已习惯横式阅读模式。

右对齐 每行的右侧对齐，左侧保持参差不齐，这样的排法因为阅读开头参差不齐，阅读时较费眼力，所以，建议用于较短段落的排列（十行内），超过十行容易导致阅读困难。

居中对齐 左右对称的段落排法，试着想像每行文字的中央有一垂直线，将每行文字分成两等分，段落对称。适合使用在较少段落的版面，如海报。

全部强制双齐 是一种强制性的段落对齐方式，段落的左右侧都与文本框拉齐，虽然段落看起来非常工整，但因每行的字数不等，会造成字符间距不均匀的现象。

Adobe InCopy CS4 software is a professional writing and editing program that tightly integrates with Adobe InDesign CS2 software to deliver a complete solution for collaborative editorial workflow.	Adobe InCopy CS4 software is a professional writing and editing program that tightly integrates with Adobe InDesign CS2 software to deliver a complete solution for collaborative editorial workflow.	Adobe InCopy CS4 software is a professional writing and editing program that tightly integrates with Adobe InDesign CS2 software to deliver a complete solution for collaborative editorial workflow..
左对齐	居中对齐	右对齐
Adobe InCopy CS4 software is a professional writing and editing program that tightly integrates with Adobe InDesign CS2 software to deliver a complete solution for collaborative editorial workflow.	Adobe InCopy CS4 software is a professional writing and editing program that tightly integrates with Adobe InDesign CS2 software to deliver a complete solution for collaborative editorial workflow.	Adobe InCopy CS4 software is a professional writing and editing program that tightly integrates with Adobe InDesign CS2 software to deliver a complete solution for collaborative editorial workflow.
双齐末行齐左	双齐末行居中	全部强制双齐

◎ 段落的宽度

合适的段落宽度，会让人沉浸在舒适的阅读旋律中，可以让视觉足够集中，让眼睛获得适当的休息。字句过长会使人阅读疲倦，反之，太窄的段落宽度，每行容纳的字数有限，若遇到较长的单字，易产生断字的问题，因此阅读的连续性显著降低。此外，段落的宽度必须视「字体大小」和「行距」而有所变化，例如，字体大小为9～12的文字段落，每行最多设置10～12个字(60～70个字符)。行距越大的段落，段落宽度可以越宽。

◎ 段落之间的距离

段落之间的距离可简称为段间距，是指段落之间的空间，段间距设置必须大于行间距，否则会让阅读产生混淆。

Adobe InCopy CS4 software is a professional writing and editing program that tightly integrates with Adobe InDesign CS2 software to deliver a complete solution for collaborative editorial workflow.

Adobe InCopy CS4 software is a professional writing and editing program that tightly integrates with Adobe InDesign CS2 software to deliver a complete solution for collaborative editorial workflow.

Adobe InCopy CS4 software is a professional writing and editing program that tightly integrates with Adobe InDesign CS2 software to deliver a complete solution for collaborative editorial workflow.

Adobe InCopy CS4 software is a professional writing and editing program that tightly integrates with Adobe InDesign CS2 software to deliver a complete solution for collaborative editorial workflow.

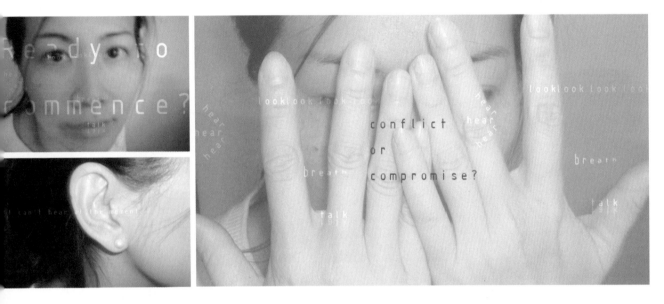

应用段落排列方式、字符间距、行间距和段间距所进行的文字游戏。文字如飞跃般的律动，游走于版面之中

Exploration
——关于InDesign

EXPLORATION

lesson 2.1 ——新建、置入和存储

文件概述

认识文件的新建、置入、存储或输出的格式，是开始操作前重点学习的内容，可帮助正确执行操作，准备素材，保证文件输出的正确性。

◎ 「文件」→「新建」

快捷键：【Ctrl+N】

```
文档(D)...      Ctrl+N
来自模板的文档(T)...
书籍(B)...
库(L)...
```

新建文件 选择「文件」→「新建」→「文档」，新建的文档为单独的InDesign文件，适用于页数较少的文件或书籍内某个章节的文件。

从模板新建文件 选择「文件」→「新建」→「来自模板的文档」，可将QuarkXpress或InDesign等软件创建的范本作为新文件的模板，可以更快速地开始排版。

新建书籍 选择「文件」→「新建」→「书籍」，书籍可以将多个单独的文件集结成册。新建书籍时会要求先存储文件名，接着出现一个浮动面板，而不是一个文件。利用面板右侧的功能选项菜单或面板下方图标（➕），选择「添加文档」，选中已排版完成的文件，书籍即会自动调整页码，再选择相应的同步选项后，即可自动完成书籍。

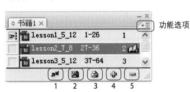

功能选项

1　使用"样式源"同　　3　打印书籍
　　步样式和色板　　　4　添加文档
2　存储书籍　　　　　5　移除文件

新建库 与新建书籍一样，存储文件后将出现浮动窗口。可创建版式、表、绘图、文字等库，在所有InDesign文件中可重复使用。参阅《Lesson 13——库》。

◎ 「文件」→「置入」

快捷键：【Ctrl+D】

InDesign可置入的文件类型很多，如文档、文字、表格、图像和多媒体等。此外，还不断扩充各种文件新旧版本的兼容性。

◎ 「文件」→「存储」

快捷键：【Ctrl+S】

InDesign文件的存储有两种格式，一种是InDesign文件，扩展名为*.indd；另一种是InDesign模板，扩展名为*.indt。

◎ 「文件」→「Adobe PDF预设」

Adobe PDF预设中可以存储的PDF格式很多，较常用的是「印刷质量」、「高质量打印」，以及用于网络传输的「最小文件大小」。当然，也可以选择「定义」进行新建、载入和编辑。选择「文件」→「Adobe PDF预设」→「定义」，其对话框选项提供详细的预设说明和预设设置小结，可帮助您进一步了解不同PDF格式的差异。

```
定义(D)...

[MAGAZINE Ad 2006 (Japan)]...
[PDF/X-1a:2001 (Japan)]...
[PDF/X-1a:2001]...
[PDF/X-3 2002 (Japan)]...
[PDF/X-3:2002]...
[PDF/X-4:2008 (Japan)]...
[高质量打印]...
[印刷质量]...
[最小文件大小]...
```

EXPLORATION

lesson 2.2 —— 导出功能

导出格式和类型

存储功能只能存储InDesign文件（indd）或InDesign模板（indt）两种格式，他格式需使用导出的方式进行存储。

◎ 「文件」→「导出」

```
Adobe Flash CS4 Pro (XFL)
Adobe PDF
EPS
InDesign CS3 交换文档 (INX)
InDesign 标记 (IDML)
JPEG
SWF
XML
```

```
为 Digital Editions 导出(E)...
为 Dreamweaver 导出(W)...
```

InDesign的导出（Export）格式，如Adobe Flash CS4 Pro、Adobe PDF、EPS、InDesign交换格式（INX）、InCopy文件、InDesign程序代码片段（INDS）、JPEG、RTF格式、SWF、XML和纯文本。此外，CS4将多媒体的导出独立出来，分别是「为Digital Editions导出」【Ctrl+R】和「为Dreamweaver导出」【Ctrl+W】。

Adobe Flash CS4 Pro（XFL）

可在Flash中编辑的文档格式，可进一步增加或修改动画。尤其是在制作动态网页时相当方便。

Adobe PDF（Portable Document Format）

称为便携式文件格式，PDF是基于多平台的开放文件，可完整存储文件内的文字和图形。大量应用于eDM的存档。

InDesign交换格式（InDesign Exchange，INX）

作为InDesign新旧版本之间的中间格式。一般来说，高版本都可打开旧版本的文件；反之，高版本的文件要想在旧版本上打开，必须先存储成InDesign交换格式（INX），才可以打开。

InCopy文件

InCopy是专为文字工作者设计的软件，具备强大的分配式工作流程功能。通过电子邮件，可让设计人员和编辑人员能够同时修改一份Adobe InDesign文件，提高了编辑的效率。（请参考www.adobe.com/cn/products/incopy/upgrade/网站的说明。）

InDesign程序代码片段（INDS）

程序代码片段在其他文件中提供，可重复用于格式化对象。

XML（Extensible Markup Language）

可扩展标记语言（XML）用于IP网络，是一种将数据串行化的标准格式。

◎ 多媒体导出

为Digital Editions导出

即旧版本的XHTML数字版本格式，现在称为ePub，可将文件导出为电子书格式。

```
lesson2_7_8            ▼
ePub (*.epub)         ▼
```

为Dreamweaver导出

HTML/Dreamweaver（HyperText Markup Language），此格式可以直接进入Dreamweaver软件编辑。InDesign排版的内容直接转换成网页格式后，图像排版不会改变，但文字则需在InDesign中选择CSS（Cascading Style Sheets，层叠样式表）的设置，再在Dreamweaver软件中应用。以上介绍均可参阅《Lesson 14——数字出版应用》。

```
lesson2_7_8            ▼
ePub (*.epub)         ▼
```

EXPLORATION

lesson 2.3 —— 常用首选项

准备工作

在排版工作开始之前，首先应在首选项中进行文件的设置，如操作界面、标尺、参考线、单位、文字和显示性能等。

```
常规 (G)...        Ctrl+K
界面 (I)

文字 (T)...
高级文字 (A)...
排版 (C)...

单位和增量 (U)...
网格 (R)...
参考线和粘贴板 (P)...
字符网格 (I)...

词典 (D)...
拼写检查 (S)...
自动更正 (U)...

附注 (N)...

文章编辑器显示 (O)...
显示性能 (Y)...

黑色外观 (B)...
文件处理 (F)...
剪贴板处理 (H)...
标点挤压选项...
```

每个软件都有首选项（Reference）的设置选项，主要供用户设置自己熟悉的工作环境。首选项可设置的项目很多，本章仅针对较常用的首选项进行简单说明。

在菜单中选择「编辑」→「首选项」，常用的首选项如下：

常规

用于设置视图页码，可选择章节页码或绝对页码。一般汇集成册的书籍，较常使用章节页码，若设置为绝对页码，当多个文档汇集成书籍文件时，即使重新生成页码，自动生成页码也不会起作用，还是各自保留原文件的固定页码。绝对页码适用于生成带章节的页码，如1-10、2-10等。

界面

可设置工具栏在工作窗口内的排列方式，工具栏可以设置为单栏、双栏和单行三种。除此之外，浮动面板也可以设置为自动折叠，以便增加更多工作窗口空间。

文字

较常用的文字功能，例如：「文字工具将框架转换为文本框架」，只要选择工具栏的文字工具，任何框架即可自动转换为可以输入文字的文本框，或是用鼠标双击可选择整行，也可快速选择文字，不必再用鼠标光标拖曳选择整行。

单位

可设置文字单位，例如：点（美式）或级（日式），参阅《Lesson 1.4——单位和度量》。

线条和标尺也可以设置点（Point）、派卡（Picas）、英制（Inch）和公制（Centimeter）等单位。此外，当使用键盘的上、下、左、右键来移动对象时，可设置键盘增量的数值，重新设置每次移动的间距。若需要很细微的移动时，可将键盘增量的值设置为较小数。

「网格」和「参考线和粘贴板」

可设置边界参考线和辅助线等线条彩色，以及预览的背景颜色。此外，为了排版靠齐的方便，也可选择参考线的显示位置，可以让参考线位于图文前方；也可勾选「参考线置后」的选项，让参考线位于对象之后，这样就不干扰画面。

显示性能

主要针对屏幕视图的画面进行设置，此设置与印刷效果无关。当将显示性能设定为典型质量时，画面预览的速度会快。显示性能首选项中，最常用的一个选项是设置「灰条化显示的阈值」。当查看整页文件，画面的文字以灰色条状显示时，会让用户难以查看整体编排效果。此时，可以将「灰条化显示的阈值」设为0。这样即使你的画面显示比例设置到25%，文字也会以文字形态显示。

标点挤压选项

此设置可用于控制整个文件的文字间距。全角代表无水平缩放的正常字宽，有时标点保留1个字宽，会造成局部字距太松散和段落空隙太大的问题。所以有时也可将标点设置为1/2字宽，这样可避免由于标点字符间距过大而产生的视觉空白障碍。

◎ 首选项

「编辑」→「首选项」→「常规」

可设置使用章节页码或绝对页码。

页码
视图(V): 章节页码 ▾

「编辑」→「首选项」→「文字」

文字选项
☑ 使用弯引号（西文）(U)
☑ 文字工具将框架转换为文本框架(O)
☑ 自动使用正确的视觉大小(U)
☑ 三击以选择整行(P)
☐ 对整个段落应用行距(E)
☐ 剪切和粘贴单词时自动调整间距(C)
☑ 字体预览大小(F): 中 ▾

「编辑」→「首选项」→「单位和增量」

标尺单位：可以设置文件坐标原点（0,0）位置。若选择跨页，则整个跨页一起使用共同的坐标系统。若选择页面，则坐标原点会出现在每个页面的左上方，标尺也以单一页面方式显示。缩小键盘方向键增量的距离，可以进行细微移动的操作。

标尺单位
原点(O): 跨页 ▾
水平(H): 毫米 ▾ ☐ 点
垂直(T): 毫米 ▾ ☐ 点
键盘增量
光标键(C): 0.353 毫米　　基线偏移(B): 0.709 点
大小/行距(S): 0.709 点　　字偶间距调整(K): 20 /1000

「编辑」→「首选项」→「参考线和粘贴板」

可设置边距、栏、出血、辅助信息区或预览背景的颜色。

「编辑」→「首选项」→「显示性能」

可设置视图效果的质量；将「灰条化显示的阈值」设置为0点，即使视图为25%的画面大小，文字也能以文字形态显示，方便查看整体页面效果。

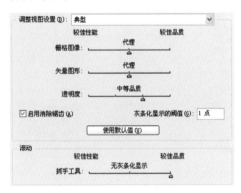

「编辑」→「首选项」→「标点挤压选项」

属于较高级的文字设置，适用于标点符号的字宽设置。

标点挤压集显示设置
☐ 所有行尾 1/2 个字宽
☐ 缩进 1 个字宽，行尾 uke 1/2 个字宽
☐ 缩进 1 或 1/2 个字宽，行尾 uke 1/2 个字宽
☐ 缩进 1 或 1/2 个字宽，所有行尾 1 个字宽
☑ 缩进 1 个字宽，所有行尾 1 个字宽
☐ 缩进 1 个字宽，所有行尾无浮动
☐ 缩进 1 个字宽，行尾 uke 无浮动
☑ 缩进 1 或 1/2 个字宽，行尾 uke 无浮动
☐ 缩进 1 个字宽，所有行尾 1/2 个字宽
☑ 所有行尾 1 个字宽
☐ 行尾 uke 无浮动
☐ 缩进 1 或 1/2 个字宽，行尾句号 1 个字宽
☐ 缩进 1 个字宽，行尾句号 1 个字宽
☐ 行尾句号 1 个字宽

EXPLORATION

lesson 2.4 —— Adobe Bridge

文件管理

排版设计的流程相当复杂和繁琐，涉及从文字、图案到印前制作和印刷等各项工作，其中图片管理格外重要。Adobe Bridge扮演了重要的文件中央管理器角色。

Adobe Bridge是Adobe产品之间的文件组织的桥梁，也可以说是中央文件管理器，是Adobe Creative Suite内置的软件之一。本章说明如何在InDesign中有效使用Bridge的强大文件管理功能，协助繁琐的排版设计工作，达到事半功倍的效果。

推荐Adobe Bridge的主要原因是，它可对所有图像应用关键词分类。在大量的排版工作中，图像的链接和归类是很繁琐的，虽然可以使用文件输出的链接和存档操作，将图像文件完整存放在同一文件夹中，确保从排版到印刷过程中，图片的收集是完整的。传统上来说，在文件的制作过程中，经常是将同一章节的图片放在相同的文件夹中，这是常用的一种图片管理法，但往往图片会跨文件引用，因此文件的链接就容易混淆。

为此，Adobe Bridge提供了另一种弹性的图片管理方式，即在印前制作过程中，图像可以先不按章节等文件夹分类，而是直接将所有图片放在同一文件夹中（图像文件的名称也是重要的分类方式），使用关键字来设置图片分类。比如，图片A出现在第2章的一个操作截取画面，则可将它设置具有「Chapter2」和「操作画面」两个关键字。只要利用筛选器的关键词菜单，筛选「Chapter2」或「操作画面」时，即可快速找到图片A。所以，不需要将图片A分别放入不同的文件夹中，就可以供不同文件使用。善用关键词也能达到文件分类的效果。

此外，在筛选器中也可以显示文件的其他信息，例如，文件类型、日期等。

还可以选择下拉菜单的「标签」，显示其工作状态，比如：已批准、审阅、待办事项等。除此之外，Adobe Bridge还可以当作浏览相片的简单工具使用，只要将其「视图」设为幻灯片放映即可自动播放。其他详细功能，请参考Adobe Bridge的说明链接。

要打开Adobe Bridge，单击InDesign工作窗口内的工具面板上的红色Adobe Bridge按钮，弹出Adobe Bridge软件窗口。或是选择「文件」→「在Bridge中浏览」。在Adobe Bridge程序窗口的右上角，选择「切换至紧凑模式」的图标，即变成一个缩小的浮动浏览器面板，可以放置在Adobe其他软件（Photoshop、Illustrator和InDesign）的工作窗口中。通过这个面板采用拖曳文件的方式，可将图像置入到软件中。因此，无需使用「文件」→「置入」这一复杂操作，就可以精确地通过Adobe Bridge打开需要的图片。

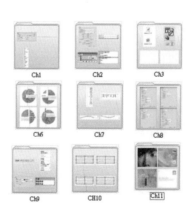

⊕「切换至紧凑模式」后的浮动浏览器面板，可出现在Adobe其他软件的工作窗口中。可以直接用拖曳的方式，将图片置入软件中进行编辑

⊕传统的图片文件管理，将图片按不同章节放在不同文件夹进行管理

展开至完整模式
位于紧凑模式的右上方位置。或按下【Ctrl】键及Bridge红色按钮，也可切换至Bridge的完整模式

切换至紧凑模式
变为跨软件的浮动面板，可以出现在Adobe其他软件窗口内

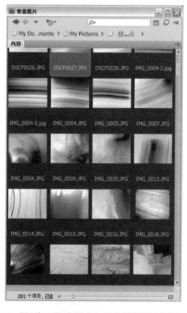

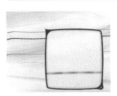

标签

下拉菜单「标签」可显示文件的工作状态，如已批准、审阅、待办事项等。

窗口

下拉菜单「视图」可选择以全屏幕或紧凑模式显示，或以幻灯片放映。

单击预览区域图片时，会出现放大窗口，局部放大的区域可以随鼠标光标移动，提供详细的图片细节

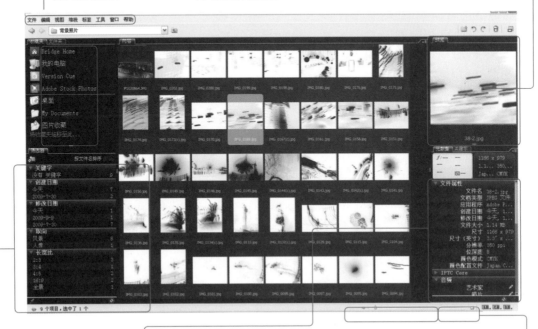

筛选器

筛选器中提供文件类型、关键字、创建日期和修改日期等分类显示。还提供按图片特性分类，例如：取向（人像、风景）、长宽比和色彩描述等。

元数据

元数据提供文件属性、IPTC Core（创建者及版权等信息），还有音频或视频等文件的相关信息。

关键字

利用关键词可以提供弹性的图片分类，可在下图关键词面板的功能选项中，新建关键词（即出现在左图筛选器面板的关键词中），图片可设置一个以上的关键词。

预览模式包括缩放工具条和缩览图模式图标。

缩放工具条：可左右移动，控制预览图标的缩小或放大。

根据不同需求选择缩览图模式，缩览图模式分别为缩览图网格、内容缩览图、内容详细数据，以及内容列表等。

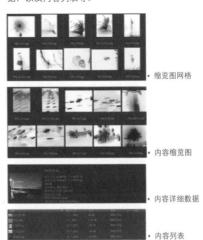

- 缩览图网格
- 内容缩览图
- 内容详细数据
- 内容列表

EXPLORATION

lesson 2.5 ——讨论与互动

共享资源

讨论与互动是InDesign CS4的新功能，可以共享桌面和实时交谈，让InDesign的排版设计工作更具时效性。

InDesign CS4中新增了「共享我的屏幕」功能，主要是让InDesign工作团队可以跨平台共享桌面，使用实时交谈，共享在线白板，以及其他协作功能。在《Lesson 3——InDesign操作流程》，从设计策划到印前工作，再从印前工作到印刷制作及印后制作，需要很多人员配合完成整个设计制作过程。无论是客户、文案人员、设计人员、编辑、制版厂还是印刷厂等，在制作过程中需要大量的讨论和沟通。所以，不管是否因为文件过大不便通过网络传输，通过这一新增功能，参与的人员均可直接在线讨论以节省时间。通过共享屏幕画面的功能，可以直接在线编辑，方便更明确的双向沟通。

首先，需要申请账户和密码（创建Adobe ID），只有在申请账号和密码后，选择「文件」→「共享我的屏幕」，才可以进入输入账号密码的窗口，才能使用视频会议、在线编辑、共享文件，以及我的文件等便捷功能。

Adobe Buzzword提供在线Word文件编辑，也可导出为PDF。当使用没有编辑软件的计算机时，可利用这个在线工具进行Word文件的编辑工作。

Adobe ConnectNow是一款提供在线讨论和会议的工具，网络连接后即可开始在线视频，还可结合语音及键入文字进行讨论。可以同时打开数个会议室进行不同的会议，也可共享文件；此外，会议室内还提供白板，可以采用绘画方式进行讨论。Create PDF提供在线导出PDF的功能，可作为图片和文字的在线转换工具。

Share主要用来设置需要共享的文件，类似于共享文件夹，可以找到共享的文件项目。

My File网络硬盘，类似于FTP的功能，可以方便地将文件上传至网络硬盘上，供对方下载。

1. 申请Adobe ID的账号和密码

2. 选择「文件」→「共享我的屏幕」，输入账号和密码，才可以使用视频会议、在线编辑、共享文件和我的文件等便捷功能

EXPLORATION

lesson 2.6 —— 智能参考线

辅助编辑

智能参考线是CS4新增的功能，当鼠标光标靠近对象时，会自动提供相关数据和辅助线，轻松进行对象对齐和调整。

打开或关闭智能参考线，请选择「视图」→「网格和参考线」→「智能参考线」。

确定「对齐对象中心」、「对齐对象边缘」、「智能尺寸」和「智能间距」等选项为选中状态，即可在编辑工作中，快速通过智能参考线辅助排版。若需改变智能参考线的外观，选择「编辑」→「首选项」→「参考线和粘贴板」，改变「智能参考线」的颜色。

智能间距

智能间距可以帮助你快速排列页面项目，可以显示参考线水平和垂直间距对齐对象是否相等。

统一对齐

这是一种快速对齐多个对象的功能，智能参考线为相邻对象的间距提供辅助线，方便垂直水平线和等间距对齐。

- 智能参考线除提供多个对象的等间距辅助线外，也可进行对象的水平或垂直对齐

智能光标

可以随意调整对象大小，鼠标光标接近对象外框时，即自动出现对象的X和Y值。

智能尺寸

对象经过旋转后，在其邻近对象进行旋转时，旋转至相同角度时，智能尺寸就会出现角度提示。旋转角度提示可帮助此对象和相邻对象以相同旋转角度排列对齐。

此外，在缩放对象大小时，相邻对象的尺寸信息会自动出现，帮助缩放对象快速与相邻对象的宽度或高度进行对比，便于调整相等大小的框架尺寸。

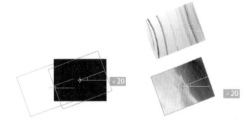

- 对象旋转时，当角度接近邻近对象的旋转角度时，智能尺寸会提供旋转角度提示，可以通过目测方式进行角度旋转

文字内容也可以使用智能参考线来编辑，可以立即显示垂直或水平方向的对齐，提高编辑效率。

当两个段落水平并排时，行与行之间的水平对齐，可以参考智能参考线提供的对齐线（绿色），垂直对齐也一样。

Exploration
——InDesign 操作流程

EXPLORATION
lesson 3.1 —— InDesign操作流程

设计印刷流程

设计印刷的主要流程可分为4个阶段：设计企划、印前制作、印刷制作和印后制作。本书探讨的重点是InDesign在印前制作上的应用。印前制作流程大致可分为：初探设计、版面设计、绘图和图像、高级排版及存储输出等5大步骤。

设计印刷流程大致可以分为4个阶段：Ⓐ设计企划；Ⓑ印前制作（本书重点）；Ⓒ印刷制作和Ⓓ印后制作。

本章将以一本产品目录企划和设计过程为范例，考察设计印刷的整个流程，构建以设计为主导、以软件为辅助的一种设计工作模式，也因此，本书无法涵盖InDesign的所有功能选项。

流程Ⓐ（设计企划）和Ⓑ（印前制作）是平面设计师参与最多的阶段。流程Ⓒ（印刷制作）和Ⓓ（印后制作）则涉及印刷制版，不列入本书讨论的范围。

本章主要探讨印前制作阶段，本书的内容架构也结合设计流程进行说明，从开始设计流程，初步创建整体概念，至最终的其他媒体应用。通过设计作品的示范，让读者更容易了解实际操作。

Part 1初探InDesign，介绍软件的基本功能，如文件管理和工具认识等重要信息，帮助读者建立了初步的设计概念。通过探讨设计流程，帮助读者建立较完整的设计架构概念。

Part 2开始设计流程，首先介绍色彩和编排的设计概念，然后介绍绘图、对象排列、图像效果和图表等制作技术，构建大多数排版元素。

最后，Part 3是高级应用，提供版面构图设计概念，还提供主页、样式设置、库的应用和多媒体应用。

Ⓐ设计企划

· 客户需求
· 经费预算
· 执行进度规划

设计企划

· 设计风格（Style）
· 工作团队（Teams）
· 色彩计划（ColorScheme）

文案企划

印刷企划

· 开本（Size）
· 页数（Page）
· 装订方式（Form）

根据据客户预算决定素材准备方式，比如：进摄影棚拍摄或选择专业图库

※提案使用的软件
图像处理 | Photoshop、Illustrator
文本处理 | OceWork、InDesign
演示文稿 | InDesignPDF、PowerPoint

Ⓑ印前制作

 →

◎工作区介绍
工具栏
《Lesson 4.1——工具栏》
控制面板
《Lesson 4.2——控制面板》
菜单列表
《Lesson 4.3——菜单列表》

◎新建文件
新建、置入和存储
《Lesson 2.1——新建、置入和存储》
常用首选项
《Lesson 2.3——常用首选项》
智能参考线
《Lesson 2.6——智能参考线》

◎版面设计
版面设置
《Lesson 10——版面和编排》
边距和分栏
《Lesson 12.2——边距、分栏和参考线》
标尺参考线
《Lesson 12.2——边距、分栏和参考线》

◎绘图和图像
绘图功能
《Lesson 6——绘图功能》
框架应用
《Lesson 7——对象和框架》
图像效果
《Lesson 8——图像的置入和效果》
表制作
《Lesson 9——图表设计》

※印前制作使用的软件
图像处理 | Photoshop、Illustrator
排版设计 | InDesign

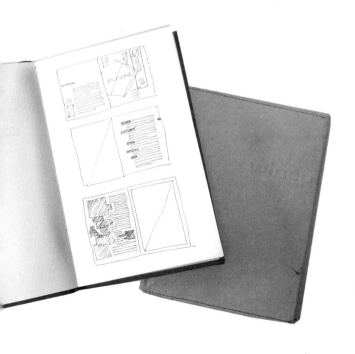

大量记录
Layout!

记录Layout是一个很好的习惯，你可以不用花钱买书，就买一本空白的草稿本，随时记录图书馆借阅的书籍中较好的Layout，或到书店大量浏览学习。当看到觉得很棒的图文混排或版式，就把它们记在脑海里，回家后动手把它勾画出来。

→ **高级排版** → **结束排版**

色彩规划
《Lesson 5——色彩和编排》
主页设置
《Lesson 12——主页设计》
样式设置
《Lesson 11——样式设置》
页面配置和版式应用
《Lesson 10——版面和编排》
《lesson 13——库》

预览和打包
《Lesson 3.6——结束排版》
存储和导出
《Lesson 2.2——导出功能》
其他媒体应用
《Lesson 14——数字出版应用》

ⓒ 印刷制作

分色制版

・出片
・拼版
・晒版

打样

・数码打样
包括热升华、喷墨和激光等打样系统，其彩色图像再现和图像分辨率更接近印刷成品

・传统打样
包括机器打样或模拟等

印刷

・传统印刷
单色、四色、专色、多色印刷
・数码印刷
省略传统分色、出片、制版流程

※印刷制作使用的软件
图像处理 | Photoshop、Illustrator
出片分色 | InDesign

ⓓ 印后制作

加工处理

表面加工
・上光（上油光、UV上光、PVA上光、PP亮光、雾光）
・局部上光（局部上荧光）
・烫金
・压纹
・磨砂
・打凸

裁切装订

・轧型
・折纸
（包折、弹簧折、开门折、十字折、平行对折等）
・装订
（胶装、锁线胶装、骑马钉、活页装、平装、平精装、精装、铜扣精装等）

◎ 记录Layout

记录Layout是一个很好的习惯，准备一本空白的草稿本，随时把看到觉得有趣的版式绘制出来。段落文本用线条表示，线条的粗细表示字体大小，线条的轻重可以表示字体的样式（粗体或细体），线条的距离则表示行与行之间的间距。

图片的表示则用框架绘制，可以分图形或图像两种，若在框架中画一条斜线或交叉线，通常代表图像文件，以便区分单纯的几何图形。

书店可以找到一些参考制作Layout的书，提供一些单纯构图组合范例。不过，版面中的对象和空间的交互性是千变万化的，真正了解基本的设计原理，才是最终的解决方案。

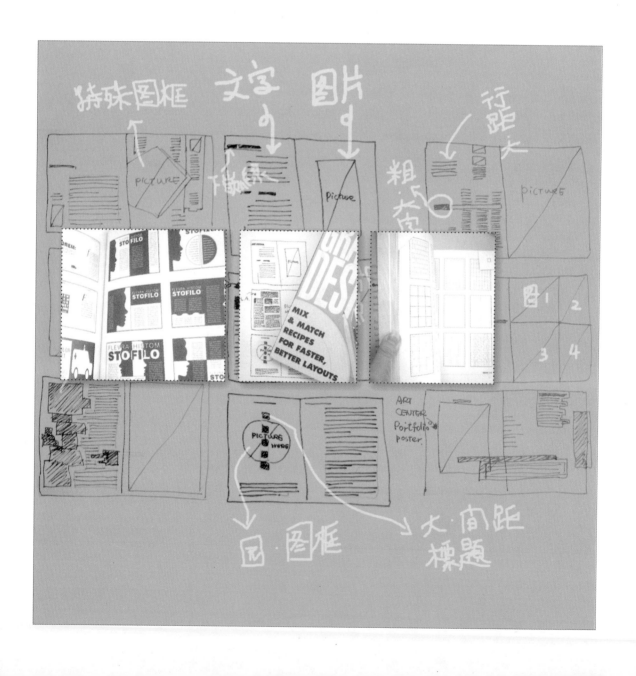

◎ SketchLayout

开始使用计算机进行设计前，请先养成拿出纸笔做sketchlayout的习惯。不管是Logo、
单张名片或整本的书及作品集，甚至数字媒体作品，无论它们是平面作品还是多媒体作
品，只要版面构成好，都需要画出草图，进行多次的图文布局规划。不要让计算机工具
主导你的设计，这样反而会限制设计的创意性，应该根据设计的需求学习软件。

◎ 框架结构

InDesign与Quark软件一样，文件中的图文都使用框架创建，需要利用工具栏中的文字工具
创建文本框才可输入文字，图像和图形则可直接放在InDesign中，且自动成为框架对象。

EXPLORATION
lesson 3.2 —— 设计企划

设计企划是设计工作的最初流程。任何设计工作都必须先了解作品及客户的需求，根据经费预算，进行风格、文案和印刷方面的规划。企划涵盖了文本、图像、设计和印刷等所有的评估及准备工作。

Ⓐ 设计企划

客户需求

根据客户需求进行企划是很重要的，比如，作品的用途和读者对象是什么？或者作品的表现形式和材质？以及期望表现的设计风格如何？在与客户沟通过程中，尽量提供可以看到的范例，比如，通过自己过去实施的案例，引导客户建立视觉印象。若仅依靠语言的沟通，容易造成认知的差异。

经费预算

根据客户预算决定设计素材的准备方式，比如选择专业摄影或使用高品质图库。若预算包含印刷时，纸张使用、印刷数量和装订方法等，都需要在设计制做好仔细评估。

执行进度规划

执行进度规划包括：场地租借、人员分配，相关人员的配合等，这些都需要在企划过程中规划好。

| 设计企划 | → | 文案企划 | → | 印刷企划 |

设计企划

设计风格（Style）

设计风格需根据客户的行业特性和销售目标等进行规划；设计风格固然很重要，但设计是一种服务业，不能一味表现设计师的自我风格。

良好的工作团队（Teams）

拥有称职的专业摄影师、插画师、美术设计师甚至印刷厂团队的配合，可以达到事半功倍的效果。当然，人员配置和经费开销是重要的考虑事项，可根据经费来选择素材的来源。

色彩计划(ColorScheme)

色彩计划是初步企划的重要工作，色彩计划需根据客户形象、行业特性和季节等各种因素综合考虑。

文案企划

文案（CopyWriter）
标题（Slogan）

文案企划虽然不一定在设计师的工作范围之内，但多数广告设计师需具备撰写文案的专长。也可搭配专业的创意文案人员，这些专业人员大多是广告或相关背景。有时文案企划的工作由客户自行负责。

设计企划与文案企划相结合后，可以开始准备设计提案的工作。

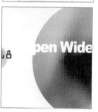

印刷企划

开本（Size）
页数（Page）
装订方式（Form）

良好的合作团队，是成功的关键。尤其是好的制版厂或印刷厂，关系到设计后印刷的质量和水平。

在设计团队中，可以搭配一名专业的印务人员，必须对印刷拥有专业的知识和丰富的实务经验，才足以应付印刷过程的各种突发状况。但也有设计师本身兼任印务的工作，掌握完整的设计印刷流程。在经费估算中，评估开本、页数和装订加工形式等事项，也可请长期合作的制版厂或印刷厂，提供预算服务。

◎ 视觉提案的准备流程

1 素材准备

随时拿起相机，在日常生活中拍摄不同图像素材。这些图像是工作室顶楼花园所布置的盆景，在暖暖的午后所拍摄的。合适的图像也可以从免费或付费的图库中寻找。在经费许可的状态下，也可配备专业人员或产品摄影师进行拍摄，以便更符合设计的需求。

2

视觉模拟

设计企划过程会决定提案风格，建议提供两种风格各异的提案。例如：提案一，自然风。以自然植物为主要表现主题（Theme），将色彩丰富的照片饱和度降低，表现简约冷调的宁静感。提案二，以植物园里的人物为主题，使用单色调将照片简化，但仍保留照片原有的暖调，再运用自由的拼贴手法重组，产生与自然对比的人为效果。

最初的视觉模拟中，可使用图像库提供的免费照片，进行取舍或合成，并将原图像的辨识度降低，因为我们只是利用这些现成的图像来进行初步视觉效果的呈现，而非最终的应用。若无法快速获得现成的图像，则使用你的数码相机，将所需的姿态动作拍摄下来进行合成。

3 拼贴试作

尝试使用各种素材"PLAY"，例如废弃的报纸或杂志，甚至用纸胶带自由地粘贴，表现拼贴质感。除了数字素材外，加入部分手工质感的图像或材质，或者是手绘的图案线条，可以放松版面单调严肃的构图。当然也需要评估设计作品的特性，以服饰目录为例，可使用一些布样质感"PLAY"。

• 提案一、二的视觉模拟效果图

EXPLORATION

lesson 3.3 —— 初探设计

3.3.1——工作区介绍

操作InDesign软件的第一步是认识工作区，这是开始使用软件的基本操作。InDesign的工作区主要包含文件窗口、工具栏、控制面板、菜单列表和浮动面板等。

Ⓑ 印前制作

初探设计

◎工作区介绍

InDesign的工作区主要分为文件窗口、工具栏、控制面板、菜单列表和浮动面板，请参阅《Lesson 4——InDesign常用工具》的详细介绍。

打开文件后的屏幕画面称为「文件工作区窗口」(参考右页)，读者若先熟悉InDesign的工作区窗口，可减少操作时对软件的陌生感。

InDesign与大多数Adobe产品一样，有大家熟悉且常用的工具栏（1）。例如，钢笔、铅笔、旋转、缩放和自由变换工具等，此工具栏中的许多工具与Adobe Illustrator相似。工具栏通常预设在工作区的左侧，以单栏方式呈现，可在「首选项」窗口中更改其位置和呈现方式（栏或行），请参阅《Lesson 2.3——常用首选项》。

「菜单列表(2)」指工作区最上方整列的菜单项，也称下拉菜单，Adobe软件遵循类似的结构(由左至右、由上至下排列)。「控制面板(3)」是位于菜单列表下方的图标工具栏，可选择「窗口」→「控制」打开或关闭其显示，根据选择工具栏中的工具不同，控制面板的项目也不同，可分别显示选择、字符、段落格式、网格和表单元格5种状态的控制面板，请参阅《Lesson 4.2——控制面板》。最常用的是「浮动面板(4)」，其中包含许多高级的隐藏菜单，通常浮动面板的图像缩至最小，并折叠到工作区右侧，使用时单击图像即可展开面板，也可将常用的浮动面板项拖曳到工作区的任何位置，使用「自动折叠图标面板」模式隐藏浮动面板，可获得更多的排版空间。选择「窗口」菜单可控制所有浮动面板项的打开和关闭。

其他如工作区左上方的「标尺坐标定位(5)」、左下角的「预览菜单(6)」，都是提高排版效率的便利工具。

◎ 工作区

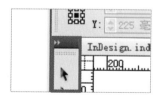

1　工具栏《Lesson 4》

本书将工具栏分为选择、文字、网格、绘图、图形、框架、旋转变换以及导览和媒体工具8类。请参阅《Lesson 4.1——工具栏》。

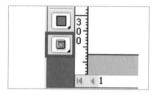

🔲 正常

🔲 预览

🔲 出血

🔲 辅助信息区

屏幕模式位于工具栏最下方，分为正常、预览、出血和辅助信息区等。

正常　编排过程中最常用的工作画面设置。如标尺参考线、栏、辅助线和对象，以及文本框架的隐藏字符等都会出现，方便编排时的参考对齐和校对。

预览　就是预视，隐藏所有辅助线及非印刷元素的画面状态。选择预览状态，可预览文件输出的最终效果。

出血　预览状态设置的一种，除了显示印刷范围外，还加上页面出血范围。出血就是将文件底图或底色向外扩张超出页面的范围(建议出血范围至少3mm)，出血范围可在「文件」→「页面设置」下进行修改。

辅助信息区　预览的另一种设置，辅助信息区范围比出血更大，辅助信息区和出血一样，是补救印刷品裁切中产生误差所设置的一种扩大文件范围的方式，辅助信息区的值也可在打开新文档时进行设置。建议将文件的裁切标记位置或折叠处等辅助线设置在辅助信息区范围内。

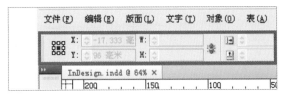

2

菜单列表《Lesson 4.3》

又称下拉菜单，主要以文本描述的软件工具功能，包含多数位于工具栏、控制面板和浮动面板内的工具选项。菜单列表按照属性可分为：文件、编辑、版面、文字、对象、表、视图、窗口和帮助9项。其上层列表（也可能排在其右侧）出现的Adobe Bridge链接、缩放级别(屏幕显示比例)、视图选项(网格和参考线等)、屏幕模式(同工具栏的预览)和排列文档(多个文件时的窗口排列模式)等图标，也都是常用的工具。

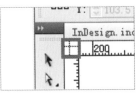

3

控制面板《Lesson 4.2》

控制面板提供与工具栏工具相对应的选项。例如：选择选择工具 时，控制面板则显示选择控制面板，可提供对象参考点、X轴和Y轴位置、缩放、旋转、切变、翻转、效果和对齐等图标设置。选择文字工具时，可选择字符或段落格式控制面板，出现与字体大小、样式、排列、缩排、间距等相关的工具。

5

标尺坐标定位

拖曳文件工作区窗口左上方标尺坐标正方格内的十字，可使用参考标尺来重新定位标尺坐标轴(0,0)的位置。此工具主要可以根据设计的不同需求，将坐标轴设在单页或跨页起点或文件内的对象，并随时可重新设置文件标尺起始的坐标点。

4

浮动面板《Lesson 4.3》

浮动面板可选择菜单「窗口」内的项目开启，浮动面板中的隐藏菜单，位于面板右上方 ，包含许多高级功能选项。另外，使用面板右上方箭头 ，可将面板展开或折叠，以获得更多的工作区窗口空间。

隐藏式浮动面板

浮动面板折叠后，位于文件工作区窗口右侧，打开文件时，若浮动面板没有出现，可以选择「窗口」下的相应项打开。用户可自行设置浮动面板按功能分类，请参阅《Lesson 4.3——菜单列表》「视图」项目的说明。可以分为绘图变换和效果浮动面板，也可分为颜色浮动面板、样式浮动面板等，只要集中拖曳图标并合并到不同组即可。

6

预览菜单

预览菜单（同「窗口」→「输出」→「预览」）是InDesign在文件输出前检查文件问题的重要工具，例如：文件链接、文本框溢排文本和遗失字体等问题，只要单击预览面板所列出的问题项，即可链接至问题页面的位置。同「窗口」→「链接」，可进行更新或重新链接遗失链接的图片《Lesson 8.1——图像置入和链接》。

页面显示

单击预览菜单右侧的小箭头，则出现页面页码的选择下拉列表。可以使用两侧的箭头快速选择页面前进后退，或用页码下拉列表(右图)直接所指定的页面。另外，页面显示也可从「窗口」→「页面」的浮动面板中选择。

正常

预览

出血

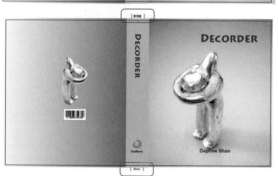

辅助信息区

◎ 屏幕模式

工具栏中的屏幕模式可分为：

正常 设计过程中最常用的画面状态，可显示辅助线和隐藏字符等。

预览 预览页面成品范围和状态。

出血 预览页面和出血范围。

辅助信息区 预览页面、出血和印刷边界范围。可使用钢笔工具绘制标记，在辅助信息区上标记书脊位置或备注信息。

◎ 书脊位置及宽度设置

置于出血线或印刷边界外的图案或标记，不会在印刷品裁切范围中。对于封面设计文档，建议将辅助信息区值设置大些，主要是可以利用这个空间，标记或批注书脊或折封（平精装封面的内折部分）的位置和宽度，以及其他注意事项等信息。

用钢笔工具在辅助信息区与页面裁切线之间的空间绘制辅助线及加上批注等，这样就可以通过明确的标注，提供印刷时需特别注意的事项，用图像来作为设计师和印刷厂之间的沟通渠道。

3.3.2——新建文件

新建文件是计算机印前工作的开始步骤，可以新建文档、书籍和库三者之一。请参考《Lesson 2.1——新建、置入和存储》的说明。

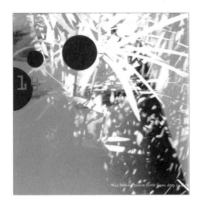

「文件」→「新建」→「文档」(Document)【Ctrl+N】

一般单页、多页手册或画册等内容单纯、页数少的作品，建议新建一个InDesign文档(*.indd)，执行整体的编排工作。Adobe Illustrator除了可制作复杂的矢量图形，很多用户习惯把它作为排版软件。建议读者改变使用Illustrator排版的习惯，哪怕是单页的封面或海报设计，也请使用InDesign执行最后的排版整合工作。

「文件」→「新建」→「书籍」(Book)

章节分类多且复杂的书籍或杂志，需要多人分工排版，建议开始工作时，就将每个章节以单个文档排版，最后新建书籍(*.indb)，按照章节顺序将多个章节的文档整合在书籍中，文件即可自动执行页码修改或样式统一等书籍同步工作。

「文件」→「新建」→「库」(Library)

选择新建库时，出现的是一个浮动面板，库可以作为跨文件或平台的文本和对象的存储空间，请参阅《Lesson 13——库》中的详细说明。

「文件」→「最近打开文件」

打开已存储的文件或书籍文件。

以男性服饰目录为例，在设计企划阶段，针对客户的需求和讨论，确认本季服装分为三个系列：正式款、休闲风和多色彩系列。在设计企划的提案过程中，已替客户提出设计企划，并根据预算决定页数和版面尺寸等信息。设置目录为20×22平方厘米的特殊尺寸，页数按8的倍数计算，共40页进行设计规划。

封面封底文档的尺寸和内容表现方法不同，建议使用两个文件进行编辑。封面封底文档以展开式单页排版，文件宽度尺寸包含封面、书脊和封底三个宽度的总和。另外，若封面封底文档需加入印刷时的制作效果，如局部上光或上雾等，还需要另外制作单独版面的灰度文档。

因为本范例页数较少，因此只创建单一的文档进行内容排版，当然也可将三个系列分别放在三个文档中排版，然后再汇入到书籍中并进行整合。可按时间和分工状态等调整工作方式。

◎ 新建文件

对页　选择以跨页方式排版。

主页文本框架　选择是否自动将文本框设置在主页中。若是较规律的排版案例，例如：一般以文本阅读为主的书籍，建议勾选此项目，因为新建页面时主页同时自动产生文本框，可提高编辑效率。反之，版面变化多或设计感较强的作品，由于每页文本框的位置和数量不同，建议关闭此选项，选择以手动置入文本框的方式执行。

页面大小　印刷裁切后的印刷品成品尺寸。

页面方向　纸张分为纵向和横向。纵向（Portrait）即为竖式，高度大于宽度。横向（Landscape）即为横式，宽度大于高度。

装订位置　从左至右（左侧装订）/ 从右至左（右侧装订）。

出血　出血（Bleed）是指图片或色块延伸到纸张外的范围，一般建议出血范围设置大于3mm，主要是用于弥补印刷裁切时的偏差。

辅助信息区　可作为印刷厂折叠或裁切线标志的空间。

更多选项　显示出血和辅助信息区设置。

较少选项　隐藏出血和辅助信息区设置。

边距　页面上下内外留白的距离，通常为规范文字排列的区域，让文本和边缘保持安全印刷距离，避免文本因装订或裁切而产生覆盖或破坏，影响阅读。

分栏　文本框内的分栏设置。

栏间距　栏和栏之间的距离。

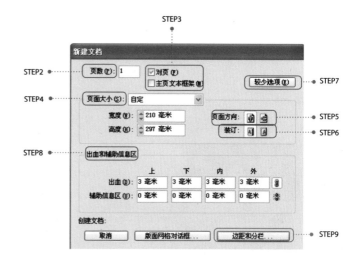

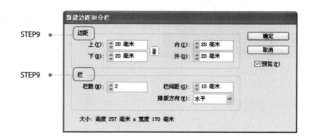

设计小技巧——Design Tips

装订和文本排版方向息息相关，横式排版的方向为水平（如外文杂志），装订方向会在左边，垂直排版时装订在右边（如繁体中文小说）。

文字排版方向设为水平，阅读方向从左至右、从上至下，装订位置一定在左侧。

文本排版方向设置为垂直，阅读顺序从上至下、由右至左，装订位置一定在右侧。

◎ 开始设计流程范例

以JUN Spring & Summer目录为例，页面设置为200mm×220mm的特殊尺寸，共40页。选择「文件」→「新建」→「文档」，分别为封面和内页新建2个InDesign文档（请参考上一页的步骤图）。

<table>
<tr><td colspan="2">新建DM封面文档</td><td colspan="2">新建DM内页文档</td></tr>
<tr><td>STEP1：</td><td>「文件」→「新建」→「文档」。</td><td>STEP1：</td><td>「文件」→「新建」→「文档」。</td></tr>
<tr><td>STEP2：</td><td>设置页数（1页）。</td><td>STEP2：</td><td>设置页数（40页）。</td></tr>
<tr><td>STEP3：</td><td>对页（关闭）；主页文本框架（关闭）。</td><td>STEP3：</td><td>对页（开启），主页文本框架（关闭）。</td></tr>
<tr><td>STEP4：</td><td>设置页面大小（410mm×220mm）。</td><td>STEP4：</td><td>设置页面大小（200mm×220mm）。</td></tr>
<tr><td>STEP5：</td><td>设置文件方向（横向）。</td><td>STEP5：</td><td>设置页面方向（横向）。</td></tr>
<tr><td>STEP6：</td><td>设置装订位置（从左到右）。</td><td>STEP6：</td><td>设置装订位置（从左到右）。</td></tr>
<tr><td>STEP7：</td><td>单击更多选项。</td><td>STEP7：</td><td>单击更多选项。</td></tr>
<tr><td>STEP8：</td><td>设置出血（约3mm）、辅助信息区（约10mm）。</td><td>STEP8：</td><td>设置出血（约3mm）、辅助信息区（0mm）。</td></tr>
<tr><td>STEP9：</td><td>边距（各20mm）、栏数（2）、栏间距（10mm）（将封面封底各设为一个栏，栏间距就是书脊宽）。</td><td>STEP9：</td><td>边距（各40mm）、栏数（1）、栏间距（0mm），因大多页面以单张图片排版为主，无需设置分栏作为排版辅助线。</td></tr>
<tr><td>STEP10：</td><td>选择矩形框架工具，拖曳三个图框到版面，分别供封面、封底和书脊置入图形使用。</td><td>STEP10：</td><td>选择矩形框架工具，将图框拖曳到版面中，选择置入图片。</td></tr>
<tr><td>STEP11：</td><td>选择文字工具 T.并拖曳数个文本框，分别供输入标题等文本使用。</td><td>STEP11：</td><td>选择文字工具 T.，创建数个文本框，分别供小标题和页码使用。</td></tr>
</table>

字体：OneStrokeScriptLET
大小：18pt
水平缩放：140%
字符间距调整：10

页码字体：OCRAStd
大小：60pt

EXPLORATION

lesson 3.4 —— 版面和绘图

本章进入排版设计中的版面设置和绘图步骤，从边距、分栏、创建参考线等版面基本设置动作开始，介绍绘图制作、图片插入和图像效果等流程。

Ⓑ 印前制作

版面和绘图

↓

◎ 版面设计

版面和编排《Lesson 10》

边距、分栏和参考线《Lesson 12.2》

◎ 绘图和图像

绘图功能《Lesson 6》

对象和框架《Lesson 7》

图像的置入和效果《Lesson 8》

图表设计《Lesson9》

新建文件后，进入设置文件大小步骤，大多数的客户习惯使用A4或B5等标准规格，因为特殊尺寸的书刊杂志，需要较大或独立的显示空间，缺乏与大多书籍一样的整体感。因此，特殊尺寸可能会遭到书店排挤。但是，也有客户愿意选择特殊尺寸来突显刊物的独特性，不在乎额外的纸张和刀模费用。

通常杂志尺寸以A4为主(297mm×210mm)，如国内杂志IDN、DPI等，都使用A4横式排版，国外设计杂志则有Communication Art、Graphics和Prints等。

其他流行的杂志也有使用信纸尺寸(Lettersize：215.9mm×279.4mm)的，如WIRED、FRAME、VIEW和bloom等设计感觉不错的刊物。

进行杂志设计这项印前工作之前，需先规划几种版面样式（主页模版），这样不同内容或章节就会有整体感。版面最基本的设置有上下内外范围、分栏、页码、章节和页面参考线。

将上述内容在主页模版中创建好，供其他页面快速参考应用，请参阅《Lesson 12——主页设计》。另外，文本、段落、对象、图表等样式设置《Lesson 11——样式设置》，都是高级排版时的重要设置。

简单的文件如海报、封面等使用一种版式即可，但书刊、杂志等较复杂的排版作品，可使用多种版式应付不同的页面需求，版式变化可根据排版的复杂度决定。

设计小技巧——Design Tips

何谓DM？

DM即DirectMail的缩写，是指可以直接邮寄的印刷品。根据美国邮局的限制，可以直接邮寄的印刷品，其长度、宽度和厚度都有限制。其规定为三条边加起来不大于90cm，并且长度和宽度都不得大于60cm。

长度＋宽度＋厚度＜90cm

长度＜60cm 并且 宽度＜60cm

3.4.1——版面设计

进行版面设计时，可以应用「边距和分栏」的栏来创建版式参考线，或使用「标尺参考线」来创建更灵活的版式参考线。

◎ 边距和分栏

新建文件时可立即设置边距和分栏，也可在文件打开后再修改其设置，选择「版面」→「边距和分栏」修改边距和分栏等数值。版式设置可将栏数设为3、5（不对称）或6栏 图1，其中栏数设置为5栏和6栏可应用的段落变化较多，以5栏为例，段宽可以进行跨1、2、3、4、5栏这5种宽度变化。相比之下，在A4的版面将栏数设置为超过6栏时，栏的宽度会过小，段落会因为过窄而产生阅读中断。

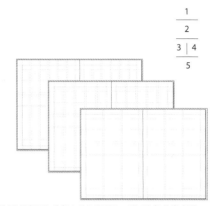

使用「边距和分栏」分别设置3、5和6个栏的参考线

◎ 标尺参考线

选择菜单「版面」下的「标尺参考线」菜单项是版面参考线较灵活的设置方式，可设置参考线的颜色以方便排版，主要是考虑参考线在文件中的可见度更好。选择「版面」→「创建参考线」图2，设置行和栏的数量及栏间距，以及参考线适合边距／页面(设置三)，选择「边距」是指参考线已扣除上下内外边缘（版心）图3，「页面」是以纸张为范围，直接使用栏和行均分页面 图4。若选择「移去现有标尺参考线」选项（设置四），最后所设的标尺将取代之前所有参考线的设置。在设置二中，若将栏间距设置为0，将产生无间距的网格结构 图5，请参阅《Lesson 12——主页设计》。

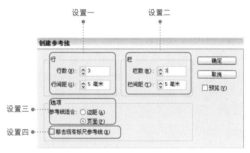

「创建参考线」对话框

使用「边距和分栏」和「标尺参考线」所创建的版面参考线，基本上是对称的且有规则性。若需打破规则，可以使用选择工具移动或删除部分参考线。

设置一：行和栏间距

行的数量设置越大，版面的水平参考线越多，水平参考线可以作为文字、段落或图片框架上下边缘的对齐准则，建议栏和行之间的间距设为0，通常不需要过多的水平线。

设置二：栏和栏间距

水平排版的文件需要分栏设置，按版面大小，栏数设置为2～6栏左右，分栏对文本的排版很重要，是段落宽度变化的主要参考线。栏间距可让段落分栏间保持适当距离，按字体大小设置在5mm～20mm之间为好（字号越大栏间距可以加大），如果栏间距小于行距，易混淆文本上下左右阅读方向；另外，栏间距设置过大时，连贯并排的段落间会缺乏连续性，容易导致整体版面结构松散，以上两种情况应尽量避免。

「参考线适合边距」版面按版心大小均分　　「参考线适合页面」按页面边界大小均分

设置三：参考线适合的模式

「参考线适合边距」（MARGIN）：参考线将扣除上下内外边缘后的范围(版心)，按所设置的栏数和行数，均分中间版心空间 图3。

「参考线适合页面」(Page)：参考线以整个页面为范围，按所设置的栏数和行数均分，因此靠近四边的格子放置文本段落时，由于需要扣除边距而产生小于中间栏、段落不均的情况 图4。

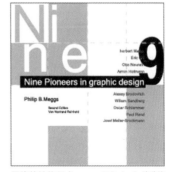

网格状结构版式　　※Design by陈欣婷

设置四：移去现有标尺参考线

若选择「移去现有标尺参考线」选项，之前所设置的标尺参考线将被移除，以最后设置的参考线取而代之。

3.4.2——绘图和图像

InDesign的图片和文本，都以框架概念放置。文本的放置需先选择工具栏中的文字工具，拖曳一个文本框后，才可以打字或输入文本。

图片无需创建图框，插入图片后自动产生图框，再按版面需求调整图框大小即可。也可先创建适合版面需要的图框尺寸再插入图文件，选择「对象」→「适合」进行图片和图框的位置调整，请参阅《Lesson 8.4——适合》。另外，可使用图形或钢笔工具绘制封闭框架，也可使用钢笔顺着对象边缘描绘框架，产生类似去掉背景的效果，可参阅《Lesson 7.4——文本绕排》和《Lesson 7.6—— 框架在图文中的应用》所提供的范例。

以右图为例，使用文本框放置书名、作者和出版社等信息，图框则放置图片、条形码和商标，以及渐变色块等封面元素，也就是说由这些框架组合而成。

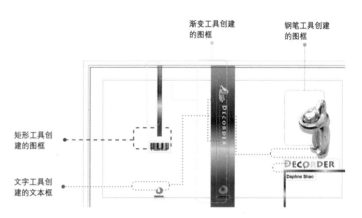

渐变工具创建的图框

钢笔工具创建的图框

矩形工具创建的图框

文字工具创建的文本框

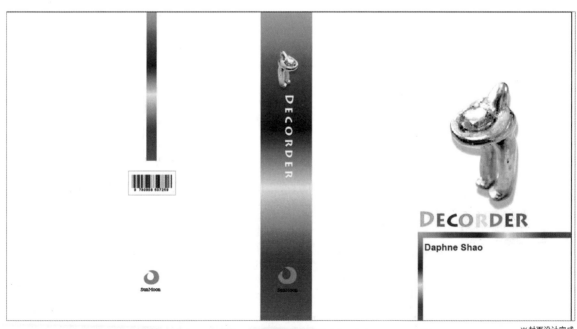

※封面设计完成

◎ 图像制作流程

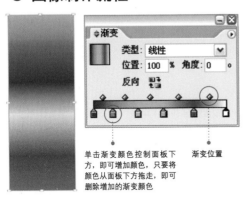

单击渐变颜色控制面板下
方，即可增加颜色，只要将
颜色从面板下方拖走，即可
删除增加的渐变颜色

渐变位置

创建渐变色块

· 使用矩形、椭圆或多边形工具。

· 使用「渐变工具」。

· 打开「窗口」→「渐变」。

· 增加渐变颜色并调整渐变位置。

· 拖曳新的渐变颜色到「色板」，即可存储并再
  次使用，请参阅《Lesson 5.6——渐变工具》。

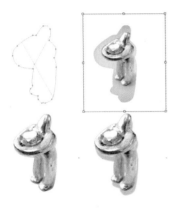

除了「对象」→「适
合」外，也可在选择控
制面板上找到「适合」
工具图标，可将图片放
入图框内的适当位置。
或选择「按比例适合内
容」的快捷键：

【Alt+Shift+Ctrl+E】

置入图像

· 使用「钢笔工具」绘制不规则图框，模拟
  图像去背的效果（《Lesson 7.4——文本
  绕排》）。使用菜单列表「编辑」→「剪
  切」再「贴入内部」，即可将未去背的原
  图贴入按对象外轮廓线描绘的框架中。当
  然，也可以在Adobe Photoshop去背，再
  将去背图片置入（《Lesson 8.3——PSD的
  图层支持》）。

· 使用「直接选择工具」修正使用钢笔工
  具描绘的框架锚点位置。

· 使用「位置工具」将图片移动到框架内
  的位置。

· 或使用「对象」→「适合」将图片调整到
  框架中心位置。请参阅《Lesson 8.4——
  适合》。

创建效果文字

· 使用「文字工具」在版面上拖曳新文本框。

· 在文本框内输入所需的文字。

· 选择文字并单击工具栏中文字的填色功
  能。

· 打开「色板」浮动面板（《Lesson 5.5——
  色板面板》）。

· 选择渐变色并应用在文字颜色中，再使用工
  具栏的「渐变工具」，拖曳鼠标光标设置渐
  变的应用范围。请参阅《Lesson 5.6——渐
  变工具》。

◎ 封面尺寸设置

使用InDesign制作封面（建议封面和内页使用不同的文档），与Adobe Illustrator一样，打开一个跨封面、封底、书脊和折封的展开式的单页文件设计。

首先，将封面、书脊和封底视为一个展开的平面，以平精装样式的封面为例 图5，要设置新建文件的尺寸，需设置其展开后的尺寸，宽度（W）＝封面A＋书脊B＋封底C＋前后折封D，高度（H）＝封面 图6。以200mm宽和220mm高的作品集为例，假设书脊为10mm，折封设置为150mm，则需打开一个宽710mm和高220mm的封面文档，页数设置为单页而不是跨页。

书脊高度按印刷纸张的磅数、页数和装订方式来计算，只要纸张磅数和页数确定，即可在印刷企划的阶段进行估算。可以请经验丰富的出版社或印刷厂代为估计，以提供较准确的预留尺寸。

◎ 装订方式

若使用平钉 图1 或骑马钉 图2 的装订方式，因为适用于页数较少的文件，所以书脊面积较小，因此无需刻意设计书脊部分，常使用封面或封底的图案，或延伸同色系背景色。选择精装装订时，无论是方背精装 图3 还是圆背精装 图4，封面宽度＝封面＋书脊＋封底之外，还需预算两张装订在精装封面上的厚纸板的厚度。

平精装的封面设计 图5 如前所述，宽度设置等于封面、书脊、封底和前后折封的总和，特别说明的是，折封宽度至少设置70mm。平精装是国外书籍常用的一种装订方式，因为折封的关系，看起来质量精致度高，也因纸张面积增加而产生更多版面空间。另外，它不像精装本制作费用昂贵，相比之下也不会过于笨重，是一种可以兼顾质感和成本的装订方法。所使用的封面、封底材质是较厚磅数的纸张，再用类似精装的装订方式处理。

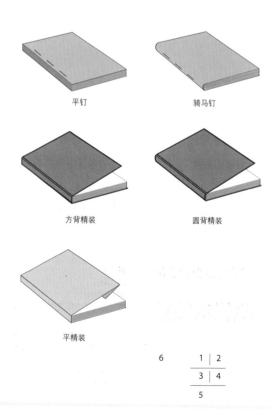

平钉

骑马钉

方背精装

圆背精装

平精装

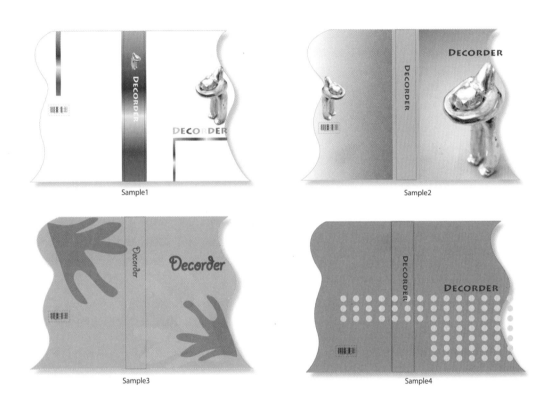

Sample1

Sample2

Sample3

Sample4

◎ 书脊的设计

大多数书籍的书脊空间有限，主要放置书名、作者和出版社等信息，因为它在书架陈列时具备吸引读者的魅力，因此，建议只能在有限范围内从文本辨识度和色彩醒目度等方面进行设计。另外，建议避免将跨版面图像放置在书脊上，例如：将人的脸部进行跨书脊处理，常因装订折叠时导致整体比例的破坏或变化。书脊的设计最好使用单纯色块设计，或直接将封面和封底的底图延伸到书脊，这些都是常用的设计方法。

书脊的文本建议居中排列，即使已经请专业印刷厂估算了较准确的书脊高度，在折叠装订时仍然存在误差，因此，居中排列文本比较安全，可以避免看不到文字的情况发生。请参考上图提供的4种书脊设计的范例。

Sample1 封面保留白底（纸色）为背景，书脊部分应用渐变作为背景图，加上去背的主图，呼应封面上的元素，书脊的色块设定超出书脊范围，如此一来，可以避免封面折叠装订时的偏差，也在封面和封底上呼应了书脊的彩色。

Sample2 封面和封底以灰度渐变作为背景图，书脊的设计压上单色色块产生聚焦的重点，色块宽度设置也大于预定书脊高度，让色块延伸到封面和封底。

Sample3 直接由封面的图案延伸到书脊和封底的整体设计，书脊不只是从背景色延伸而来，也延伸了封面上不规则的图案。

Sample4 类似于Sample3，重复的几何图案从封面延伸到书脊和封底，并且产生不完全对称的阵列，打破单调的重复。

EXPLORATION

lesson 3.5 —— 高级排版

要发挥InDesign专业排版的功能，应学会高级排版的各种设置，包括色彩搭配、页面配置、主页设置、样式设置和创建库等，这些都是提高排版效率的重要方式。

Ⓑ 印前制作

高级排版

色彩和编排《Lesson 5》
主页设计《Lesson 12》
样式设置《Lesson 11》
版面和编排《Lesson 10》
库《Lesson 13》

初探设计以及版面和绘图两个阶段的流程，已经介绍了基本的排版概念，也足够读者完成一般的排版工作。但是，要真正发挥InDesign最强大的功能，必须认识高级排版时的一些专业设置。对于排版工作量大且讲究时效的出版业，尤其是期刊性的书报杂志社，只有应用模板化后的高级设置（如版式和样式），才可以应付复杂且分工细化的排版工作。

在InDesign中，版式在主页（Master Page）中设置，某些报纸和杂志也经常创建专用的版式。大致上，版式的基本要素如边距、分栏所构成的参考线，以及页脚、页码等位置和形状的设置。版式设计通常不需要过于多样和复杂，但必须具备应用的灵活性，以应付变化万千的图文内容。请参阅《Lesson 12——主页设计》。

通过栏和行分割版面所创建的参考线，可作为文字和图片构图的重要准则。设定6个分栏参考线的版面，段落可以有多种宽度变化，如左图，文本段落的宽度可以设置为1、1.5、2、3、4、5和6栏等跨栏的变化。相比之下，栏数设置较少的版式，变化不如6栏的排版灵活有趣。

设置版式并不限于平面媒体，多媒体应用如网页、电子书和演示文稿等，也可应用主页的版式进行设计。如下图，高雄工务局的网站首页及内页，都采用不均等的5栏参考线进行设计。

版式可用来辅助图文设计，样式设置则用来设置重复性的文本或对象，重要样式设置如「字符样式」针对局部字符进行颜色或样式的规范；「段落样式」可设置段落的字体、大小、行距、对齐等特性，通常以标题、内容、图释等用途命名；「对象样式」可设置对象效果或线条特征等。其他如网格样式及表样式等设置，请参阅《Lesson 11——样式设置》。

库是重要的图文数据库，将设计好的文本或对象，存储到跨文件的库窗口中，就可以轻易将对象拖曳到其他文件中进行排版。《Lesson 13——库》将库分为文字、图像、结构和页面4类，是文件排版设计时相当重要的工具。

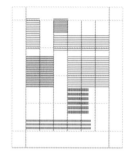

设置6个栏作为版面参考线，段落宽度的变化相当丰富(请将每条虚线视为一行文字)

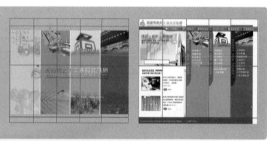

高雄市工务局网站提案

创建5个分栏（未设置栏间距）作为参考线，辅助版面设计构图。左图为首页的应用，右图为一个内页设计，整个网站的版式比例设为2:1:1（第1个栏位跨两栏，其他以1栏来表现）。

※Design by 李亦凯

◎ 主页设置

一般文件常用两种主页规格，分别为单页形式（主页A）及跨页形式（主页B）。单页形式的主页A的上边距设15mm、下边距30mm、内侧和外侧都设为20mm，边距设置并不需要对称。跨页形式的主页无需受限于左右页对称的思路，上下内外边距也可以设置为不对称，这些变化都可增加版面的趣味性。主页B左页的参考线比例从左至右为4:3:2，右页为3:3:3。行的参考线设置为1:2:1:2:3的不等比例。

跨页形式的主页有应用方面的限制，设置为右页的主页只能应用于书籍的单数页（右页），反之，设置为左页的主页也只能应用于偶数页。但主页的左右页不一定要一同使用，可搭配其他跨页形成的主页（比如B、C、D）一起使用，比如主页B右页可搭配主页D左页进行新的跨页组合。

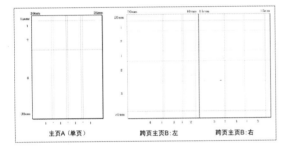

主页A（单页）　　跨页主页B：左　　跨页主页B：右

◎ 段落样式设置

段落样式可设置段落的字体、字号、颜色、字符间距、行距等特性，可使用标题、文章、图释等用途命名。若段落里混合了中英文内容，则需分别设置中英文字体，也可用复合样式设置带来更多文本组合的变化，请参阅《Lesson 11.4——复合样式设置》。

大标题: 40pt	中文字型: 华文细黑
行距: 8pt　透明度: 95%　字距: -50%	English: Century Old Style Std_Bold　色彩: (c15 m15 y50) .(BK) .(W)
副标题: 16pt	中文字体: 华文细黑
行距: 19.2pt 字距: -45% 透明度: 85%	色彩: (c90 y30) (c48 m50 y90 k45) .(c40 y95) .(BK 5.W)　English: Century Gothic_Bold
中标题: 24pt	中文字体: 华文细黑
行距: 26.4pt　字距: +10%　透明度: 75%	色彩: 1.c10 m20 y95 2.c50 m15 y80 3.BK 4.W　English: Century Old Style Std_Regular
小标题: 12pt	中文字体: 华文细黑
行距: 21.5pt 字距: 10% 透明度: 80%	色彩: 1.c95 m5 y100 2.c35 m95 y35 k20 3.BK 4.W　English: Century Old Style Std_Regular
刊文: 8pt	中文字型: 华文细黑
行距: 13pt 字距: -30 透明度: 80%	色彩: (c15 m95 y15) .(c35 m95 y50 k30) .(BK) .(W)　English: Myriad_Bold
内文: 10pt	中文字型: 华文细黑
行距: 16pt 字距: -50 透明度: 80%	色彩: (BK) .(W)　English: Century Old Style Std_Regular
天: 26pt　地: 51pt	
左右: 31pt　跨页间距: 24pt	
页码: 14pt	

◎ 页面设置和版式应用

在开始InDesign排版工作前，建议再次确认版面边距和参考线，即完成页面设置（称为落版），可先将主页版式用A4纸张缩览图打印（如下左图），然后对图片和文本用铅笔手绘的方式，逐页进行初步的图文配置规划（线条表示文本，几何形状表示图片），通常需要进行反复多次手工的落版，直到版面配置大致合理后，再进入InDesign，开始实际排版工作。

下方右图为封面设计时的落版草图，可通过这种速写的方式考察一下图文和空间的对应关系，这样才真正有机会探索构图的多样化。

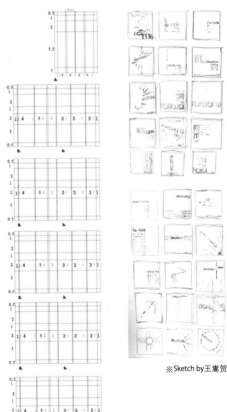

※Sketch by 王嵩贺

※Design by 郑家伟

◎ 开始排版流程

主页设计

设置跨页形式的主页，其参考线栏数设置为3，栏间距设置为5mm，行只设置三条不等距的水平辅助线（直接从标尺拖曳下来即可），上下内外边距选择左右页相互对称。

页眉和页码的设计，采取非对称构图，左页不设页码但设有页眉，页眉设置在版面左上方；右页只设置页码，设置在页面下方居中位置（请利用主页设为自动页码）。其他重复使用的元素，如线条或阵列背景图，设置在主页中，请参阅《Lesson 12——主页设计》。

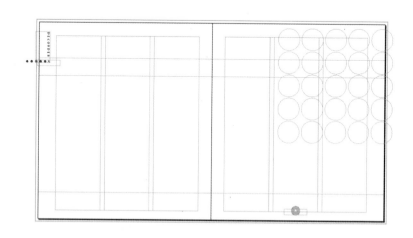

置入图文

水平排版方向的文件，页码起始页设在右页（单数页），所以文件的起始页大多采用单页或右页跨页形式的主页。

请先创建文本框再输入文本，可在InDesign中输入文本或置入其他纯文本文件。

图片的排列可以视图像大小灵活应用参考线放置。图片不受上下内外边距限制，可以进行出血或跨栏的设置，可以只选择图框单边对齐参考线。相反，文本段落的排列，请避免靠近边距和装订处，以避免文本因裁切和装订导致的文字覆盖。页面中的文本段落的宽度可以跨栏变化，并合理使用留白空间，让版面带有流动的空间感。

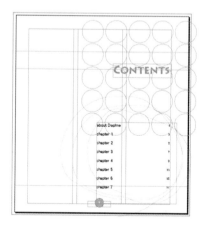

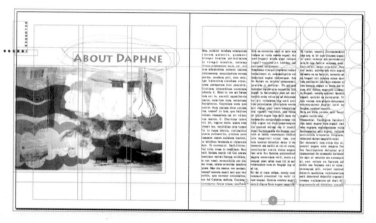

应用参考线

设置主页参考线，排版设计是否容易受到限制，从而无法创建有趣的版面呢？其实不然。如果没有参考线的设置，版面在毫无依据的情况下，很容易陷入使用单一分栏编辑的单调感，或是过于随意地配置变化所产生的凌乱感。以设置3个分栏为参考线的主页为例，在排版设计中已经足以表现段落宽度的变化，比如，某些内页可以设置带有两个跨1.5栏的段落宽度，或三个1栏宽度的段落，甚至，也可以让一个分栏留空。留空就如图片一样，可跨栏进行设置，留空可让版面产生空间层次的变化感。

2.5：0.5　　　　　　　　　　1：1：1

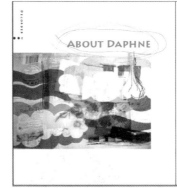

1.5：1.5　　　　　　　　　　1：1：1

3：2　　　　　　　　　　2：1

3：0　　　　　　　　　　1：2

段落样式设置

段落样式的设置包括字体、字体大小、文本的颜色和文本的水平宽度或垂直高度的变化等，还可以设置段落嵌线和文字缩排等。段落样式常常使用文本的用途来命名，如标题、文章、图释和页码等，详细信息请参阅《Lesson 11.3——段落样式》。右图范例的文字设置如下：

标题字体：Arial Black
大小：72Pt
字符间距调整：-75

文字字体：One Stroke Script LET
大小：18Pt
水平缩放：140%
字符间距调整：10

页码字体：OCR A Std
大小：60点
颜色：90%黑

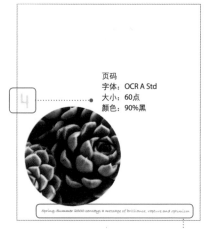

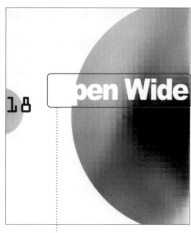

页码
字体：OCR A Std
大小：60点
颜色：90%黑

字体：One Stroke Script LET 大小：18 点
水平缩放：140% 字符间距调整：10 颜色：80% 黑

字体：Arial Black 大小：72点
字符间距调整：-75

对象样式设置

对象样式可帮助快速改变对象的特性，大多应用于框架图形。例如，图框的投影、羽化、边框、透明度、颜色等设置，这些效果也可应用于文本框。

STEP1　打开对象样式设置，选择波浪线线条类型，并将线条颜色设置为白色。

STEP2　设置对象样式的透明度，并将透明度基本混色模式设置为「正片叠底」。

STEP3　设置对象样式中的阴影和羽化，将羽化宽度设置为2mm，角点设为「扩散」。

※Illustrationby林宜慧

库的应用

对许多设计师来说，设计独具特色的中英文标题也是准备设计素材的一项重要工作。英文字体设计比中文容易，因为英文字母的结构单纯且数量较少。可自行创建一套造字准则（《Lesson 1.2——造字原则》），再将这些单独设计过的字母拖曳到库中。然后用这些字母组合成案例的标题，还可以新建标题并添加到库，重复这些动作可以使库（Library）成为存储标题或字母的宝贵图库，并且库可以跨文件使用或进行修改。详细内容请参阅《Lesson 13.2——文本库》。

范例二以8乘8构成的64小格为造字参考线，使用矩形工具绘制如点阵效果的英文字母，再将每个由小点阵组合而成的字母拖曳到文本库浮动面板，即完成创建字母的工作。最后将所需的字母拖曳到版面，组成需要的标题。

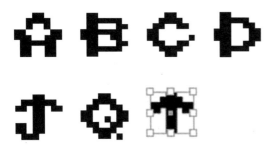

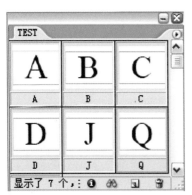

选择「文件」→「新建」→「库」，创建新库

※Designby 周如蕙

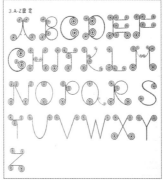

应用统一原则完成的26个字母，范例一

应用统一原则完成26个字母的设计，范例二

组合后的标题应用

EXPLORATION

lesson 3.6 ── 结束排版

InDesign的排版工作完成后，最后执行打包、存储和输出等步骤。存储前请确定设计作品最后输出的格式，是应用于平面媒体还是电子数字媒体，这样才能决定最后存储和输出的格式。

Ⓑ 印前制作

结束排版

导出功能《Lesson 2.2》
在线出版应用《Lesson 14》

InDsign输出格式主要分为平面印刷输出和电子数字输出格式（《Lesson 14——在线出版应用》），如我们经常听到的E-DM，就是一种以电子数字格式存储的DM，因为文件较小，适用于网络传输。

「文件」下拉菜单中，提供了许多不同用途的存储格式，存储和导出请参阅《Lesson 2.1——新建、置入和存储》以及《Lesson 2.2——导出功能》。设计的作品若最终为印刷品，可选择「Adobe PDF预设」中的「印刷质量」，提供较高质量的PDF给制版厂或印刷厂，这种PDF的文件较小但质量高，文件可直接通过网络传给印刷厂，可节省许多时间。当然还应提供打包后的InDesign文件indd（InDesign Document）的文件夹，虽然大多制版厂都升级至最新的InDesign软件，但还是请执行「文件」→「打包」，这样才能确保图片和字体都完整地封装在一个文件夹中。打包前，请先执行「窗口」→「输出」→「预览」，预览面板提供所有遗失链接的图文件和字体的详细信息，再选择「窗口」→「链接」，重新链接有问题的图文件或处理遗失的字体、溢排的文本框等。

InDesign的打包如同QuarkXpress的打包。打包可以将文件中使用的字体或图文件自动汇集到「链接（Link）」的文件夹中。经过预览、重新链接和打包文件后生成的文件夹才算完整，所以，提供给印刷厂输出或印刷的数据时，千万不能只是单个的indd文档，必须是一个完整的文件夹。

PDF印刷质量格式可提供印刷输出，若存储成「最小文件大小」时，主要用于网络浏览下载的电子格式，也常用作内部传输工作版本的文件模式。

「为Digital Editions导出」和「为Dreamweaver导出」生成的epub和swf文件，分别作为电子书和网页浏览的格式，请参阅《Lesson 14.5——数字文件导出》。

设计小技巧──Design Tips

存储

「文件」→「存储为」

「文件」→「存储」

「文件」→「导出」

输出

「文件」→「Adobe PDF预设」

[高质量打印]...
[印刷质量]...
[最小文件大小]...
MAGAZINE Ad 2006 Japanewwe...
PDF X 1A 2001233342211...
PDFX-1a-2001 11111...
高品质列印
印刷品质...
最小档案大小...

打包

「窗口」→「输出」→「预览」

「窗口」→「链接」

「文件」→「打包」

◎ 预览和打包

排版工作完成后，在准备文件输出前，务必执行预览和打包两项操作。预览的主要目的是确认文件所使用的字体或链接的图像是否遗失或不完整，可单击遗失链接图片更新链接或重新链接其他文件。

打包则是为了将文档文件中使用的字体或图案等组件，自动分别创建不同文件夹并打包到同一个文件夹中。

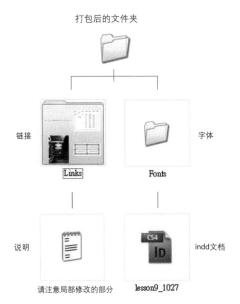

打包后的文件夹

链接　　Links

字体　　Fonts

说明

请注意局部修改的部分

indd文档

lesson9_1027

• 应用于书本的平面印刷输出

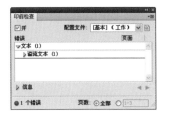

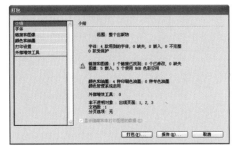

◎ 其他媒体应用

打开「文件」→「Adobe PDF预设」导出数字多媒体格式。

InDesign除了平面输出外，它所提供的PDF预设，把PDF所需的格式完整地设置在菜单列表中，如「最小文件大小」的PDF文档，是网络上使用的eDM格式，文件大小、色彩模式、分辨率等都已自动设定在预设项目内。

「为Digital Editions导出」的数字版本epub格式，是将文件导出成电子书模式的文件格式。

「为Dreamweaver导出」的XHTML文档，是可供网页使用的格式，但文本的设置需通过XHTML「高级」导出选项，设置「外部CSS」选项，才可在Dreamweaver中进行相同样式的文本编辑。

InDesign其他常用动态文件如播放文件SWF（可使用Adobe Flash Player查看），以及可编辑的XFL动画文件，使用Adobe Flash Professional打开即可编辑。这两种存储格式请在「文件」→「导出」的文件类型中选择。

• 应用于网页的电子数字输出格式

Exploration
——InDesign常用工具

EXPLORATION
lesson 4.1 —— 工具栏

工具栏提供排版设计时最常用的工具菜单，通常排列在工作窗口的左侧。可以使用首选项设置，调整工具栏位置和排列模式等。

工具栏也称为工具箱或浮动工具，新建或打开文件时预置在工作窗口的左侧，工具栏包含设计排版时最常用的工具。本章按属性分类为：Ⓐ选择工具、Ⓑ文字工具、Ⓒ网格工具、Ⓓ绘图工具、Ⓔ图形工具、Ⓕ框架工具、Ⓖ旋转变换工具、Ⓗ导览和媒体工具等，接下来将在各单元详细说明。此外，还有Ⓘ填色工具、Ⓙ应用颜色工具和Ⓚ预览工具（为工具栏最下方常用的颜色和预览项目）。

选择「编辑」→「首选项」→「界面」，依个人操作喜好，可将工具栏改为单栏、双栏或单行（在工作窗口上方浮动）显示。请参阅《Lesson 3.3.1——工作区介绍》。

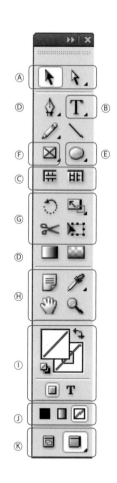

Ⓘ 填色工具

 切换填色和描边

格式针对容器

T 格式针对文本

Ⓙ 应用颜色工具

应用颜色工具

应用「无」工具

应用渐变工具

Ⓚ 预览工具

正常

预览

出血

辅助信息区

Ⓐ 选择工具

| ↖ 选择工具 | ↗ 直接选择工具 |
| 位置工具 | |

Ⓑ 文字工具 《Lesson 4.1.2》

| T 文字工具 | ⊤T 直排文字工具 |
| 路径文字工具 | 垂直路径文字工具 |

Ⓒ 网格工具 《Lesson 4.1.3》

| 水平网格工具 | 垂直网格工具 |

Ⓓ 绘图工具 《Lesson 4.1.4》

钢笔工具	添加锚点工具
删除锚点工具	转换方向点工具
铅笔工具	平滑工具
抹除工具	直线工具
渐变色板工具	渐变羽化工具
吸管工具	

Ⓔ 图形工具 《Lesson 4.1.5》

| 矩形工具 | 椭圆工具 |
| 多边形工具 | |

Ⓕ 框架工具 《Lesson 4.1.6》

| 矩形框架工具 | 椭圆框架工具 |
| 多边形框架工具 | |

Ⓖ 旋转和变换工具 《Lesson 4.1.7》

旋转工具	缩放工具
切变工具	剪刀工具
自由变换工具	

Ⓗ 导览和媒体工具 《Lesson 4.1.8》

抓手工具	度量工具
附注工具	缩放显示工具
按钮工具（CS4之前的版本支持）	

4.1.1——选择工具

选择工具可用来选择图框、文本框或参考线等，可单选对象或按【Shift】键执行复选。

使用直接选择工具时，所选择的是整个对象，不管对象是规则的几何形状或不规则形状，都以对象最大范围的矩形框架显示。选择的框架上共有8个节点，拖曳任一节点都可以进行缩放，若按下【Shift】键拖曳任一边角节点，即会以X、Y轴等比例缩放。若只需要移动单一节点进行变换，必须使用直接选择工具，选择节点而非整个对象；位置工具则是用来调整内容的位置和缩放。 请参考以下说明。

《Lesson 8.1——图像置入和链接》

选择工具

使用选择工具单击框架的任何位置，即可选择整个对象；单击矩形的边角节点，按下【Shift】键即可进行比例缩放。使用选择工具时，同时拖曳鼠标覆盖所有对象范围时，也可以执行复选，或是按【Shift】键逐一单击对象，也可实现复选的功能。

直接选择工具

直接选择工具可选择框架路径上的任一节点，拖曳节点即可进行框架变换。使用直接选择工具并按住【Shift】键，可复选两个以上的节点。这个工具常用于改变对象的形状，或者修改使用钢笔或铅笔工具绘制后的图形锚点。

位置工具

位置工具主要可以移动、裁切或缩放框架内的内容。使用选择工具或直接选择工具时，边框和节点颜色为蓝色（如上图），但使用位置工具时，边框及节点则为咖啡色，此时可针对内容进行修改。使用直接选择工具时，若单击框架内容的部分，也能自动转变为位置工具（可根据边框和节点的颜色来判断），可以编辑对象内容。

4.1.2——文字工具

文字工具包括一般文字（水平文字）、直排文字、路径文字和垂直路径文字工具4种，可用于制作不同的文字排列效果。

使用文字工具（一般或直排）需先拖曳一个文字框架，才可以输入或复制文字、使用路径文字（一般或直排）时，则需使用图形工具或钢笔工具先制作路径（开放或封闭），选择路径文字工具，任意单击路径上的锚点，当出现文字输入符号时，才可以将文字输入或复制到路径中。请参阅《Lesson 6.5——路径文字工具》。

《Lesson 6.5——路径文字工具》

文字工具

选择文字工具需先创建文本框，才可以输入文字，其操作方式与Adobe其他软件的文字输入稍有出入。可用图形工具（矩形、椭圆和多边形）创建文本框，再使用文字工具在文本框内单击输入文字；也可以直接选择文字工具，拖曳鼠标创建新文本框后再输入字符。

直排文字工具

基本上，直排文字工具和文字工具的用法相同，最大的差别只是文字走向不同，文字工具是水平走向，直排文字工具文字的排列为纵向垂直。
使用文字工具创建一般水平走向的文字，如果需要转变成垂直文字时，选择菜单「文字」→「排版方向」→「垂直」。

路径文字工具

先使用图形或钢笔工具绘制一条路径（可开放或封闭），再选择路径文字工具，单击路径上的任一锚点，当文字输入符号出现时，就能在路径中输入、复制和编辑文字了。

垂直路径文字工具

与路径文字工具一样，需先绘制图形或线段，才能使用垂直路径文字工具。
垂直路径文字和路径文字最大的差别在于，确定线段上出现文字输入的直线符号后，前者的文字和路径呈平行排列，后者的文字和路径呈垂直排列。

4.1.3——网格工具

网格工具包括水平网格工具和垂直网格工具两种，可制作出
如小格子作文簿一样的文字排列效果。

选择网格工具，按住鼠标左键拖曳框架，若按下
【Shift】键可创建正方形框架。双击网格工具，即
可出现框架网格设置的对话框，可以在此设置网格
属性、对齐方式、视图选项以及行和栏，双击工具
栏的网格工具和选择菜单「对象」→「框架网格选
项」是一样的。其他菜单选项，如「对象」→「框
架类型」→「框架网格」，可将文本框转成框架网
格。

使用水平框架网格所输入的文字走向为水平，垂直
框架网格工具可以创建垂直排列的文字，若要将水
平框架网格的文字改为垂直方向，选择「文字」→
「排版方向」→「垂直」。若框架网格的文字在屏
幕正常显示模式下无法显示，请确保打开「视图」
→「网格和参考线」→「显示框架网格」和「显示
框架数字统计」两项。请参阅《Lesson 7.7——文
本框架网格》。

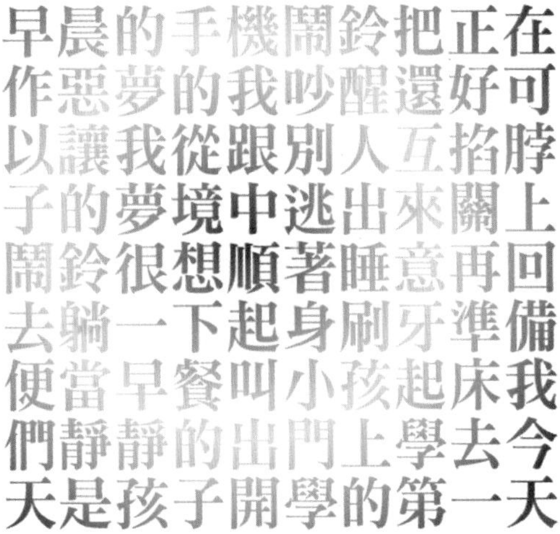

《Lesson 7.7——文本框架网格》

水平网格工具

使用水平网格工具拖曳一个文本框，按住【Shift】键即可创建等宽
和等高的正方形文本框。双击水平网格工具，即出现框架网格选
项，提供网格正文字体、字数和行数的设置。如左图范例的字数设
置为10，行数设为8。

垂直网格工具

垂直网格工具的操作方法如上。若要将水平网格文字改为垂直排
列，除了使用垂直网格工具直接输入和设置外，也可以将已设置水
平网格的文字，在「文字」菜单列表中将「排版方向」更改为「垂
直」。左图垂直网格的字数设置为10，行数设为8。

4.1.4——绘图工具

工具栏中的绘图工具，主要有钢笔、铅笔、直线、渐变和渐变羽化等工具。其中钢笔工具又包含添加锚点、删除锚点和转换方向点工具等。

钢笔工具也称为贝塞尔曲线工具，运用锚点准确绘制直线或曲线；铅笔工具包括平滑和抹除工具等；直线工具可绘制各种样式的线条；渐变工具可以将渐变颜色应用于文字或图形；另外，渐变羽化工具就如蒙版，可对图案或文字执行渐变透明度操作，与背景自然融合。请参阅《Lesson 6——绘图功能》。

《Lesson 6.2——钢笔工具》

钢笔工具

钢笔工具就是贝塞尔曲线工具，运用【Shift】键可以精确描绘直线或对角线。绘制封闭图形的最后一个锚点时，光标的右下角会出现一个小圆形，可帮助准确地连接线条，使其构成一个封闭图形（《Lesson 6.2——钢笔工具》）。

添加锚点工具

添加锚点工具主要可搭配钢笔工具使用，单击线条上任一位置，即可添加锚点，可描出更复杂的图形细节。每个锚点都可以使用直接选择工具选择，执行移动或删除锚点的操作。

删除锚点工具

删除锚点工具也用于搭配钢笔工具使用，可删掉图案上多余或过于复杂的锚点，帮助简化图案。

转换方向点工具

钢笔工具绘制的锚点，可分为直线锚点和曲线锚点（含锚点控制杆），单击锚点位置后若立即放开鼠标左键，就是直线锚点，绘制直线线段；若定位后仍按住鼠标左键进行拖曳，锚点则出现双边控制杆，所产生的线段为曲线。转换方向点工具是转换直线和曲线锚点的重要工具。

铅笔工具

铅笔工具包含平滑和抹除工具，都用于修改铅笔绘制的图形。在铅笔工具的工具首选项对话框中，设置的保真度和平滑度会产生不同的铅笔线条。建议此工具搭配数字板使用，效果较佳。请参阅《Lesson 6.3——铅笔工具》。

平滑工具

平滑工具主要搭配铅笔工具使用，可用于平滑铅笔绘制的线条所产生的锯齿，使线条更平滑，设置对话框中的数值，可修改精确度和平滑度值，从而产生不同的平滑效果。

抹除工具

抹除工具如铅笔上的橡皮擦，可擦除由锚点构建的线条，无论是铅笔、钢笔或图形工具所构成的锚点图形都可以使用。

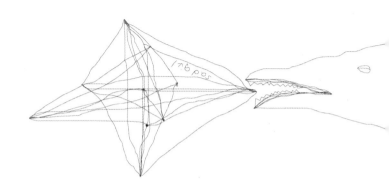

直线工具

直线工具主要用来绘制直线，按住【Shift】键可准确地画出水平、垂直或45度的对角线。运用线条浮动面板所提供的线条类型设置，例如，设置虚线的线条和间隙颜色的差异，可产生如轨道般的线条，请参阅《Lesson 6.4——直线工具》。

渐变色板工具

渐变色板工具用于创建渐变颜色，渐变可以应用于边框、线条、填色和文字等，可分为线性渐变和径向渐变两种模式。使用渐变工具时，在已选择的对象上拖曳鼠标，设置色彩渐变的范围和方向，可以重复操作，直至满意为止。请参阅《Lesson 5.6——渐变工具》。

渐变羽化工具

渐变羽化工具在操作上类似于渐变工具，但前者主要如蒙版般淡化画面；后者只是单纯的颜色渐变。渐变羽化工具可应用于文字或图片，让对象可以较自然地融入重叠的背景或其他画面，羽化的范围和方向使用鼠标拖曳即可。请参阅《Lesson 8.10——渐变羽化》。

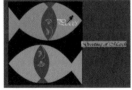

吸管工具

吸管工具可用来吸取颜色或样式。可以从矢量图形或点阵图像吸取颜色，再应用到其他对象；可吸取的样式包括线条、字体、段落样式或对象样式等。选择文字后，使用吸管工具吸取已设置好样式的文字，即可完成应用。

4.1.5——图形工具

图形工具包含矩形、椭圆和多边形工具。

矩形工具可以绘制矩形或正方形（按住【Shift】键，使用鼠标左键拖曳），再搭配变换工具可制作梯形。椭圆工具可绘制圆形（按【Shift】键拖曳）或椭圆；多边形工具默认为六角形，也可制作三角形或其他多边形，只需双击多边形工具图标 ◯，在「多边形设置」对话框中修改「边数」即可。此外，「星形内陷」是指多边形边线往中心聚合的程度，可产生星形的效果，所设置的百分比越高，星形的尖角也越锐利。请参阅《Lesson 7——对象和框架工具》。

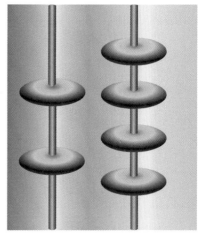

边数：8
星形内陷：10%

边数：4
星形内陷：25%

边数：7
星形内陷：70%

《Lesson 7.3——对齐和分布》

矩形工具

矩形工具可以绘制矩形或正方形（按住【Shift】键），可做为梯形或菱形等基本形状。矩形工具可填入单色或渐变色，也可利用边框线条产生效果。若直接将图片置入，图形工具便自动变成图框。矩形工具若加上转角效果可产生更多的框架变化，请参阅《Lesson 7.5——转角效果》。

椭圆工具

椭圆工具可绘制椭圆或圆形（按住【Shift】键）。按【Alt】键可以定位圆心位置，椭圆工具对话框可以设置圆形的宽度和高度，两者设置相同时即为圆形。可填单色或利用放射状渐变让椭圆立体化，也可以置入图片变成图片框架。

多边形工具

多边形工具的默认值为六角形，按【Alt】键可以定位多边形中心位置，其对话框可以设置多边形宽和高，也可以设置边数和星形内陷，使之产生三角形、其他多边形或星形效果。边数可设置3～100（即为三角形到100边形），星形内陷可设置星形尖角角度，设置的百分比越高，星形的尖角也越锐利。

4.1.6——框架工具

框架工具又分为矩形框架、椭圆框架、多边形框架工具；主要用途是供图片置入使用，框架工具若置入文字时，会自动转换为文本框。

《Lesson 6.6——路径查找器》

在InDesign中框架工具和图形工具的差别并不大，框架工具用于图片的置入，图形工具主要应用于造型。但是两者可因置入内容而自动转换，当置入图像时，图形工具就变成框架工具，若置入文字则自动转为文本框，使用上有相当的弹性。请参阅《Lesson 7——对象和框架》所提供的其他使用钢笔工具绘制的框架工具范例，打破较规则的框架结构，例如去背的框架效果等，可增加编排的趣味性。

矩形框架工具

矩形框架主要用于方形图片的置入，框架工具的设置和图形工具十分类似，比如，按下【Alt】键可设置中心点等。此外，框架工具可以结合路径查找器的使用，产生更多的造型变化，可参阅《Lesson 6.6——路径查找器》和《Lesson 7.6——框架在图文中的应用》。

椭圆框架工具

椭圆框架提供圆形或椭圆形框，可和图形工具相互转换使用，基本用法及设置与矩形框架工具一样，也可以结合其他造型制作更复杂的图框，请参阅《Lesson 7——对象和框架》。

多边形框架工具

多边形框架工具可制作3~100的多边形图框，设置内容和多边形工具一样，可设置宽、高、边数和星形内陷。若是工具栏框架工具无法制作的形状，可用路径查找器（《Lesson 6.6——路径查找器》）针对框架应用交集或差集等组合、钢笔工具或创建轮廓字所形成的框架，产生更多的造型，请参阅《Lesson 7.6——框架在图文中的应用》。

4.1.7——旋转和变换工具

工具栏中的旋转变换工具包括旋转、缩放、切变、剪刀和自由变换工具。

旋转工具位于菜单列表下方的控制面板中，参阅《Lesson 4.2.1——选择控制面板》；缩放工具可以调整对象的大小；切变工具隐藏在缩放工具中，梯形或菱形就是将矩形工具进行切变处理的结果，适合表现对象的透视效果；剪刀工具可以删减图形的片段，并且不需要选择锚点作为删减的起始点，片段的删减也不会产生对象变换；自由变换工具等同于「对象」→「变换」的移动、缩放、旋转、切变的组合，请参阅《Lesson 7.2——自由变换工具》。

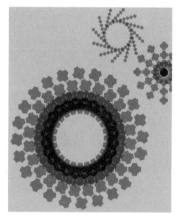

《Lesson 6.7——再次变换工具》

旋转工具

旋转工具也用于文字或对象，其对话框可分别设置X和Y轴的缩放比例，也可以锁定等比缩放。按【Alt】键可定位旋转的轴心，应用非对称轴心进行对象重复旋转，可以产生有趣的螺旋状。参阅《Lesson 6.7——再次变换工具》。

缩放工具

缩放工具可放大或缩小对象，可进行X、Y轴等比或非等比缩放。选择【Option】键可以定位缩放的圆心，执行缩放并选择对话框中的「副本」按钮，搭配「对象」→「再次变换」（快捷键：【Ctrl＋Alt＋3】），可产生连续等比缩放的图形。

切变工具

应用切变工具可将矩形变成梯形或菱形，也可以改变多边形或文本框。使用InDesign制作切变的文字很简单，文字可在无需创建轮廓的状态下，应用切变工具移动框架边缘，产生文字切变效果。切变效果适合用于模拟透视对象，可快速地制作立体透视的造型。参阅《Lesson 7.2——自由变换工具》。

剪刀工具

剪刀工具可切割图形中的部分线段，使用剪刀做记号产生新的分割点，它和删除锚点工具最大的差异在于，剪刀工具的定位点不限于锚点，也不会破坏对象形状。使用剪刀工具所分割的线段并不会自动删除。需使用直接选择工具移动或删除线段。

自由变换工具

自由变换工具是结合以上变换效果的工具，与「对象」→「变换」中的移动、缩放、旋转、切变相同，也可以选择「窗口」→「对象和版面」→「变换」，打开变换浮动面板来执行相似的操作。参阅《Lesson 7.2——自由变换工具》。

4.1.8——导览和媒体工具

抓手工具

抓手工具主要用于移动工作窗口的范围，并非移动对象位置。当窗口放大或超出页面范围时，只要双击抓手工具，工作窗口立即回复到文件页面最大范围（单页或跨页）。
若使用工具栏中的其他工具，需要移动工作画面配合操作时，只需按下键盘的空格键（Sapce Bar），鼠标光标即自动转换为抓手工具，这样可在不离开当前使用的工具菜单的情况下，同时进行窗口的移动。

度量工具

度量工具用来测量版面或对象的尺寸，隐藏在工具栏吸管工具下。选择度量工具，选择所需测量对象的范围，画面上会出现黑色的度量线条，测量的数据则出现在「信息」浮动面板中。
InDesign CS4版本提供智能尺寸和智能间距等功能，只要将鼠标光标移到对象附近，便会自动提供相关的尺寸数据，比度量工具更方便操作。参阅《Lesson 2.6——智能参考线》。

附注工具

附注工具为参与者之间提供了一种文字沟通渠道，附注附加在文件中，供其他用户阅读批注，该工具同「窗口」→「文字和表」→「附注」。附注面板为不同用户提供不同的附注颜色，以方便辨识；也可设置附注锚点，这样就可以应用附注面板下往前往后的箭头符号（跳至上一条附注或下一条附注），自动跳至设有附注的页面，方便浏览；另外，附注文字也可另外存档，直接转换成PDF格式的附注文件。

缩放工具

缩放工具含放大及缩小，针对工作窗口画面的缩放。通常预设为放大工具（加号），若需要缩小工作画面，只需按下【Alt】键即可切换为缩小工具（减号），也可使用鼠标拖曳缩放的范围。当窗口过大超出页面范围时，快速双击缩放工具，缩放层次立即回到100%的工作窗口显示设置。

按钮工具

在InDesign CS4工具栏中已删除按钮工具，因为可轻易将任何对象转换为按钮使用，选择「对象」→「交互」→「转换为按钮」即可。按钮的设置可分三种状态，分别为：正常、鼠标指向效果和按下鼠标，通常改变按钮颜色或文字采用浮雕效果等，是改变按钮状态常用的设计手法。
按钮状态可在文件导出为SWF或PDF格式时执行操作，反映某种效果。按钮也可由图片、文字、线条、色块或组合的对象组合而成。

EXPLORATION
lesson 4.2 —— 控制面板

控制面板位于工作窗口上方、菜单列表下方，根据选择工具栏工具的不同，控制面板的选项有5种状态。

菜单列表中的许多工具，以图标（Icon）方式出现在控制面板中，控制面板可说是下拉菜单工具的快捷功能区域，与主要以文字描述的菜单列表相比较，控制面板除了给出常用的工具外，工具图标化也提供快速找到的便利，请参阅《Lesson 3.3.1——工作区介绍》。控制面板随工具栏工具的不同而不同，共有5种不同状态，分别是选择控制面板、文字控制面板（分为字符和段落两种）、网格控制面板和表单元格控制面板。

选择控制面板最常出现，因为InDesign的对象都是框架式的，选择所有与对象相关的工具时，都搭配了不同的控制面板；使用文字工具时会出现文字控制面板，其面板左侧会出现两个按钮，单击 Ａ 为字符格式控制面板，选择 ¶ 则转换为段落格式控制面板；网格控制面板只有在选择框架网格的状态下才会出现；其他如选择表时仍会出现选择控制面板，表单元格控制面板只有在选择表单元格内部时才会出现。

在打开文件的默认状态下，控制面板是自动打开的。如果控制面板没有自动出现在工作窗口时，请选择「窗口」→「控制」，即可打开控制面板。在控制浮动面板右侧的隐藏菜单 ≡ 中，可设置控制面板停放在顶部、底部或设置为浮动状态等显示位置，请参阅《Lesson 4.2.1——选择控制面板》。

Mode 1：选择控制面板

《Lesson 4.2.1》

Mode 2：字符控制面板　　选择控制面板上方 Ａ

《Lesson 4.2.2》

Mode 3：段落控制面板　　选择控制面板下方 ¶

《Lesson 4.2.3》

Mode 4：网格控制面板　　框架网格选择状态

《Lesson 4.2.4》

Mode 5：表单元格控制面板　　表单元格选择状态

《Lesson 4.2.5》

4.2.1——选择控制面板

选择框架时最常出现的是选择控制面板，主要提供位置、大小、缩放变换、旋转、翻转、线条设置、对象效果、适合和对齐等图标工具。

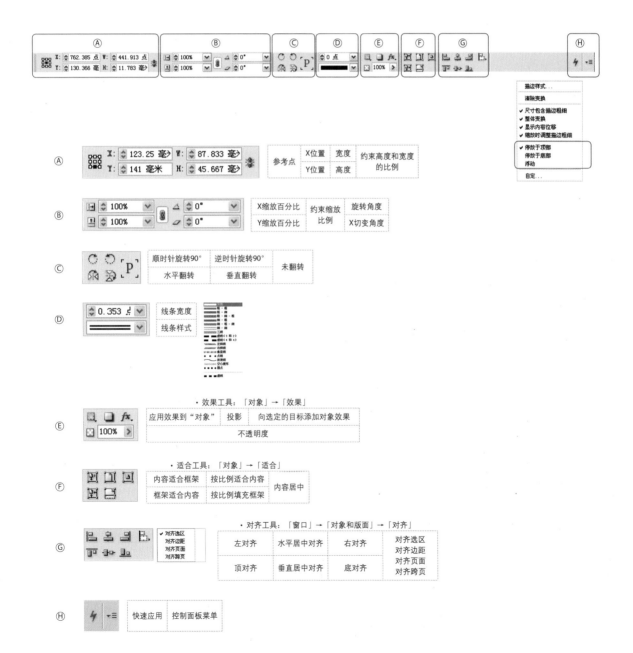

4.2.2——字符控制面板

选择文字内容时即出现文字控制面板，主要可分为两部分：前半段的字符格式控制面板和后半段的段落格式控制面板。字符格式控制面板主要工具为字体、字体样式、字体大小、大小写、字符缩放（意思是改变字体的宽度和高度，设置范围在5%～250%之间。大于100%为压平，小于100%为拉长）等。

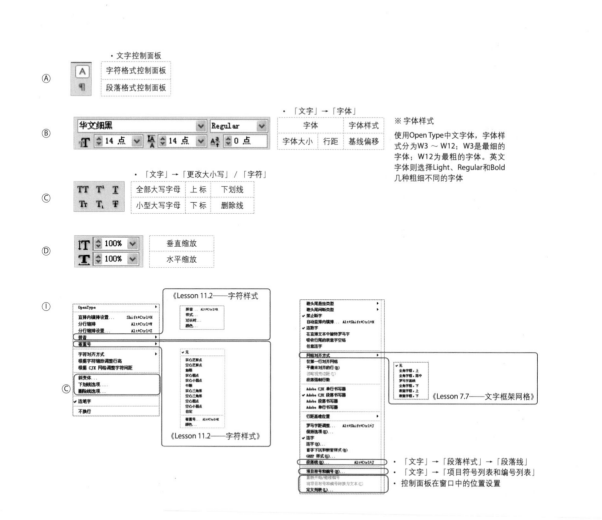

4.2.3——段落控制面板

同样在文字选择状态下，选择文字控制面板下方的段落格式控制面板，面板中字符项目和段落项目自动前后对调。主要提供对齐、缩进、段落和项目符号等工具设置。

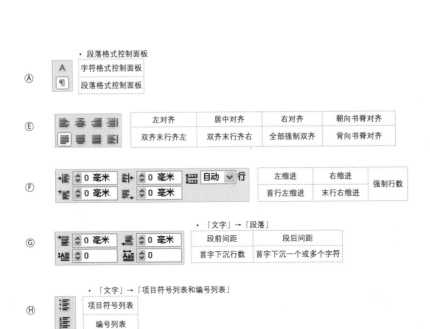

(A)

- 段落格式控制面板
  - 字符格式控制面板
  - 段落格式控制面板

(E)

左对齐	居中对齐	右对齐	朝向书脊对齐
双齐末行齐左	双齐末行齐右	全部强制双齐	背向书脊对齐

(F)

左缩进	右缩进	强制行数
首行左缩进	末行右缩进	

(G)

- 「文字」→「段落」

段前间距	段后间距
首字下沉行数	首字下沉一个或多个字符

(H)

- 「文字」→「项目符号列表和编号列表」

项目符号列表

编号列表

4.2.4——网格控制面板

网格控制面板仅在使用选择工具选择网格文本框时出现，主要用于设置网格文字的缩放、字符空格、网格样式和网格字数、行数等。请参阅《Lesson 4.1.3——网格工具》和《Lesson 7.7——文字框架网格》。

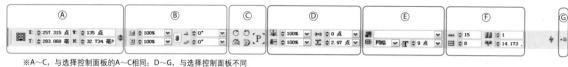

※A～C，与选择控制面板的A～C相同；D～G，与选择控制面板不同

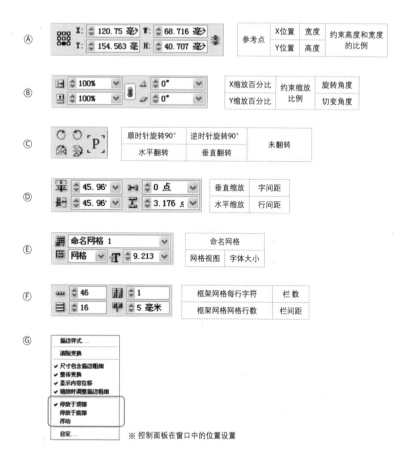

4.2.5——表单元格控制面板

表单元格控制面板只出现在单元格选中状态下。若只是选择表框架，只会出现选择控制面板而不是表单元格控制面板。主要提供文字设置、文字对齐、排版方向、表栏行设置和表框线等设置项目，请参阅《Lesson 9——图表设计》。

※ A、B与文字控制面板B、E相同；C～E与文字控制面板不同

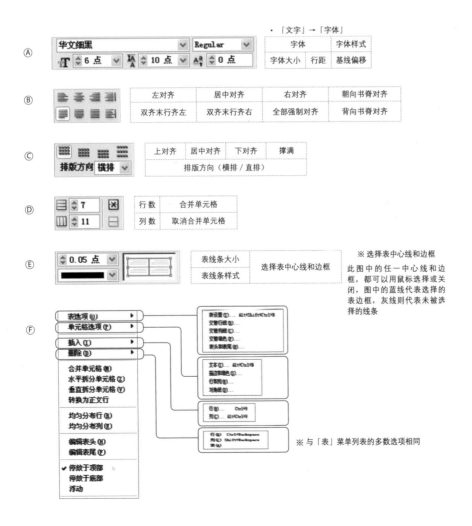

Ⓐ
• 「文字」→「字体」	
字体	字体样式
字体大小 行距	基线偏移

Ⓑ
左对齐	居中对齐	右对齐	朝向书脊对齐
双齐末行齐左	双齐末行齐右	全部强制对齐	背向书脊对齐

Ⓒ
上对齐	居中对齐	下对齐	撑满
排版方向（横排 / 直排）			

Ⓓ
行 数	合并单元格
列 数	取消合并单元格

Ⓔ
表线条大小	选择表中心线和边框
表线条样式	

※ 选择表中心线和边框
此图中的任一中心线和边框，都可以用鼠标选择或关闭，图中的蓝线代表选择的表边框，灰线则代表未被选择的线条

Ⓕ
※ 与「表」菜单列表的多数选项相同

EXPLORATION
lesson 4.3 —— 菜单列表

下拉菜单列表位于窗口最上方，是以文字说明的工具菜单，由左至右分别为「文件」、「编辑」、「版面」、「文字」、「对象」、「表」、「视图」、「窗口」和「帮助」等。

菜单列表也称为下拉菜单，涵盖软件的大多数工具。菜单列表依次为文件、编辑、版面、文字、对象、表、视图、窗口和帮助等9大类，本章并不针对列表中的工具进行详细说明，仅供读者作为工具指导参考。

Ⓐ「文件」菜单列表

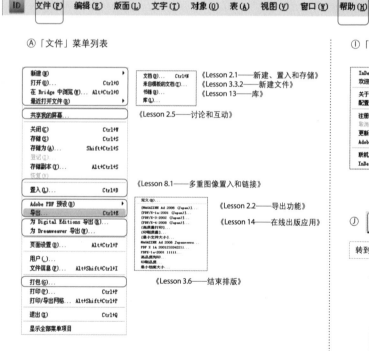

Ⓘ「帮助」菜单列表

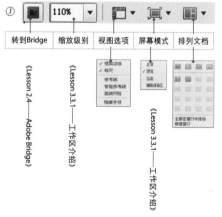

ID　文件(F)　编辑(E)　版面(L)　文字(T)　对象(O)　表(A)　视图(V)　窗口(W)　帮助(H)　　Br　110% ▼

Ⓑ　Ⓒ

Ⓑ「编辑」菜单列表

还原"移动项目"(U)	Ctrl+Z
重做"剪切"(R)	Shift+Ctrl+Z
剪切(T)	Ctrl+X
复制(C)	Ctrl+C
粘贴(P)	Ctrl+V
粘贴时不包含格式(W)	Shift+Ctrl+V
贴入内部(K)	Alt+Ctrl+V
原位粘贴(I)	
粘贴时不包含网格格式(X)	Alt+Shift+Ctrl+V
清除(L)	Backspace
应用网格格式(J)	Alt+Ctrl+E
直接复制(D)	Alt+Shift+Ctrl+D
多重复制(U)	Alt+Ctrl+U
全选(A)	Ctrl+A
全部取消选择(S)	Shift+Ctrl+A
InCopy (O)	▶
编辑原稿	
编辑工具	
在文章编辑器中编辑(T)	Ctrl+Y
快速应用(Q)	Ctrl+Enter
查找/更改(F)	Ctrl+F
查找下一个(F)	Alt+Ctrl+F
拼写检查(S)	▶
透明混合空间(B)	▶
透明度拼合预设(G)	
颜色设置(L)	
指定配置文件(N)	
转换为配置文件(V)	
键盘快捷键(M)	
菜单(U)	
首选项(N)	▶

《Lesson 8.1——图像置入和链接》

※ 编辑原稿

InDesign选择「编辑原稿」可跳至原始图像制作的软件进行修图。选择「编辑工具」可选择绘图软件，若使用的软件不在列表之中，则选择「其他」软件

※ 在文章编辑器中编辑

纯文字的修正，可通过文章编辑器整篇修改，文字将自动更新。

无论是使用编辑原稿或文章编辑器编辑的图文，最大的好处是这些修改过的图片或文字都不需再更新链接

| Adobe Acrobat 9.0 |
| Adobe InDesign CS4 |
| Adobe Photoshop CS3 |
| Inspiration 8.0a |
| Internet Explorer 7.00 |
| Microsoft Office Picture Manager 12.0 (预设) |
| PictureViewer QuickTime7.6(1292) |
| Windows Live Messenger 8.5 |
| 其他... |

《Lesson 2.3——常用首选项》

Ⓒ「版面」菜单列表

版面网格(D)...	
页面(P)	▶
边距和分栏(M)...	
标尺参考线(R)...	
创建参考线(C)...	
版面调整(L)...	
第一页(F)	Shift+Ctrl+Page Up
上一页(P)	Shift+Page Up
下一页(N)	Shift+Page Down
最后一页(A)	Shift+Ctrl+Page Down
下一跨页(X)	Alt+Page Down
上一跨页(V)	Alt+Page Up
转到页面(G)...	Ctrl+J
向后(B)	Ctrl+Page Up
向前(R)	Ctrl+Page Down
页码和章节选项(N)...	
目录(T)...	
更新目录(U)...	
目录样式(S)...	

《Lesson 12——主页设计》

添加页面(A)	Shift+Ctrl+P
插入页面(I)...	
移动页面(M)...	
直接复制页面(D)	
删除页面(E)	
将主页应用于页面(P)...	
页面过渡效果	▶

《Lesson 12.2——边距、分栏和参考线》

《Lesson 12.5——自动页码、编页和章节》

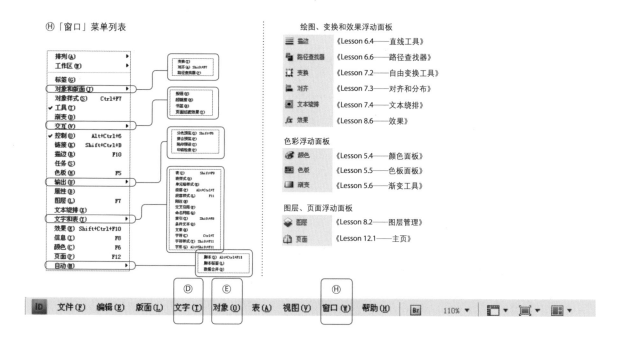

Ⓗ「窗口」菜单列表

绘图、变换和效果浮动面板

- 描边　《Lesson 6.4——直线工具》
- 路径查找器　《Lesson 6.6——路径查找器》
- 变换　《Lesson 7.2——自由变换工具》
- 对齐　《Lesson 7.3——对齐和分布》
- 文本绕排　《Lesson 7.4——文本绕排》
- 效果　《Lesson 8.6——效果》

色彩浮动面板

- 颜色　《Lesson 5.4——颜色面板》
- 色板　《Lesson 5.5——色板面板》
- 渐变　《Lesson 5.6——渐变工具》

图层、页面浮动面板

- 图层　《Lesson 8.2——图层管理》
- 页面　《Lesson 12.1——主页》

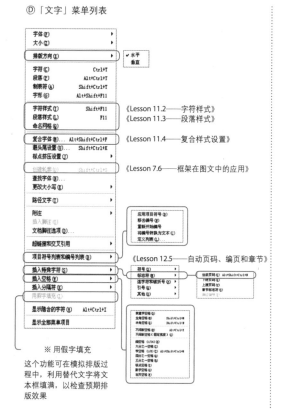

Ⓓ「文字」菜单列表

《Lesson 11.2——字符样式》
《Lesson 11.3——段落样式》
《Lesson 11.4——复合样式设置》
《Lesson 7.6——框架在图文中的应用》
《Lesson 12.5——自动页码、编页和章节》

※ 用假字填充

这个功能可在模拟排版过程中，利用替代文字将文本框填满，以检查预期排版效果

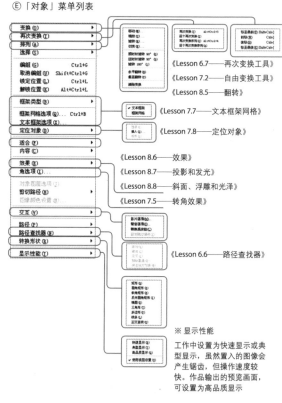

Ⓔ「对象」菜单列表

《Lesson 6.7——再次变换工具》
《Lesson 7.2——自由变换工具》
《Lesson 8.5——翻转》
《Lesson 7.7——文本框架网格》
《Lesson 7.8——定位对象》
《Lesson 8.6——效果》
《Lesson 8.7——投影和发光》
《Lesson 8.8——斜面、浮雕和光泽》
《Lesson 7.5——转角效果》
《Lesson 6.6——路径查找器》

※ 显示性能

工作中设置为快速显示或典型显示，虽然置入的图像会产生锯齿，但操作速度较快。作品输出的预览画面，可设置为高品质显示

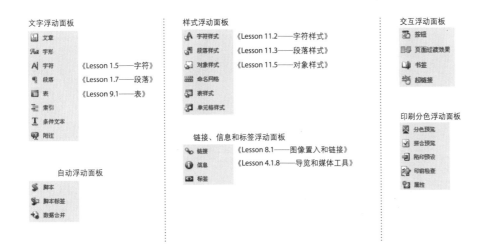

F 「表」菜单列表（《Lesson 9.1——表》）

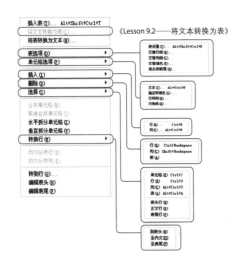

G 「视图」菜单列表

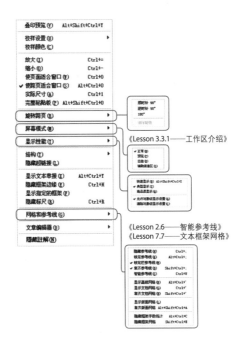

PRESENTAT

PART/2

ON

第 ❷ 篇　创意表现╳开始设计流程

Presentation

——色彩和编排

PRESENTATION
lesson 5.1 —— 色相

色相泛指颜色，也就是色彩的名称，如基本色红、黄、蓝，
以及由基本色混合所衍生的其他颜色。

◎ 色相定义

色相（Hue）可以解释为色彩的样子，也就是色彩的名称。例如，三原色
（Primary colours）：红色、黄色和蓝色；其次，由三原色混合而成的二次
色（Secondary Colours），比如橙色、绿色和紫色；最后，由原色和二次色
混合而成的红橙色、黄橙色、黄绿色、蓝绿色、蓝紫色、红紫色6个三次色
（Tertiary Colours），这就构成了最基本十二色色相环。最著名的十二色色
相环是由瑞士表现主义画家，也是著名的鲍豪斯色彩学老师伊顿（Johannes
Itten，1888~1967）提出的色相环 图1 ，通过此图可快速了解色相的产生和
基本组合。另外，日本色彩研究所发表的「PCCS色相环」（Practical Color
Coordinate System，PCCS）也是常用于参考的二十四色色相环 图2 。

根据伊顿的色相环，穿过色相环圆心所相对的颜色称为互补色（Complementary
Colour；图3 ），互补色之间形成很强烈的颜色对比效果。伊顿提出达到平
衡感的互补色比例 图4 ，分别如下：

红色和绿色1：1｜橙色和蓝色4：8｜黄色和紫色3：9

此外，伊顿也提出色彩和形状的关系，形状和色彩可以相互辉映 图5 。色彩
是十分重要的排版设计元素，除了可以更明确地表达设计主题外，还能补救
构图方面的问题。本章将陆续介绍与色彩相关的InDesign工具应用，以及排
版设计中常用的色彩概念，以达到更好的编排效果。

Johannes Itten的十二色色相环

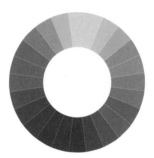

日本PCCS二十四色色相环

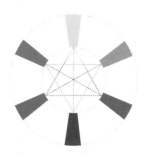

△ 三原色　※ 互补色

▽ 二次色：三原色混和而成的颜色

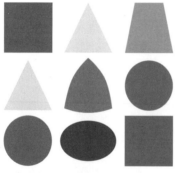

Johannes Itten色彩和形状的联想

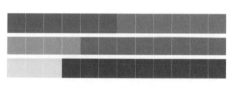

找到平衡感的互补色比例（Johannes Itten）
红色和绿色=1：1
橙色和蓝色=4：8
黄色和紫色=3：9

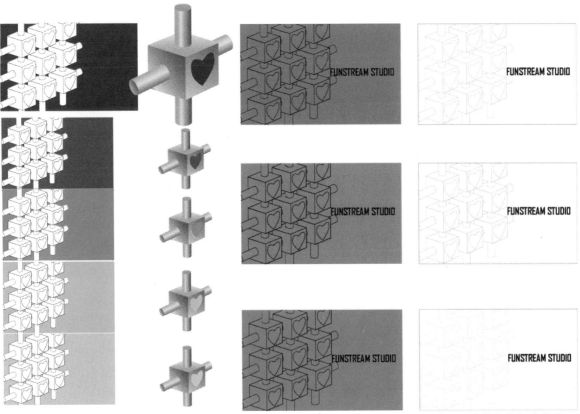

※Design by Daphne for Fundtream

在所有编排的设计元素中，色彩是表达情感和特征最直接明了的元素。以上范例是一家企业希望能以年轻化的思路来设计标识符号，所以，整体的设计都选择色彩饱和（高饱和度）的颜色。因为是一家小型且相当人性化的公司，故可以根据公司员工的个人喜好和特征，量身选择个人专用的名片颜色。

此范例也是应用饱和度高的颜色，表现运动相关主题的活泼感和动态感。

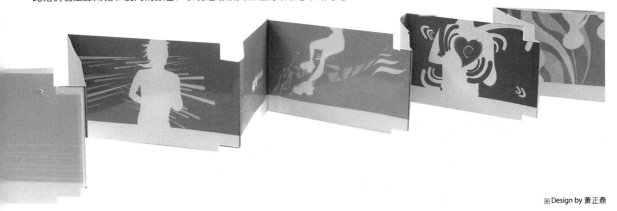

※Design by 萧正鼎

PRESENTATION
lesson 5.2 —— 亮度

亮度（Brightness）是指色彩的明亮程度，当白色颜料加得越多时，其色彩亮度越高。反之，黑色颜料加得越多时，色彩的亮度就越低 图1 。

色彩的亮度是一种相对比较的关系，通常可以将眼睛眯起来注视着色彩，即可感受色彩的亮度差异。在版面中亮度高的颜色带有前进感，容易从版面突显出来，因此，也易于阅读。以 图2 为例，黄色是画面中最高亮度的颜色，因此，读者很容易看到由黄色构成的九宫格的格状线条，而右边的紫色背景图则是以亮度最高的桃红色突显出中间垂直线段，成为版面的焦点。在整体图文构成上，可利用亮度强弱的对应关系来表现图文层次，提供有关阅读顺序的信息。

以高亮度色彩为主的版面给人轻松愉快的感觉。因此，亮度成为表达版面构成并带动读者情绪感官极其重要的因素，高亮度的版面给人愉悦的流畅感，反之，低亮度的版面则给人深沉稳重的感觉。

· 从左至右，从低亮度色彩渐渐转为高亮度色彩

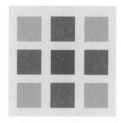

· 高亮度的色彩带有前进感，所以版面的省目性强

※Design by 刘晏如

※Design by 李亦凯

PRESENTATION

lesson 5.3 —— 饱和度

饱和度（Saturation or Chroma）是指色彩的纯度或饱和程度。不含白色或黑色的色彩，称为「纯色」，为饱和度最高的色彩。色彩若含白色、黑色或其他颜色时，其饱和度便会逐渐降低。

在图文编辑中，常常因为背景图片过于复杂而无法选择适当的颜色来突显文字，因此，降低图片的饱和度或将图片模糊化，可以解决文字颜色搭配的困扰。如 图1 ，在初步编排时，文字被底图吞蚀淹没，因此，在调整修正的过程中，要降低整张底图的饱和度，并同时将其模糊化，让背景图片在版面上产生后退的空间感，以便文字从版面中突显出来。

高饱和度色彩和细腻的图像适合于作为版面焦点（前景/图）；反之，低饱和度和模糊的元素，适合于退居画面后方（背景/底图）。

此外，「重复」是设计常用的技巧之一，但过多的重复会让版面呆板。 图2 是将同样的图像进行左右翻转，并将左半边图片放大并转换为不饱和度图像，这种打破重复的变化让画面更有趣。利用饱和度的变化是常用的一种设计方法。

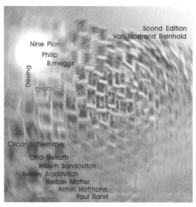

图1 利用降低背景饱和度和画面清晰度的方式来突显文字

※Design by 李思敏

图2 左右翻转的重复变化

※Design by 林俞樟

PRESENTATION
lesson 5.4 —— 颜色面板

InDesign软件的色彩选择主要有颜色面板和色板面板两种。使用颜色面板时，直接添加色彩到颜色面板中，并可选择Lab、CMYK和RGB等色彩模式，再使用色板调整色彩。本节介绍的颜色面板有LAB、CMY和RGB三种颜色，可应用于色块、边框或文字等的填色。

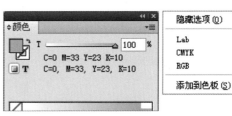

• 「窗口」→「颜色」：可选择色彩的模式

◎ Lab

Lab模式所定义的色彩最多，它涵盖了大多数可见的色彩（即包括RGB和CMYK色域中的所有颜色），在Adobe Photoshop中，这是一种很适合用于调整细腻色彩的设置。不像将RGB转为CMYK色彩模式时，色彩会明显流失；Lab色彩模式无论转成RGB还是CMYK，色彩都保持一致。但毕竟输出无法直接接受Lab色彩模式，所以，最终还是需要转成RGB（数字输出）或CMYK（印刷输出），以供不同的输出用途。

• 以CMYK模式设置的色彩

◎ CMYK

CMYK（青色Cyan、洋红Magenta、黄色Yellow和黑色Black）主要应用于印刷工业。与Lab和RGB相比，CMYK是色域最小的一种模式，因此，色彩受到很大限制。印刷品设计必须使用CMYK的颜色设置，这是配合制版印刷中四色分色的模式。若确实无法通过CMYK模式获得喜欢的色彩，也可在色板的色彩模式菜单中，选择由DIC或Pantone提供的专色，其中包括上光色、荧光色和金属色等，但不可使用RGB取代CMYK。专色是指预先混合好的颜色，大多是不透明色，在印刷时，需为专色制作一张独立的胶片，所以会增加制版的印刷成本。

使用「油墨管理器」可以将专色转为印刷色。所以，InDesign中的「叠印预览」就是针对CMYK四色叠印的部分进行检查，通常这些步骤由胶片输出的制版厂来执行，InDesign的「平面预览」和「分色预览」也用于制版过程，本书将不讨论。

◎ RGB

RGB（红色Red、绿色Green、蓝色Blue）属色光模式，最常用的输出媒介为显示器。在InDesign中，RGB色彩主要用于多媒体制作的作品，例如，EDM在线杂志或网页等。

• 使用CMYK添加色彩的范例　　※Design by 丁于庭

PRESENTATION

lesson 5.5 —— 色板面板

InDesign中的色板面板，提供自定义印刷色彩或专色，也可以载入其他文档已设置好的色板。

使用「颜色面板」新建的颜色，也可以直接拖曳到「色板面板」中存储，以便再次使用。色板面板（Swatch）是排版工作中重要的色彩管理工具。在「窗口」→「色板」面板中新建的色板，可以创建以颜色数值命名的印刷色（如C46、M15、Y0、K39），或专色（如DIC 255s或PANTONE Warm Red C）。专色的选择最常见，如DIC Color Guilde、FOCOLTONE、PANTONE process coated、PANTONE process uncoated和TOYO Color Finder等。此外，也可以将在渐变工具中创建的渐变色彩加入色板面板中。

因为排版工作常需要将数个文档汇集成书籍，InDesign具备色板系统功能，也就是应用色板的菜单选项「载入色板」，载入文档共享的色板系统，这样就可以进行书籍排版，保持色彩的统一和同步。

「载入色板」可以将需要共享的色板系统，载入到新的文档，这个功能如同主页和样式设置，可以提供多人、多文档、同步进行同一本书籍或杂志的排版设计工作。载入共同的色板系统，可让所有的人在不同地方、不同计算机上工作，拥有相同标准的色彩规范。建议每个人都创建一套自己的色板系统，可以简单快速地应用到自己的其他作品中。

• 「载入色板」可从其他文件载入共享的颜色色板

• 最常用的专色有：DIC Color、FOCOLTONE、PANTONE和TOYO Color等

• 载入色板的功能，可让参与排版的人员，在不同地方使用不同的计算机，却使用相同的色彩规范

PRESENTATION
lesson 5.6 —— 渐变工具

渐变工具分别位于工具栏和渐变浮动面板中，基本上来说，可以分为线性和径向两种渐变，可直接应用于图形、线条和文字等。

Illustrator是Adobe最专业的矢量软件，它的网格工具所绘制的渐变功能最强大。Photoshop也可以做锥形等渐变。虽然InDesign的渐变不如这两款软件，但是也能够满足排版设计中常用的渐变效果需求。

InDesign的渐变工具可以在无需创建轮廓的情况下，进行文字渐变。其他对象如线条、图框或色块等，都可直接选择渐变工具，在对象上使用鼠标拖曳，设置渐变的起始和结束位置。

使用渐变面板创建新渐变色时，在渐变控制面板上，直接从色板或颜色面板拖曳颜色到控制面板下方的左右方格中图 1。若需要增加更多渐变颜色，则将其他颜色拖曳到控制面板下方，即可出现更多的色彩方块图 2。反之，若要移除任何渐变颜色，直接将方块往对话框外拖曳，即可去掉中间的色彩。

渐变的类型可分为线性和径向两种。例如，应用对比的色彩或对比的亮度进行密集的渐变（如图 3），当渐变类型设置为线性时，则呈现波浪般的效果（如图 3 C）；若渐变类型设置为径向时，则出现漩涡般的变化（如图 3 E）。

面板中的「位置」是指渐变色渐变的位置，会以菱形符号出现在色彩控制面板上方，菱形符号若位于两色中间，则产生均匀的渐变色彩；若菱形符号偏向某一色彩时，较靠近的色彩将会快速递减，另一边的色彩则占较多面积进行较缓和的混色变化。

「角度」只应用于线性渐变，一般默认值为0度，即为水平渐变，改变渐变的角度可以让渐变以切变的方向变化，设为90度则为垂直。请记得将设置完的渐变色拖曳到色板（Swatch）中，即存储渐变颜色，便于以后再次使用。

渐变可以在无需创建文字轮廓的情况下，直接完成文字的渐变，便于以后的文字内容修改或字体和颜色变化。也可以直接将渐变拖曳到对象，包括图框或图形上，可直接应用渐变效果。

渐变可以应用于文字、线条、图框和色块等对象

图 1 「窗口」→「渐变」，拖曳颜色至下方控制面板的方格中，即产生渐变两端点的颜色

图 2 渐变控制面板上已增加许多渐变颜色，因此产生如彩虹般的多色渐变

图 3 从上到下的（A→E）五种渐变设置，其设置面板分别列于下方：

A.

B.

C.

D.

E.

2009

We
will
be
ready
for
home

Winter

※Design by Daphne

PRESENTATION
lesson 5.7 —— 对比

对比（Contrast）是版面设计时常用的一种配色方法，除此之外，色相对比、明暗对比和饱和度对比也是常用的色彩规划方式。

如同伊顿（Johannes Itten）所说的色彩是相对的，不管是冷暖对比、色相对比、亮度对比或饱和度对比，都是两个以上颜色的对比关系。

冷暖对比　最强烈的冷暖对比为红橙色（Red-orange）和蓝绿色（Blue-green）。同样是冷色系的蓝紫色遇到蓝色，相对就呈现其温暖的色感。同样为暖色系的黄色相对于橙色，就显得冷一些。

色相对比　补色并列时会产生最强烈的对比，如黄色（Yellow）和紫色（Purple）；橙色（Orange）和蓝色（Blue）；红色（Red）和绿色（Green）。若为色相环上邻近的颜色，则所产生的色相对比最弱。请参阅《Lesson 5.1——色相》。

亮度对比　以色相环上的颜色为例，黄色是最高亮度的颜色。颜色加上白色可增加亮度，加上黑色则降低亮度，所以，白色的亮度最高，反之，无反光材质的黑色亮度最低。亮度的对比不一定只用于单纯的颜色，照片的图像效果也可以用光的明暗对比来突显夸张的视觉效果。

饱和度对比　饱和度是指色彩的饱和程度，越纯的色彩饱和度越高，经过多次混色的色彩，会使色彩显得混浊并降低饱和度。饱和度和亮度的对比，广泛用于图文和背景的区分，亮度高和饱和度高的元素，因为具有前进感，适合于作为图像（前景）。反之，低亮度和低饱和度的元素在视觉上有退后的感觉，适合于作为衬托的背景。

◎ 冷暖对比

最强烈的冷暖对比颜色　　　同属冷色系的蓝紫色与蓝色对比，显得温暖　　　橙黄色与黄色对比，显得更温暖

◎ 色相对比　　　　　　　　　　　　　　◎ 亮度对比

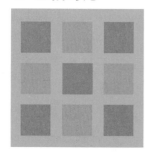  

蓝色和橙色为色相互补的高对比色，因此，图上的蓝色为最醒目的色彩，其次是红色因饱和度高具有前进感，反之，饱和度低的淡橙色具有退后感

红色和绿色为互补的高对比色，中心点的绿色十分显眼，其次是亮度比红色背景高的橙色也具有前进感，反之，饱和度低的淡橙色具有退后感

亮度高的对象容易识别，在版面中高亮度的橙色为最省目的颜色，它构成的X形状成为视觉的主要焦点

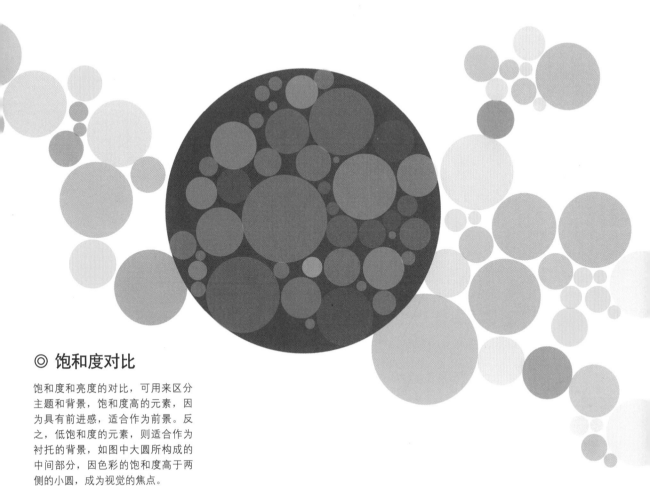

◎ 饱和度对比

饱和度和亮度的对比，可用来区分主题和背景，饱和度高的元素，因为具有前进感，适合作为前景。反之，低饱和度的元素，则适合作为衬托的背景，如图中大圆所构成的中间部分，因色彩的饱和度高于两侧的小圆，成为视觉的焦点。

◎ 亮度对比

亮度的应用不仅仅限于纯色彩，图像本身也带有明暗的色彩构图，以本图为例，特意挑选带较多亮面的图像，与上方天空相连，反之，利用较多暗面的图像与地面结合。图像也可使用亮度对比，刻意突显画面的吸引力。

PRESENTATION
lesson 5.8 —— 单色调效果

◎ 犹如冲洗成彩色的黑白照片

单色调（Monotone）是一种将图片变成灰度图，然后再使用单一色调上色的处理方式，类似于将黑白照片冲洗成彩色的效果。若使用较深的颜色套色，例如，棕色、深蓝或深绿色，图像会带些复古怀旧的味道，若使用鲜艳的颜色套色，则会减少图像细节，突显图片的特殊性。主要是将整体图像采用一种彩色油墨，重新混合图像色阶，从而产生特殊的图像效果。若同时运用两种以上颜色时，可以衍生出双色调、三色调和四色调的混合色阶效果。请参阅《Lesson 5.9——多色调效果》。

当图像的颜色过于繁琐时，可以将图片进行单色调或双色调处理。图片需先经过灰度色调处理，再统一上色，统一整个画面的色调，这种将图片色调简化的效果，很容易提高版面主题的省目性。

在Adobe Photoshop中将彩色图片转换为单色调时，请选择「图像（Image）」→「模式（Mode）」的「灰度（Grayscale）」，再将灰度图片模式（Mode）设置为「双色调（Duotone）」，即出现双色调（Duotone）选项的对话框（参阅《Lesson 5.9——多色调效果》），先选择单色调（Monotone）后，设置油墨（Ink）颜色，再调整双色调曲线（Duotone Curve），即可完成单色调的转换。

以右图为例，分别将三张图片模拟成单色调色彩效果后，再置入到InDesign中，配合「效果」→「透明度」的混合模式并应用「渐变羽化工具」（参阅《Lesson 8.10——渐变羽化》），将画面进行自然透明的融合，最后搭配文字即完成了构图。

※Photo by 萧咏桦

※Design by 林俞橦

位图（B）...
✓ 灰度（G）
双色调（D）...
索引颜色（I）
RGB 颜色（R）
CMYK 颜色（C）
Lab 颜色（L）
多通道（M）

✓ 8 位/通道（A）
16 位/通道（N）
32 位/通道（H）

颜色表（T）

Photoshop设置的色彩模式菜单：

只有当图片改成灰度（Grayscale）设置时，才可以选择双色调（Duotone）的选项。单色调的设置隐藏在双色调菜单中

PRESENTATION
lesson 5.9 —— 多色调效果

双色调、三色调或四色调是将2~4种彩色油墨，重新混合而成的新的图像色阶。

◎ 简化反而更容易引人注目

双色调（Duotone）模式是Adobe Photoshop中常用的一种色彩模式设置，是将原本彩色的图像应用两种彩色油墨，破坏原有图像色彩，重新混合色阶而产生的特殊效果。在双色调菜单下还可以衍生三色调（Tritone）或四色调（Quadtone）等3~4种油墨的混合色阶效果。

在Adobe Photoshop中，将已改为灰度色彩模式的图像设置为双色调，在「双色调选项」对话框中（如右图）选择类型（单色调、双色调、三色调和四色调），再从色板中选择油墨（Ink）颜色，并且可以调整每个油墨色的双色调曲线（Duotone Curve），即可为图像色阶增加有趣的变化（参考下方双色调选项的设置）。图像文件若需存储成JPG或TIFF格式，则需将色彩模式从双色调设置，改回印刷用的CMYK模式或显示器使用的RGB模式。

若将双色调、三色调和四色调所产生的效果，应用到编排版面的设计理念中，这种多色调效果可让平凡的照片变得更有设计感，这再次证明了简化反而更引人注目的效果。

Photoshop双色调选项

在对话框中色调的类型可分单色调、双色调、三色调和四色调

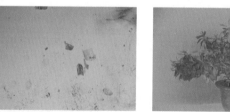

· Photoshop双色调选项设置：从左至右分别为单色调、双色调和三色调

※Photo by 黄瑞怡

※Design by 钟翌纶　　　　　　　　　　　　　　　　　　　　　　　　※Photo by 萧咏桦

PRESENTATION
lesson 5.10 ── 配色

书店有很多介绍色彩搭配的书，例如，日本的配色经典。本节仅提供最基本的配色概念。其实，配色的关键在于颜色是否适合主题和表现风格，尤其是在排版设计中，特别需要注意图文色彩相互搭配后所带来的阅读效果，若无法明确地让读者分辨，则失去了文字最重要的传达信息目的。

◎ 配色方法

暖色系配色　暖色在色相盘中主要处在以红、黄为中心的色彩范围，这种配色基本上给人以女性温暖的感觉。

冷色系配色　冷色在色相盘中，坐落在以蓝、紫为中心的色彩范围，这种配色给人以男性冷静的感觉。

中性配色　本节设置的中性色彩位于红和蓝之间和黄色混合的区域，如伊顿（Johannes Itten）所述，色彩是相对的，有些书将绿色归于冷色系，但当绿色和蓝色相比较时，含黄色色彩的绿色，相对具有暖色感。

低饱和度配色　低饱和度的配色感觉较为暗沉，若适当地搭配饱和度低的颜色，也可以产生稳重和高尚的配色。

高饱和度配色　饱和度高的色彩搭配起来容易争奇斗艳，反而很容易失去焦点，若适当地搭配，其实也可产生活泼和时尚感的配色。

同色系配色　搭配同色系色彩是最安全和协调的配色，因为色彩之间的融合度很高，但这种配色也最容易具有单调感。

◎ 暖色系

高饱和度的暖色系配色

暖色系配色带有一种女性的柔和感，利用色彩对比，文字和背景的颜色搭配可以产生空间的层次感。当文字和色彩较暗的背景色产生强烈的亮度对比，文字会有向前的动感，反之，则会有后退的感觉

色相一致的暖色系配色

亮度对比较强的暖色系配色

◎ 冷色系

高饱和度的冷色系配色

冷色系配色带有冷静感，适合于男性相关或科技领域的色彩应用。文字和背景颜色的搭配，可通过不同层次的对比引导阅读顺序，同时也带来版面的韵律

色相一致的冷色系配色

亮度对比较强的冷色系配色

◎ 中性

中性色配色带有自然和充满生机的感觉，是舒适的配色组合。基本上来说，中性色的饱和度或亮度相差较小，是不容易出错的配色方式，但是因为它涵盖了几种不同的色相范围，所以不易产生同色系配色的单调感

高饱和度的中性色配色

色相一致的中性配色

亮度对比较强的中性配色

◎ 低饱和度

低饱和度且带男性风格的配色

低饱和度且带女性风格的配色

◎ 高饱和度

高饱和度且具时尚感的配色

高饱和度且具活泼感的配色

◎ 同色系

低亮度的同色系配色

高亮度的同色系配色

IDEA

LIFE

Where
is my
passion for
teaching?

※ Illustrated by 郭胤显

※ Design by 郭胤显

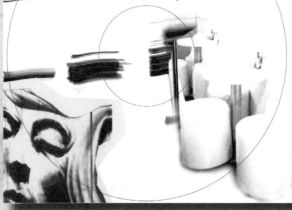

GEGTZ/GILBERTO

STAN GETZ and JOAO GILBERTO featuring Antonio Carlos Jobim

EP:The Girl From Ipanema

中性色应用

GETZ/GILBERTO

STEAN GETZ
JOAD GILBERTO
featuring
Antonio Carlos Jobim

1997 polyGram Records,Inc 521 414-2
Booklet cover photograph Franz Rosenbaum

very young,I was learned to
Joao,and we used to sing at
home withour friends. He loved
the way I sang - still does. I
came to be his translator and
attend to his needs. The day
before rehearsal, Stan Getz came
to our hotel and Joao said to me,
'I have a surprise for you.' As he
was talking to Stan - with me as
interpreter - Joao said, 'I think
Astrud could sing at the recording.

※Design by 李亦凯

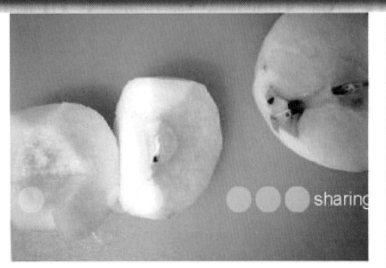

Presentation
——绘图功能

PRESENTATION
lesson 6.1 —— 绘图工具介绍

工具总览

InDesign的绘图功能与Illustrator操作类似。本章主要介绍矢量绘图工具的应用，同时也示范了其他复合绘图工具的应用。

◎ 基本绘图功能

基本的绘图工具包括钢笔工具（《Lesson 6.2》）、铅笔工具（《Lesson 6.3》）、直线工具（《Lesson 6.4》）、几何图形工具，以及路径文字工具（《Lesson 6.5》）等。一般而言，文字工具是绘图的主要工具，本章将文字作为一种造型工具进行创作、想象和设计。

另外，本章将组合分割数个图形的路径查找器（《Lesson 6.6》）及再次变换工具（《Lesson 6.7》），也归纳到绘图功能中。本章所有范例都强调绘图和文字结合的整体版面设计，与Illustrator软件所强调的绘图功能不同。关于工具的详细说明，可参阅《Lesson 4——InDesign常用工具》。

◎ InDesign的工作效率

InDesign具备Illustrator软件的大多数绘图功能，对熟悉Illustrator的用户来说，应该摆脱过去使用该软件单页编排设计的局限性，把InDesign作为最后整合图文的工具（虽然Illustrator CS4已增加了多页设计的功能）。InDesign的绘图功能已能够满足用户在同一种软件中，同时进行图形创作和文案修改，增强文件处理的功能。本章主要介绍工具栏的绘图功能并进行示范，将文字平面设计作为范例，以便区分InDesign和Illustrator应用的重点，毕竟InDesign主要是排版软件，若需创建非常复杂的图形，还是需要其他专业绘图软件的配合。

◎ 矢量图形工具

InDesign绘图工具包括钢笔工具（贝塞尔曲线应用）、铅笔工具、直线工具、几何图形工具，以及浮动面板中的路径查找器（Pathfinder）。与《Lesson 7——对象和框架》、《Lesson 8——图像的置入和效果》相比而言，本章重点介绍文字和矢量图形的创建，后两章则是图像和对象框架效果及置入。

工具栏中可以创建矢量图形的工具（如右图），大概可以分为以下6种：

A 钢笔工具
B 路径文字工具
C 铅笔工具
D 直线工具
E 框架工具
F 图形工具

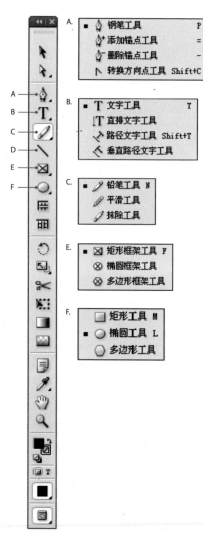

A.
- 钢笔工具　　　　　　　P
- 添加锚点工具　　　　　=
- 删除锚点工具　　　　　-
- 转换方向点工具　Shift+C

B.
- T 文字工具　　　　　　T
- 直排文字工具
- 路径文字工具　　Shift+T
- 垂直路径文字工具

C.
- 铅笔工具　N
- 平滑工具
- 抹除工具

E.
- 矩形框架工具　F
- 椭圆框架工具
- 多边形框架工具

F.
- 矩形工具　M
- 椭圆工具　L
- 多边形工具

钢笔工具

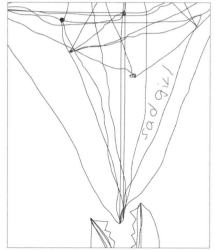

铅笔工具

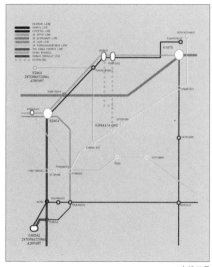

直线工具

路径文字工具

路径查找器工具

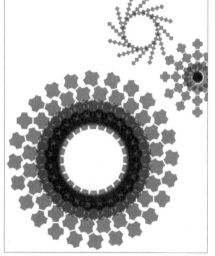

再次变换工具

PRESENTATION
lesson 6.2 —— 钢笔工具

◎ 绘图小帮手

钢笔工具也称为贝塞尔曲线（Bezier）工具，主要运用两个以上的贝塞尔锚点串连成线条或图形，可以创建直线或曲线线条，图形也可以分为开放和封闭两类。运用锚点可直接描绘直线、曲线转角、半曲线，也可运用于开放线条或封闭图形，描绘各种非常复杂且细微的图形。

钢笔工具是利用锚点定位和拖曳线条的方式来进行绘图，绘制线条时按住【Shift】键，可绘制垂直、水平、45°角的直线，比如，按住【Shift】键，使用鼠标快速点下锚点，但不进行拖曳鼠标光标的动作，可绘制如下图A～G的直线线段。

◎ 转换曲线和弧形

下图G～H则是由直线到曲线的转换锚点，将鼠标定位到H锚点后，不要放开鼠标继续拖曳，则锚点上出现对称的控制杆，当光标往锚点外移动时，控制杆越长曲线弧度越大，待拖曳到适当圆弧形状时再松开鼠标。设置对称的半圆弧，在拖曳过程中继续按下【Shift】键，下图H点的控制杆即出现左右对称且水平的状态。另一半对称弧线（H～I）只需重复以上动作即可。若需要继续衔接另一个对称半

圆弧，则必须将J点的对称垂直控制杆变成单边控制，如此一来，I～J的圆弧将不再变动，此时，按住【Alt】键即变成单边的控制杆，按住【Shift】键继续单击下一个圆弧中心锚点（L），最后再到M点完成第二个正半圆弧，M～O的直线段与A～G一样，依此类推。

◎ 编辑锚点

在绘图过程中，若要将曲线的线条转换为直线（如M点），只要按下【Alt】键，即转换曲线锚点为直线锚点，光标会出现转换方向点 ∧ 的符号，这就是钢笔工具栏中的「转换方向点工具」。

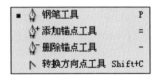

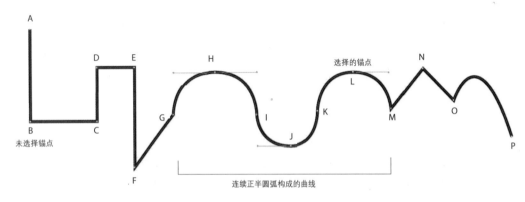

| A～F | 水平垂直线段 | G | 由直线段转换成曲线的锚点 | J & L | 【Alt】键转换单边控制杆的锚点 |

| F | 45°转角 | H | 水平对称的锚点控制杆 | M | 由曲线转换成直线的锚点 |

◎ Design1——星座明信片

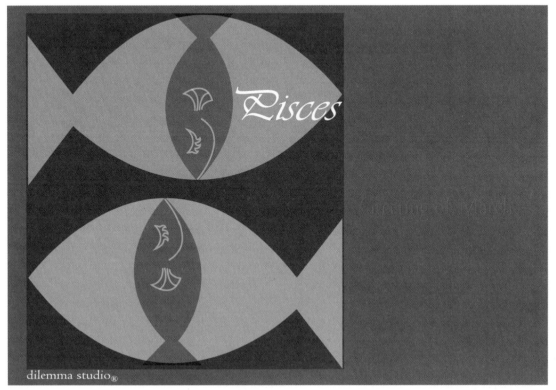

明信片尺寸：100mm×148mm

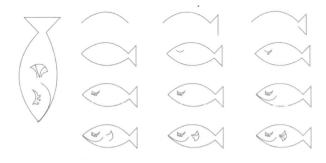

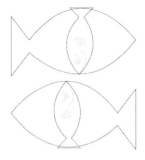

鱼的绘制

以鱼的绘制为例，使用钢笔工具描述图案细部。绘制弧线时，按着鼠标左键不放，将线条拉至需要的曲线弧度，确定后放开鼠标按键。接下来，绘制非曲线的鱼尾巴，不要拖曳鼠标单击锚点，最后，再重复以上绘制圆弧的步骤来封闭鱼的身体。

使用钢笔工具继续将完成的鱼身加上眼睛和表情，画出嘴巴和鱼鳍，就完成微笑的鱼了。

双鱼座

双鱼座是根据刚才绘制的微笑的鱼延伸出来的一款设计，再应用到明信片设计，一般标准的明信片尺寸为100mm×148mm。保留鱼身的轮廓，再结合完整的鱼，应用复制、翻转和对称方法，就形成了上图的设计。

◎ Design2——邮票设计

利用以下花和水瓶进行钢笔工具基本练习，设计出邮票。

花朵

需要描绘复杂线条的自然景物造型，可以在拍摄实物后，将照片置入InDesign作为底图来协助描绘。如此一来，花朵和叶子的线条会更加细腻自然，同时也可以进行多层次的花瓣描绘，用钢笔工具描完边框后再将底图删除，再用色彩填充或渐变实现边框内部的填色效果。

水瓶

制作对称的水瓶瓶身，首先选择钢笔工具按【Shift】键，绘制水瓶颈部的直线形状，再用贝塞尔曲线创建水瓶腰身部分，再使用转换方向点工具绘制瓶底直线，接着封闭形状即完成一半的水瓶造型。最后，将对象复制并水平翻转，使两个映射的对象对齐后，再使用路径查找器结合成一个完整的水瓶形状即可。

◎ Design3——东方彩绘明信片

明信片尺寸：100mm×148mm   ※Illustration by 曲翎华

东方彩绘花瓶

若要使用钢笔工具创造出精密的图案，需要不断地反复操作练习。本例运用竹叶和类似银杏叶（也像云的图案），制作较具东方味道的图案。模拟花瓶上的彩绘图案，结合之前所绘制的花朵及水瓶造型，制作出另一款明信片。在构图和配色上，选择饱和但不失雅致的金黄色作为背景，因为想让立体彩绘的花瓶作为版面的「主角」，左边的花朵采用与背景低对比的轮廓来表现，除了可丰富单纯背景，也保持低调、若隐若现的「从属」角色。在版面中应用份量轻重有别的「主从关系」进行构图，是编排设计很重要的一种方式。

PRESENTATION

lesson 6.3 —— 铅笔工具

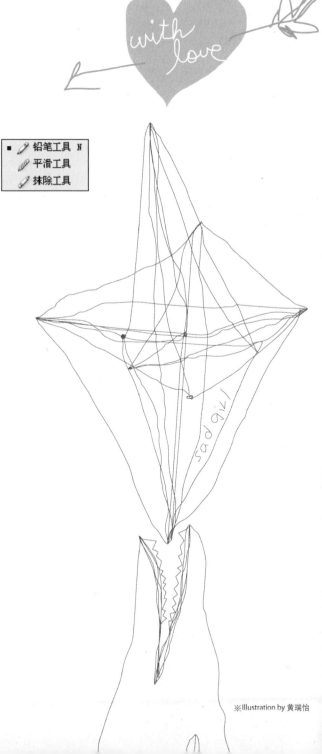

表现自由 —— 手绘的质感
在设计中打破紧张和定律！

在铅笔工具选项中，包含平滑工具和抹除工具，两者都用于铅笔工具绘制后的修改工作。使用铅笔工具绘制手绘质感的图像或文字时，只要双击铅笔工具，即出现「铅笔工具首选项」的对话框（如下图）。对话框设置中的「容差」包括「保真度」和「平滑度」两种，这两者形成对比关系，保真度设置越高，所绘制的铅笔线条越保留手绘的自然曲折感，相对地，线条上的锚点也可能较多。平滑度设置越高，铅笔线条上的锚点会被简化为较平滑的线条，但也容易感觉失真。

当锚点过多而影响线条的柔顺度时，可以用平滑工具或抹除工具来减少锚点。铅笔工具所绘制的线条，也可以使用直接选择工具来修正，锚点也可以用钢笔工具中的添加锚点工具、删除锚点工具和转换方向点工具，执行进一步的细节修改。

铅笔工具可搭配Wacom Tablet数字板使用，由于类似于手握铅笔绘图的操作，线条感觉是在模拟真实的铅笔操作，因此更容易描绘出精确的铅笔质感。

版面设计中适当加入手工质感的设计元素，可以缓解版面的拘谨感。为了在InDesign中加入手工质感的元素，除了可以使用铅笔工具，还可以扫描手绘的图形和文字，以图像置入的方式，利用「效果」工具和「图层」管理，将图像自然地融入版面之中。

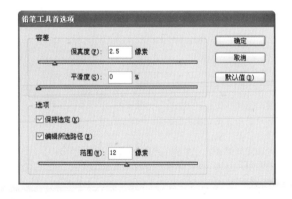

※Illustration by 黄瑞怡

保真度：0.5
平滑度：0

保真度：10
平滑度：0

保真度：20
平滑度：0

保真度：0.5
平滑度：50

保真度：0.5
平滑度：100

PRESENTATION
lesson 6.4 —— 直线工具

直线工具可快速绘制各种线条，其功能与钢笔工具一样，应用锚点来产生线条，再应用描边浮动面板内的设置，可创造出复杂的线条样式。

描边浮动面板提供许多设置项目，选择「窗口」→「描边」来打开描边面板，项目有：线条粗细、线条端点（平头端点、圆头端点和投射末端），以及线条转弯时，转角用的「斜接限制」设置（尖角、圆角和斜面）等。面板中「对齐描边」提供设置线条和框线的位置关系，可分为描边对齐中心、描边居内和描边居外三种。

描边面板中线条类型的选择并不太多，基本上，可分实线、虚线、斜线等，但只要善于运用线条类型及起点、终点其他设置，可轻松创造出许多线条变化。再加上虚线还可以加上间隙颜色和间隙色调的变化，带来了更丰富的选择，虚线线段甚至还可以设置不规则间距的变化。本章提供基本线条和高级线条范例及其设置值供参考。

描边浮动面板：下方圈选处为不规则间距的虚线线段设置

◎ 基本线条设置

（以下线条宽度均为2mm）

平头端点，类型：实底

平头端点，类型：粗—粗

圆头端点，类型：粗—细

投射末端，类型：细—粗—细

◎ 高级线条设置

（以下线条宽度均为3mm，线条颜色：44% C75 M5 Y100）

类型：右斜线，间隙颜色：黑色

类型：左斜线，间隙颜色：Y100 K68

类型：点线，间隙颜色：M60 Y30

类型：波浪线，间隙颜色：C45 M15 K40

类型：白色菱形，间隙颜色：黑色

类型：虚线，间隙颜色：C52 M5 Y10

类型：虚线（3和2），间隙颜色：C45 M15 K40

类型：细—粗，方头端点／斜接连接

类型：细—粗，圆头端点／圆角连接

类型：细—细—细，起点：实心方形，终点：实心方形

类型：虚线，起点：实心圆，终点：圆

类型：左斜线，起点：曲线箭头，终点：倒勾

类型：虚线，起点：条，终点：方形

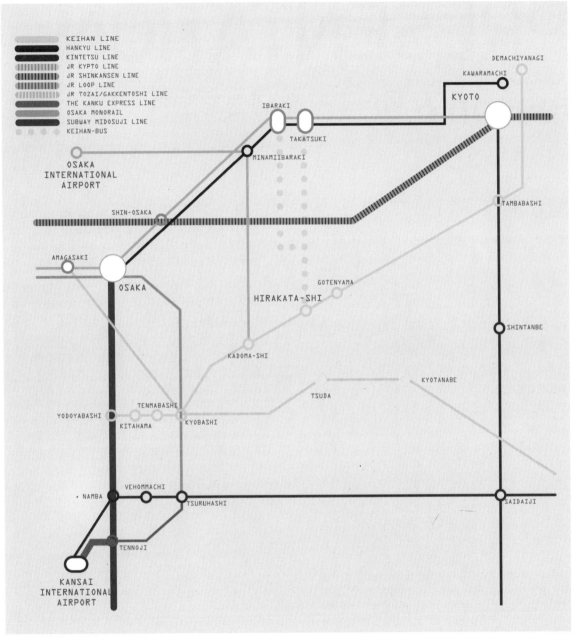

KEIHAN LINE
HANKYU LINE
KINTETSU LINE
JR KYPTO LINE
JR SHINKANSEN LINE
JR LOOP LINE
JR TOZAI/GAKKENTOSHI LINE
THE KANKU EXPRESS LINE
OSAKA MONORAIL
SUBWAY MIDOSUJI LINE
KEIHAN-BUS

※Reference：日本关西网站提供的地图

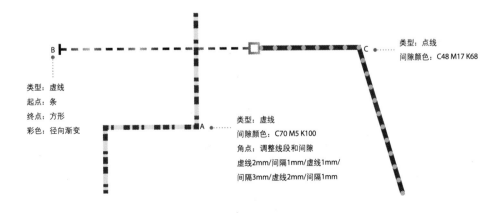

类型：点线
间隙颜色：C48 M17 K68

类型：虚线
起点：条
终点：方形
彩色：径向渐变

类型：虚线
间隙颜色：C70 M5 K100
角点：调整线段和间隙
虚线2mm/间隔1mm/虚线1mm/
间隔3mm/虚线2mm/间隔1mm

PRESENTATION
lesson 6.5 —— 路径文字工具

流动的文字特性

路径文字隐藏在文字工具栏中，需要先创建开放或封闭图形的路径，再选择路径文字工具或垂直路径文字工具，实现文字围绕路径排列的趣味效果。

■ T 文字工具	T
↓T 直排文字工具	
↘ 路径文字工具	Shift+T
↖ 垂直路径文字工具	

工具栏中的文字工具包含「直排文字工具」、「路径文字工具」和「垂直路径文字工具」等项目，应用这些工具所绘制的文字效果如下图所示。

◎ 路径文字工具

路径文字工具是让文字顺着已绘制的路径（可为开放或封闭图形）进行文字排列，比如，设置的路径为圆形，所以文字的垂直轴线会连接到圆心，文字则以垂直圆周的方式，以圆心为中心呈放射状排列。相反，「垂直路径文字工具」则是文字和路径平行并排而行，若路径设为垂直的曲线，则出现文字靠在曲线旁边平行走向的文字排列。

创建路径文字工具时，务必先创建路径对象，然后再选择工具栏中的路径文字工具，鼠标光标单击路径对象上的任一锚点，即转换成文字路径框架，就可以输入文字。

◎ 造型应用

绘制两个椭圆，然后使用路径查找器的减去选项，删除多余的块面即成为具透视效果的杯体造型，单击杯体上的锚点创建路径文字，文字即环绕酒杯边缘而排列，最后将路径对象设置为隐形线条。杯根是利用路径查找器的交叉产生的，杯座则简单创建另一个椭圆即可，路径文字的应用与前者一样。

◎ 文字输入和映射

可以通过打字输入文字或将纯文本文件置入路径中，正常情况，文字会排列在路径的上缘，文字呈正面阅读排列。但也可以将文字进行映射获得反转效果，只要使用选择工具选择路径文字框架的下方节点，拖曳鼠标往框架上方移动，并超过其外框上缘，文字即产生上下映射的变化，也可以进行左右翻转映射。这种映射的设置，若是用于开放路径的图形时，与垂直或水平翻转工具达到一样的效果，但若是应用于封闭路径图形时，则可以实现文字从框外变成框内的映射效果。

选择路径文字外框右下方节点并往上方拖曳，超过文字外框上缘，可产生上下映射的文字效果

※Design by 吴孟颖

◎ 万花筒趣味文字造型

这是文字造型课程中的一道习题，主要目标是使用文字作为造型的基础元素。此作品利用路径文字构成线条并组成版面，主题为「Rainbow Glasses」。将彩虹的渐变色应用于路径文字构成的杯子，看起来似类似万花筒般的华丽缤纷。整个作品主要用路径查找器工具和路径文字工具完成。

PRESENTATION

lesson 6.6 —— 路径查找器

InDesign的路径查找器用法与Illustrator类似，需先创建两个以上的封闭对象，才可进行相加、交叉或减去等操作。路径查找器工具需使用绘图工具所绘制的图形作为基础，本工具仅提供多个对象的进一步重组。选择「窗口」→「对象和版面」→「路径查找器」，路径查找器浮动面板中主要可分为三大类设置，分别为：路径、路径查找器和转换形状。

InDesign软件的路径查找器结合了Illustrator的形状模式和路径查找器的部分选项，主要有「相加」、「交叉」、「减去」、「减去后方对象」和「排除重叠」等，基本上，在设计中提供了足够的复合造型创作。另外，路径查找器浮动面板还提供了路径和转换形状两大选项，直接将一些常用的设置以图标按钮方式显示出来，让用户可一目了然地快速操作，本章仅简短说明这些选项的定义。

◎ 路径

路径的设置从左到右分别为：

- **连接路径** 连接两个端点。
- **开放路径** 将已封闭的路径开放。
- **封闭路径** 与开放路径相反，将开放的路径封闭。
- **反转路径** 更改路径的方向。

◎ 路径查找器

InDesign的路径查找器共有5项设置，由左到右分别为：

- **相加** 将复合对象合并为一。
- **减去** 使用前面的对象剪裁置于后方的对象（以保留后方对象为主）。
- **交叉** 仅保留两个对象之间相交的区域。

- **排除重叠** 仅扣除两个对象相互重叠的区域（即为相加后再扣除交叉的复合图形）。
- **减去后方对象** 将前方对象减去与后方对象交叉的复合图形（与减去相反，主要保留前方对象）。

◎ 转换形状

不管是什么形状的对象，随时可以用浮动面板中预设好的几何图形转换形状，只要选择这些图标，即可快速应用于任何路径。这些图标从左至右、从上而下分别为：

- 将形状转换为矩形。
- 根据当前的"角选项"半径大小，将形状转换为圆角矩形。
- 根据当前的"角选项"半径大小，将形状转换为斜面矩形。
- 根据目前的"角选项"半径大小，将形状转换为反转圆角矩形。
- 转换为椭圆形。
- 转换为三角形。
- 根据当前的多边形工具设置，将形状转换为多边形。
- 转换为直线。
- 将形状转换为垂直或水平直线。

◎ Illustrator路径查找器

Illustrator中的路径查找器浮动面板选项，可分为形状模式和路径查找器两大类，InDesign的功能大致结合了路径中的「相加」、「交叉」和「减去」，同时加入Illustrator路径查找器中的「减去后方对象」。

◎ InDesign路径查找器

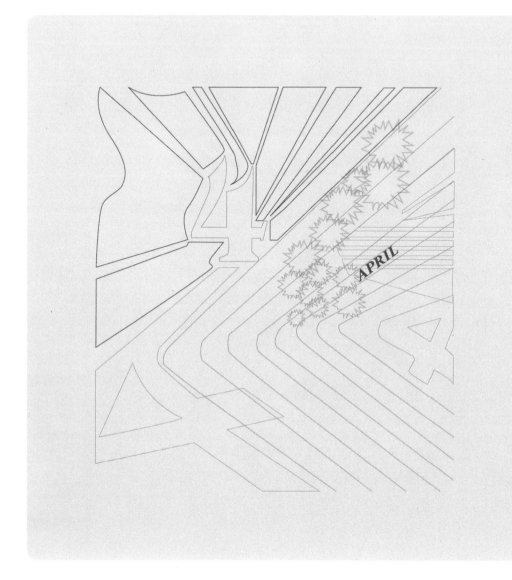

 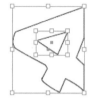

◎ 复合的单一对象

上图是由线稿构成的画面，由钢笔工具和路径查找器绘制完成。以两种造型的4为例（左图），使用钢笔工具分别描绘外框线和中间的镂空轮廓，然后同时选择内外两个框架，使用路径查找器（Pathfinder）的减去选项，减去中间镂空形状，变成合而为一的复合形状。凡是使用路径查找器处理过的形状，自动变成复合的单一对象，可以轻易使用颜色、渐变填色或置入图像，选择贴入选择范围内即可。

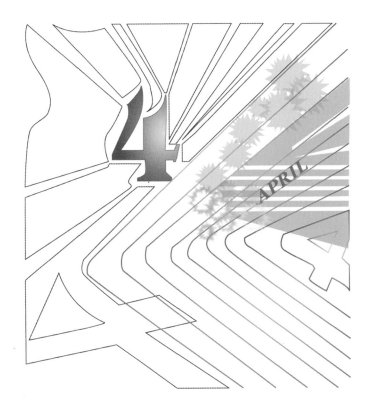

※Illustrator by 陈柏良

选择构图中的线条、文字和文字外框，选择应用暖色的径向渐变

◎ 应用效果工具

放射状的星星图案，设置透明度为48%，并选择「对象」→「效果」→「透明度」中的正片叠底混合模式来处理重叠效果。

除此之外，边缘的锐利和柔和效果，可以选择「对象」→「效果」→「基本羽化」来处理，羽化宽度设置为2mm，角点设置为扩散，即可获得柔化边缘的效果。

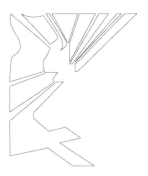

◎ 整合区块

最后的步骤是置入一张插画图像，贴入上图黑色线稿绘制的区块范围内，即使无相连接的区块，只要按【Shift】键复选，再选择路径查找器的交叉工具，即可将多个分离的图框合而为一。详细步骤如下：使用选择工具选择复合图框，选择「文件」→「置入」背景底图，再选择「编辑」→「贴入内部」，图案即填满交叉后的区块。

PRESENTATION
lesson 6.7 —— 再次变换工具

寻找变换操作的记忆点

再次变换工具可以同时重复菜单列表中变换的各种操作，例如，移动、缩放、旋转或切变等。计算机会记忆前一次变换设置，使用再次变换工具时便重复前一操作，这对于绘制等比、等距和放射状图形很方便。

InDesign的再次变换工具与Illustrator类似，可记忆并重复前一个操作。最常用到的如「对象」→「变换」→「移动」、「缩放」、「旋转」、「切变」和翻转（水平和垂直）等，可实现这些操作的重复。比如，旋转复制对象时，单击旋转工具并按下【Alt】键，即可根据圆心位置（光标出现十字）的定位进行旋转，然后设置对话框中的角度，按下「副本」选项后，第二个对象则将根据所设置的圆心位置和旋转角度进行复制，马上使用再次变换工具，第三个对象又以等角度的方式复制，依此类推，直到所需副本数量完成为止，使用再次变换工具的快速键【Ctrl】+【Alt】+3，可以更快速地完成任务。

移动、复制和再次变换

步骤一：创建基本形状。

步骤二：按下【Alt】键、选择对象并进行拖曳复制。或选择「对象」→「变换」→「移动」，在出现的对话框中设置移动的水平和垂直距离，并选择「副本」，完成第一个移动复制的操作。

步骤三：反复选择「对象」→「再次变换」或连续按【Ctrl】+【Alt】+3，直到获得所需的副本数量为止。

步骤四：针对对象应用渐变色彩。

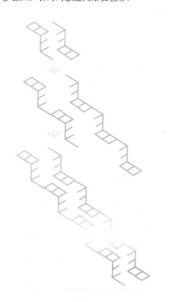

缩放、复制和再次变换

步骤一：创建基本形状。

步骤二：选择缩放工具，按下【Alt】键设置缩放的圆心位置，并选择缩放比例，或选择「对象」→「变换」→「缩放」，设置缩放的水平和垂直比例，并选择「副本」，完成第一个缩放复制操作。

步骤三：反复选择「对象」→「再次变换」或连续按【Ctrl】+【Alt】+3，直到获得所需的副本数量为止。

步骤四：针对对象应用渐变色彩。

切变、复制和再次变换

步骤一：创建基本形状。

步骤二：选择工具栏中的切变工具，在对话框中设置切变角度，或选择「对象」→「变换」→「切变」，设置切变角度和轴，选择「副本」，则完成第一个切变的操作。

步骤三：反复选择「对象」→「再次变换」或连续按【Ctrl】+【Alt】+3，直到获得所需的拷贝数量为止。

步骤四：针对对象应用渐变色彩。

1 | 2
3 | 4

◎ 再次变换在移动中的应用

利用文字作为基本形状要素，运用切变工具产生透视效果，以图1为例，将字母EBL切变并组合成阶梯状；图2的字母如FBO经切变再紧密排列，两组基本组件都带透视效果。图1和图2都使用移动复制，然后使用再次变换重复操作设置，因此，产生了透视的排列效果。

图3和图4使用未变换的字母作为组成单位，图3使用垂直水平翻转复制的基本操作，执行再次变换；图4使用旋转工具，以同圆心、等角度进行复制，产生径向排列效果。

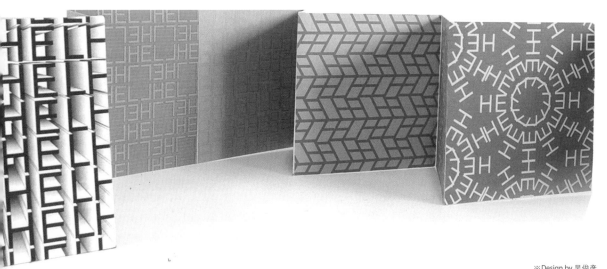

※Design by 吴俊彦

◎ 旋转的再次变换中圆心的应用

本范例主要说明使用旋转的再次变换时,圆心的位置
也是图形变化中很重要的元素。基本线段的绘制步骤
如右所示。另外,下方排列的5个图形,显示圆心设置
的位置差异,以及其旋转复制后产生的图形。图1~
图5 所创建的放射状图形,都是针对同一线段,使用
再次变换工具(【Ctrl】+【Alt】+3)进行反复的旋
转复制,唯一的差别在于定位的圆心位置不同。利用
这个概念,可以产生许多如万花筒般的放射状图形。

🌼 创建第一个组件。

🌼 选择对象并按住【Alt】键进行拖
曳,则复制出第二个相同组件,同
时按【Shift】键时,则可在垂直或
水平排列下进行复制。

🌼 同时选择之前制作的两个组件,重
复按住【Alt】键和【Shift】键进
行拖曳,则产生4个相同组件,按
【Ctrl】+【Alt】+3(再次变换工
具),则重复往垂直方向复制两个
组件的前次动作,组件自动增加到
6个。

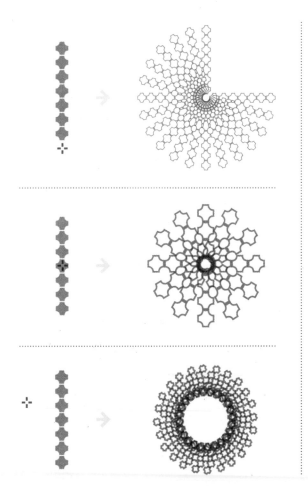

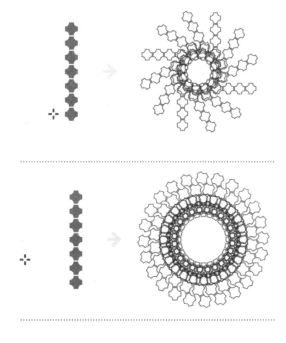

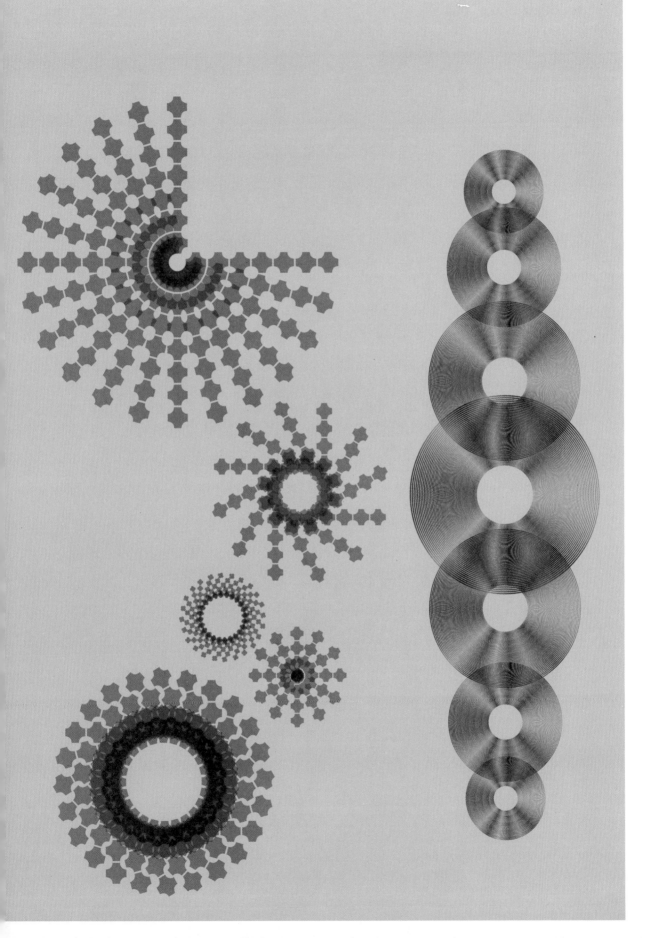

Presentation
—— 对象和框架

PRESENTATION

lesson 7.1 —— 对象和框架工具

解构框架

InDesign中的文字和图形，都是在框架结构中创建的，本章尝试解构框架，让图文脱离框架的约束，获得带来更多有趣构图变化的设计方法。

相对于Lesson 6介绍的绘图工具，Lesson 7偏重于以置入的图像、文字和图形为基础，进行对象效果和框架的解构。InDesign中每个对象都由框架包围，例如，几何形状（如矩形、椭圆和多边形）、钢笔工具或路径查找器所产生的不规则复杂框架，甚至文字也创建在文字或网格框架中，还可以通过创建文字轮廓，转换为另一种不规则的框架模式。

使用多边形工具对话框中的设置选项，设置多边形的边数和星形内陷两个选项，可创建更多不同形状的多边形框架。

Lesson 7.2～Lesson 7.5的自由变换工具、对齐和分布、文本绕排和转角效果都是实现对象编排效果的工具。Lesson 7.6～Lesson 7.8分别为框架在图文中的应用、文本框架网格，以及框架应用中的锚点对象，这些章节偏重于框架的设置。

◎ 框架变化

右页的4个练习范例中，图1将版面分割为均等的16格，形成网格框架。虽然置入整张完整的图片，但利用网格应用不同透明度前景的颜色变化，这是破坏框架结构的一种方式。右页图2至图4则分别创建三角、梯形和不规则形的框架（使用钢笔工具、几何工具创建），这3个范例应用破坏完整原图的方式，获得更强烈的构图，这也类似于手工拼贴（Collage）的视觉效果。

图5至图8是文字和图片的组合练习，一组标题或一个段落可视为一个区块，对区块和图片进行分割和重组，让版面结构充满变化性。

◎ 框架延伸应用

右页图1所构建的网格框架，可以根据图像特性而改变，可换成圆形或条纹，甚至是图案等。这类似于利用透明蒙版的方法，是一种既不破坏原图又增加版面质感的方式，可用于封面设计的局部上光，增强低调且细腻的质感。

- ■ ☒ 矩形框架工具 F
- ⊗ 椭圆框架工具
- ⊗ 多边形框架工具

图1 工具栏中的框架工具包括矩形、椭圆和多边形框架

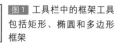

图2 多边形框架的对话框设置，除了设置尺寸外，还可以设置边数和星形内陷，三角形和星形放射状图形都是利用这些设置产生的，可参考以下3个框架的设置和效果

边数：8　　　边数：3　　　边数：7
星形内陷：10%　星形内陷：25%　星形内陷：70%

- ■ ◊ 钢笔工具　　　　　　P
- ◊⁺ 添加锚点工具　　　　=
- ◊⁻ 删除锚点工具
- ⋏ 转换方向点工具 Shift+C

图3 工具栏中的钢笔工具，利用贝塞尔曲线制作复杂的框架，本章许多范例都是使用钢笔工具制作图片去背的框架

$$\begin{array}{c|c} 1 & 2 \\ \hline 3 & 4 \end{array}$$

图1至图4应用同一张照片素材进行版面结构的练习，且应用不同框架结构，将照片不规则地切割后再重组，打破网格框架的构图方式。用手工剪贴构图的练习，大胆尝试破坏，再细心思考组合，这种拼贴构图的练习，是学习编排设计的重要一环

$$\begin{array}{c|c} 5 & 6 \\ \hline 7 & 8 \end{array}$$

图5标题和正文虽然分开排列，但仍连接为一个整体版面，此版面将图片切割为两个不规则大小的框架，简单中不失乐趣

图6标题和正文配置在相连的两个留白区块中，将图片切割为三个不等的框架，构图相当有趣且不至于琐碎

图7将标题分割成两个区块，图片因文字版面而切割为4个不等的区块，此构图因而产生过多的区块，让版面显得过于繁琐，大标题的块面间距过大，易降低和其他文字的连贯性

图8大标题采用垂直和水平走向的组合变化，恰当保留文字间距，产生显眼且有趣的标题。图片被文字区块切割为不均等的两个区块。这是图文整合的优秀范例

※Design by 黄瑞怡

PRESENTATION

lesson 7.2 —— 自由变换工具

基本形：正方形平面

上下透视图：由正方形平面基本形状衍生出来的透视图。「对象」→「变换」→「切变」

斜面透视图：也是由正方形平面基本形状衍生出来的斜面透视图。「对象」→「变换」→「切变」

立方体：结合基本形状、上下透视图和侧面透视图组合而成的立方体

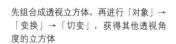

先组合成透视立方体，再进行「对象」→「变换」→「切变」，获得其他透视角度的立方体

选择工具栏中的「自由变换工具」或菜单列表中「对象」→「变换」，即可进行对象的变换。主要的对象变换可分为移动、缩放、旋转和切变。

移动

选择对象框架后，使用鼠标可移动对象位置。

缩放

如果要进行对象的缩放，只需拖曳框架上任一个控制点，移动缩放对象大小的同时按住【Shift】键，可保持对象以等比例缩放。使用任意变换工具时，按【Alt】键（Windows）或【Option】键（Mac）调整框架比例，这时对象以框架的中心点进行缩放。

旋转

使用任意变换工具旋转对象时，光标靠近外框边界时，会自动出现旋转符号，可以旋转对象。InDesign提供了新功能智能参考线，若该选项启用，就会在鼠标光标靠近对象时，自动出现旋转数值，方便旋转。

切变

使用自由变换工具进行对象的切变时，拖曳框架上任一控制点可拖曳鼠标往上下或左右切变。若按【Ctrl】键（Mac则按【Command】键），可设置切变的基准点，基准点设置得离对象越远，变换也越大。

映射

在菜单列表中选择「对象」→「变换」，或在菜单列表下方的控制面板上，单击水平翻转或垂直翻转的图标工具。此外，选择对象并将其边框控制点往上下或左右拖曳，当拖曳到框架的另一边时（比如，左上控制点拖曳超过右上控制点时，对象会往右边映射翻转），也可以产生水平或垂直的翻转效果。

再次变换

再次变换工具主要用于配合变换工具操作之后的动作复制，下拉菜单中的再次变换选项包括再次变换、逐个再次变换、再次变换序列，以及逐个再次变换序列等，其定义如下：

再次变换 记忆最后一个操作变换的动作，然后应用到选择范围。

逐个再次变换 记忆最后一次变换操作的动作，并单独应用到选定对象，而不是整个群组应用。

再次变换序列 记忆最后一系列变换操作的动作，按操作序列应用到选择范围。

逐个再次变换序列 记忆最后一系列变换操作的动作，再按操作序列逐个应用到每个选定对象。

PRESENTATION
lesson 7.3 —— 对齐和分布

对齐的图标工具栏在选择控制面板的最右边，请参阅《Lesson 4.2.1——选择控制面板》

◎ 对齐

对齐（Align）位于菜单列表下的选择控制面板（如上图），也可以选择「窗口」→「对象和版面」→「对齐」的浮动面板窗口（快捷键【Shift+F7】）。浮动面板中主要设置为「对齐对象」和「分布对象」（如右图）。对齐对象选项可以设置选定对象和版面的对应关系，分为「对齐选区」、「对齐边距」、「对齐页面」和「对齐跨页」，对齐工具最常用于对象和对象的对齐，所以，「对齐选区」是最常用的设置。

对象对齐的方式分别为：左对齐、水平居中对齐、右对齐、顶对齐、垂直居中对齐，以及底对齐等。分别以对象框架的边缘或中心点为基准进行对齐。

「窗口」→「对象和版面」→「对齐」的浮动面板，包括对齐对象、分布对象和分布间距三大类

1	2	3	4	5	6
7	8	9	10	11	12
13	14				

1 左对齐	9 按底分布
2 水平居中对齐	10 按左分布
3 右对齐	11 水平居中分布
4 顶对齐	12 按右分布
5 垂直居中对齐	13 垂直分布间距
6 按底对齐	14 水平分布间距
7 按顶分布	
8 垂直居中分布	

◎ 分布

分布对象是将对象间距平均分布的功能，间距可分为垂直间距和水平间距两类，包括6个图标工具，分别为按顶分布、垂直居中分布、按底分布、按左分布、水平居中分布和按右分布等。浮动面板中也可设置间距数值，输入的数值将搭配框架边缘的对齐方式，获得准确的分布效果。

排列和分布是排版设计中最常用的工具，可应用于同心圆或阵列图形等，文本框和图框的对齐或分布，都以框架边缘为计算基准。虽然InDesign新增的智能参考线功能，也可以在移动或对齐对象时提供对齐参考线或间距数值，但是，仍无法达到排列和分布工具的便利和精确。

假设将分布水平间距设为5mm，因对齐方式不同呈现的排列也有所差异，图1是将分布设置为按左分布，图2则将分布水平间距设置为5mm。

对齐对象：水平居中对齐
分布对象：无

对齐对象：水平居中对齐
分布对象：垂直居中对齐
对齐选区

对齐对象：水平居中对齐
分布对象：垂直居中对齐
对齐选区
分布间距：垂直分布间距
使用间距：12mm

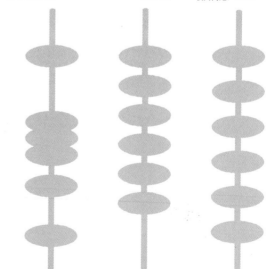

图1 按左分布　　　图2 水平分布间距5mm

PRESENTATION

lesson 7.4 —— 文本绕排

文本绕排是文本框和图框重叠时文字排列的设置，可分为
文字压图、文字绕图等模式。

「文本绕排」主要应用于图片和文字之间的相互排列。首先，必须确定图片置于文本框之上，方可执行文字绕图的效果。若图文位于不同图层，则图片图层需位于文字图层之上，可用「对象」→「排列」的前移一层或后移一层选项，调整图片和文字图层的排列顺序。在「无文本绕排」的设置下，文字直接覆盖在图片上，若选择文本绕排，则文字会进行回避图片的排列。其设置说明如下：

沿定界框绕排　无去背的图片框架都是方形，选择围绕边界方框时，文字会绕过方形图框，顺着方形图框边缘产生文字围绕图框外围的排列。

沿对象形状绕排　可使用InDesign的钢笔工具顺着物体外缘描绘轮廓线，然后将这个不规则的图形，视为去背的图框，再使用「编辑」→「贴入内部」，将图片贴入框架，调整图片在框架内的位置即达到去背效果（当然也可以使用Photoshop路径或Alpha通道去背）。文字围绕着去背的图形，排列时不会遮盖框架图形。文字围绕图片轮廓线时，还可设定顶端、底部、左侧和右侧的偏移量，即调整文字和框架间的空白距离。如果面板中的「反转」选项被勾选，文字不是绕图外围排列，而是排列在框架形状之内，造成文字盖图的情况 图3 。

上下型绕排和下型绕排　这两个选项较为类似，文字直接跳过图框（假定为方形框架），进行上下或单边的编排 图4 。此设置常因为文字段落和图片宽度不同而产生不同效果。

「窗口」→「文本绕排」的浮动面板

若要选择文本绕排浮动面板中的选项，需要在选择「沿对象形状绕排」的状态下才会显示高级设置：顶端、底端、左侧和右侧的偏移量数值，是指文字绕着对象轮廓线的留空距离。文本绕排选项有绕排至右侧、左侧、左侧和右侧、朝向书脊侧、背向书脊侧和最大区域等。另外，轮廓选项类型可分为：适用于图像去背的Alpha通道、Photoshop路径，或适用于单色背景的检测边缘，以及使用钢笔工具描绘的图形框架等。

◎ 创建去背图框

Photoshop去背　若是图像和背景较复杂不易区分，建议直接到Photoshop执行去背，再将图片置入InDesign。置入去背的图片时，背景是透明的，沿着对象外围所描绘的轮廓线，构成不规则框架（上图由绿色锚点构成的形状）。

InDesign去背　当对象本身轮廓分明且与背景关系简单时，直接使用InDesign的钢笔工具，顺着对象轮廓线描绘出不规则的图形框架，再将原图贴入框架的范围内，利用工具栏中的直接选择工具，调整图片内容并使之适合框架，即完成简易的去背效果。另外，使用InDesign框架去背的优点是非破坏性去背，仍可保留图像的原始文件。

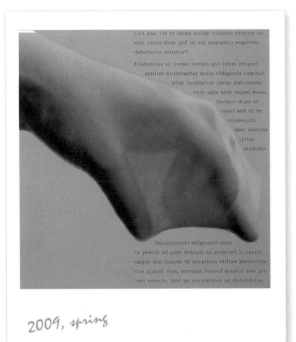

2009, spring

8 Pleasant Road, Melbourne

Daphne Shao

※Photo by 黄瑞怡

1	2
3	4

1　沿对象形状绕排
2　无文本绕排
3　选择反转、沿对象形状绕排
4　上下型绕排

PRESENTATION
lesson 7.5 —— 转角效果

InDesign内置了5个预设的基本角选项，通过内外框的不同设置再组合，可以延伸出超过20种以上的图框变化。

「对象」→「角选项」的浮动面板，预设花式、斜角、内陷、反转、反向圆角和圆角等5种效果

◎ 转角单框练习

「角选项」是InDesign中很小、却很贴心的工具。首先，利用矩形工具创建一个正方形，选择「对象」→「角选项」，转角效果有：花式（A）、斜角（B）、内陷（C）、反向圆角（D）和圆角（E）5种，其效果如下图：

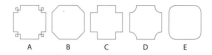

虽然预设的转角效果不多，若善加利用转角内外框设计的组合变化，可以延伸出20种以上的变化。另外，调整边角的大小设置，也可以丰富图框的多样性。

◎ 转角边框组合

使用矩形工具创建两个中心点一样，但大小不同的框，外框转角效果设置为「斜角」，内框设置为「圆角」。同时选择两个图框，利用「路径查找器」的「排除重叠」，剪去中间的圆角方框，即可产生画框的效果（框B-E）。

接着，选择「对象」→「效果」→「斜面和浮雕」（内斜面、雕刻清晰）和「光泽」效果（大小：7mm，距离：2.5mm），制作真实的三维效果，如右页范例。

外框为「花式A」、内框为「圆角E」（框A–E）

外框为「反向圆角D」、内框为「圆角E」（框D–E）

外框为「内陷C」、内框为「圆角E」（框C–E）

外框为「斜角B」、内框为「圆角E」（框B–E）

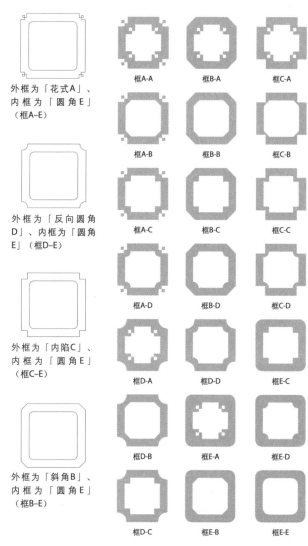

框A-A　框B-A　框C-A
框A-B　框B-B　框C-B
框A-C　框B-C　框C-C
框A-D　框B-D　框C-D
框D-A　框D-D　框E-C
框D-B　框E-A　框E-D
框D-C　框E-B　框E-E

以上组合图框的命名，以花式效果（A）、斜角效果（B）、内陷效果（C）、反向圆角效果（D）和圆角效果（E）为基础，所以，若外框设为斜角（B）内框设为圆角（E），合并的新边框则以B-E命名（意为从B中剪去E），其他依此类推

※Photo by 黄瑞怡

PRESENTATION

lesson 7.6 —— 框架在图文中的应用

前面章节介绍了如何在InDesign中简单地去除图片背景，可以使用InDesign的钢笔工具沿着对象轮廓线，完成简单的去背操作。钢笔工具还可以进一步完成其他应用，使用某些材质的照片，制作模拟不必太过写实的对象，如下图作品中应用草席、岩石质感和饱和度高的写意图像，分别做成竹篓子、小石块形状的图案等。

InDesign也支持Photoshop的PSD文档，只要在Photoshop中将对象和背景分别放置在不同图层，在InDesign中置入图片时，记得在置入对话框中选择文件类型为「图像」，勾选「显示导入选项」，即可选择打开或关闭图层。使用同一图像文件，分次勾选所需图层对象并置入文件之中。如此一来，可以在最少图像文件数量和节省时间的情况下，轻易置入图像并执行编辑，详细说明请参阅《Lesson 8.3——PSD的图层支持》。

◎ 充满乐趣的拼贴

步骤一：里层

首先，沿着虚线用钢笔工具，制作竹篓内层部分

接着沿着虚线用钢笔工具，制作竹篓外观

步骤二：外层

=

步骤三：组合

首先，将竹篓里层图案置于后方，并用透明灰度渐变制作阴影效果（增加立体感），最后再将竹篓外观置于前方，即完成一个竹篓的组合形状

◎ 创建文字轮廓的设计秘诀

并非所有的框架都需要使用几何图形或钢笔工具来创建，为文字创建轮廓后，可创建另一种类型的框架。使用这个设计理念时，建议选择字号较大和无衬字（San Serif）的字体来进行。以下图为例，选择较粗且笔画粗细一致，字号设为180pt的黑体字，先创建一个「黑」字。接着，选择「文字」→「创建轮廓」（黑字已不再具有可编辑的文字特性），再选择文字工具，单击框架内部输入文字（黑字转换为一个大的文本框）。最后，将框架线条和填充颜色设置为透明（无），即完成由很多小Black构成的「黑」。

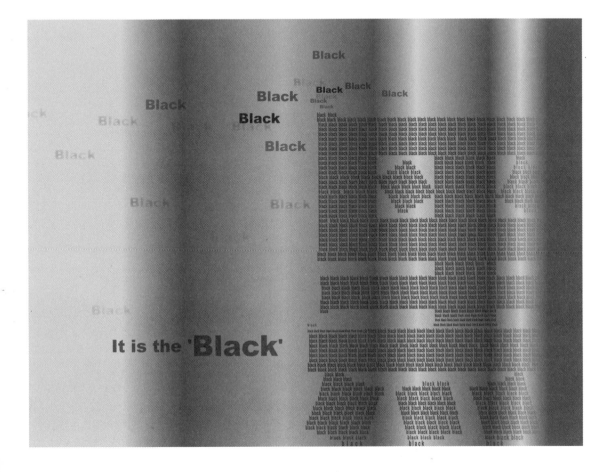

PRESENTATION
lesson 7.7 —— 文本框架网格

◎ 框架网格

InDesign的框架转换是很有弹性的，任何图框都可转换为文本框，文本框又可设置框架网格。设框架网格的文本框，就像小学的作文本一样，文字以规则的水平垂直的方向排列。可通过框架网格的设置，来设置格子的间距。这种文字的编排适用于较正式文件，或刻意表现非常规律的文字设计。固定的文字格子，文字编排时较无弹性，若遇到较瘦小的文字或符号，反而容易造成文字间隙过大的问题，导致字间距有不均匀的感觉。所以，可以使用「框架网格」对话框中的对齐方式来进行设置和调整。无论是中文还是西文，字母或文字的视觉密度并非完全相同，尤其是标点符号的面积特别小。使用框架网格进行文字排列，容易突显文字「海岸线」的不平整感，请参阅《Lesson 1.1——文字初步》。

选择「对象」→「框架类型」→「框架网格」，选择「文字」→「排版方向」设置网格文字走向。一般打开框架网格后为水平走向，即横式书写，若需转换为直式书写，将书写方向改为垂直即可。然后打开「对象」→「框架网格选项」对话框，进行网格属性、对齐方式、视图选项及行和栏的设置。网格属性设置网格字体大小和行间距等；对齐方式选项则针对行、网格和字符对齐进行选择；视图选项用于设置框架网格提示信息的位置；行和栏的设置则用来规范网格内的垂直水平字符数量。不管是中文或英文字，并非每个字母或文字的视觉密度（即文字视觉上的轻重）都相同，尤其是标点符号都小于文字大小。这种垂直平行都对齐的网格排列反而会造成「海岸线」的不平整感。更详细的观点和实践，请参阅《Lesson 1.1——文字初步》。

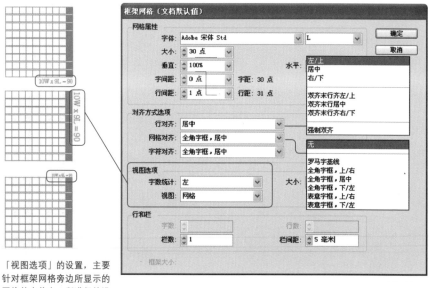

「视图选项」的设置，主要针对框架网格旁边所显示的网格状态信息。所进行的设置为显示字体的大小和位置，与框架网格内的文字设置无关

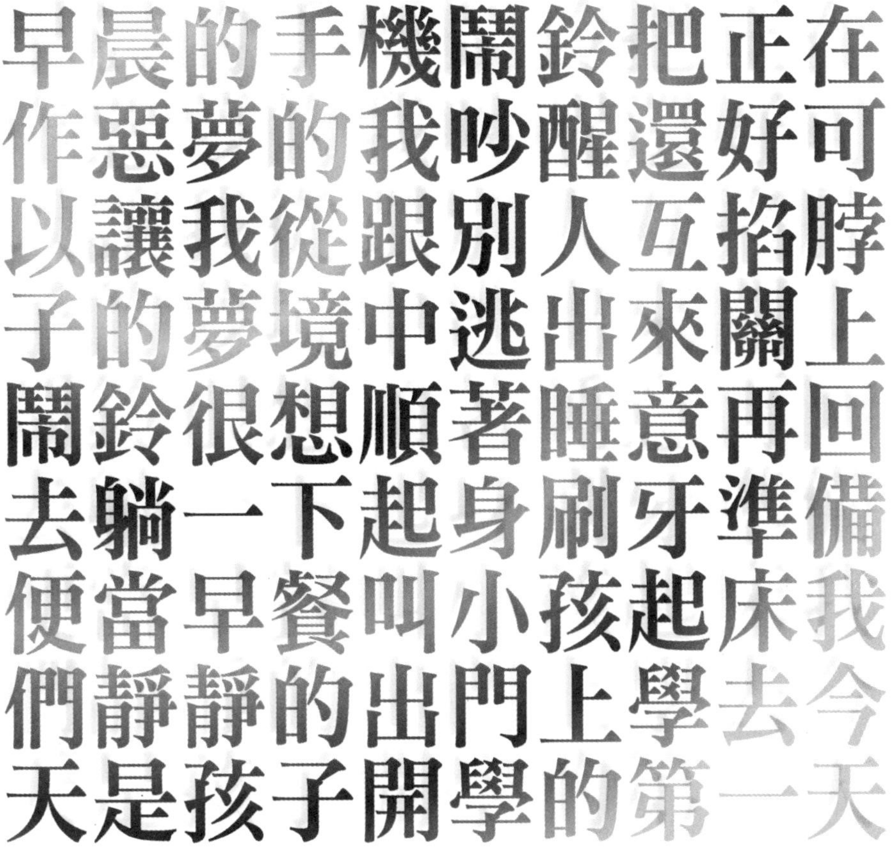

早晨的手機鬧鈴把正在
作惡夢的我吵醒還好可
以讓我從跟別人互掐脖
子的夢境中逃出來關上
鬧鈴很想順著睡意再回
去躺一下起身刷牙準備
便當早餐叫小孩起床我
們靜靜的出門上學去今
天是孩子開學的第一天

◎ 框架网格设置

「框架网格」对话框中，「网格属性」的主要设置有字体、大小、字体的宽高变化（垂直和水平的百分比）、字间距和行间距等。

设置「对齐方式选项」时，若行和列的字数为满版无空字时，其文字排列设置居中或左右，并没有差别。若行和字符数不等时，所设置的行、网格和字符对齐，都会影响网格的效果。为了让网格完全适合格子并达到居中对齐的效果，设置时，选择行对齐居中、网格对齐全角字框（水平排列为左，垂直排列为右），以及字符对齐项目设置为全角字框居中。

「视图选项」只出现在屏幕正常模式下（如右图左上方橙色的数字信息），提供字数和网格的信息，通常是以数学乘法公式表示，例如：10W×9L=90（90），代表每行有10个字符，共有9行，所以，总共有90个网格。除此之外，视图选项还能设置显示的文字大小，或显示选项的显示位置等。

「行和栏」是指格数设置，如本范例所设的每行为10个字符，共9行。除此之外，网格文本框的栏数和栏间距也可重新设置。

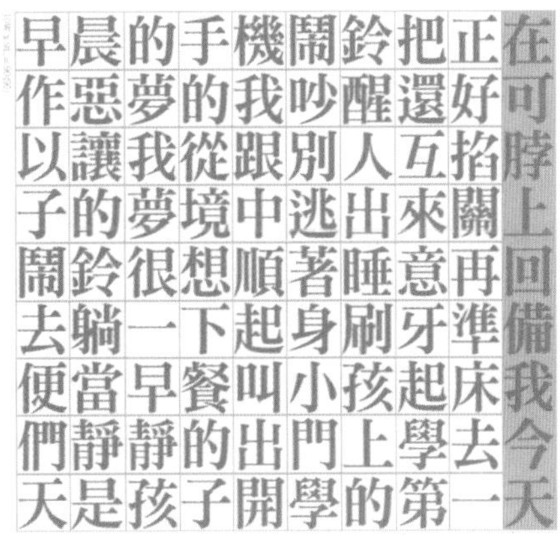

早晨的手機鬧鈴把正在
作惡夢的我吵醒還好可
以讓我從跟別人互掐脖
子的夢境中逃出來關上
鬧鈴很想順著睡意再回
去躺一下起身刷牙準備
便當早餐叫小孩起床我
們靜靜的出門上學去今
天是孩子開學的第一天

PRESENTATION

lesson 7.8 —— 定位对象

定位对象是InDesign图文连接的功能，可在文字段落间插入图片、强调符号、注解和图形。利用定位对象的设置，这些被定位的对象将不会因文字段落移动而导致图文的分离。

◎ 基本操作流程

定位对象多用于文字段落中，被定位的文字、符号或图形，在段落移动或文字重新编排位置后，也随已创建锚点的文字段落移动，并且不会改变与文字之间的位置关系。适用于在段落中插入标注记号、数字或特定图标等。

选择「文字工具」，在需要插入锚点对象的段落前或段落后，执行「对象」→「定位对象」→「插入」，弹出「插入定位对象」的设置对话框（如右图），选择定位对象的类型，可以是文本或图形；对象是否需要应用对象样式、段落样式，以及置入框架大小等项。

此外，「位置」是设置定位对象与段之间的位置，可以设置行中或行上方，若设置为行上方，则可设置定位对象的对齐方式，如居中、左、朝向书脊或背向书脊等，也可以设置定位对象与前段或后段之间的间距。若勾选「防止手动定位」，则代表定位对象将被锁定为数值设置的位置，无法用手动方式改变位置。

设置「插入定位对象」选项之后，段落中即出现一个框架 图1，选择「编辑」→「剪切」定位对象，再执行「编辑」→「贴入内部」 图2，将需要定位的图片、文字或符号粘贴到指定位置。

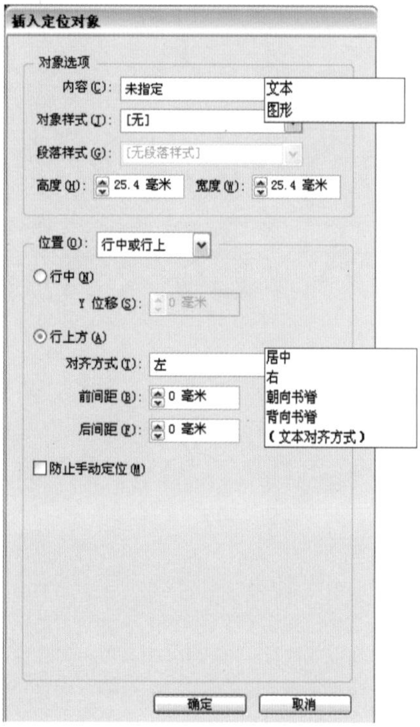

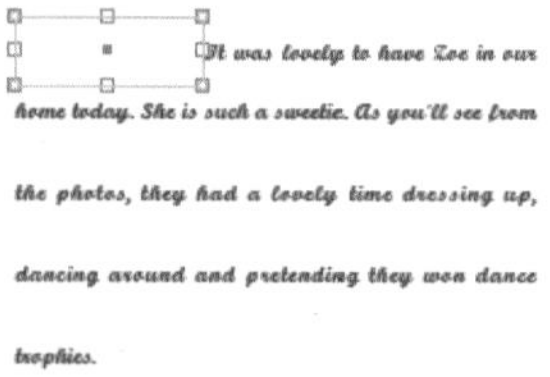

图1 设置插入定位对象选项后，在段落前方出现一个框架

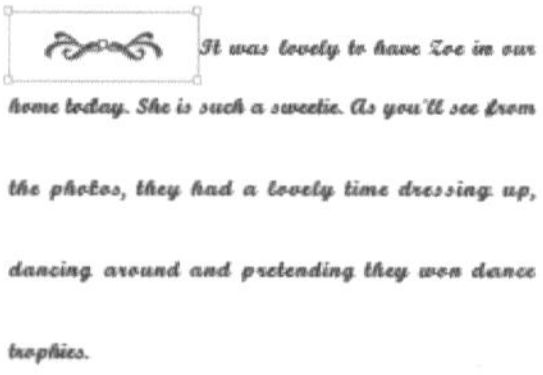

图2 剪切或复制定位对象后，使用「贴入内部」，将定位对象粘贴到框架内

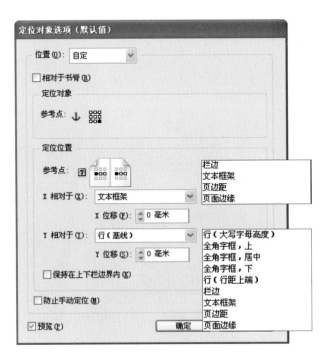

◎ 定位对象相关设置

首先，选择「对象」→「定位对象」→「选项」，打开「定位对象选项」窗口，开始进行定位设置。

相对于书脊

勾选时 假设位于段落外部边界的定位对象，原本位于跨页左页，当勾选「相对于书脊」时，若将定位对象的段落移到右跨页时，定位对象会产生映射的效果，仍然以段落外部边界为标准，自动跑到右跨页的外部边界（右页的右侧）。

未勾选时 当插入定位对象的段落移动时，定位对象和段落或页面的关系位置将不受影响，只随着段落的移动而移动，完全不因页面顺序移动而变换位置。

参考点

定位对象的参考点是指定位框架上的9个节点，分别位于框架的角落、边框中点和中心点，可以选择不同的节点位置作为对齐的参考点。例如：定位对象的参考点设在右下方，锚点位置的参考线也设在右侧，定位对象将完全对齐在段落右侧进行排列。此外，也可以设置X轴和Y轴的位移（无位移的设置值为0），要向上移动则输入正值，要往下移动则输入负值，这样即可调整定位对象和段落的距离位置。

It was lovely to have Zoe in our home today. She is such a sweetie. As you'll see from the photos, they had a lovely time dressing up, dancing around and pretending they won dance trophies.

X相对于：锚点标志符	X位移：7mm
Y相对于：行距上端	Y位移：0mm

It was lovely to have Zoe in our home today. She is such a sweetie. As you'll see from the photos, they had a lovely time dressing up, dancing around and pretending they won dance trophies.

位置：行中	Y位移：5mm

It was lovely to have Zoe in our home today. She is such a sweetie. As you'll see from the photos, they had a lovely time dressing up, dancing around and pretending they won dance trophies.

X相对于：文本框架	X位移：0mm
Y相对于：栏边	Y位移：6mm

It was lovely to have Zoe in our home today. She is such a sweetie. As you'll see from the photos, they had a lovely time dressing up, dancing around and pretending they won dance trophies.

位置：行上	对齐方式：居中
前间距：0mm	后间距：1mm

DESIGN 2
Book Factory in Hawthorn

zoe_1118@hotmail.com

When Zoe meets Eugenie

Photos by Daphne

Friday, July 24, 2009 $1 Incl. GST

Our Future Designers

Two grade-one students from Glenferrie Primary School (1 v), Zoe and Eugenie, form a design team called ' Design Two'. They have a big dream to run their own business in book-making one day in Taipei and Melbourne.

Last Friday they worked at Zoe's studio after school and created many beautiful books. They enjoyed making arts and books. They may become designers or picture book writers some day. Go! Zoe and Eugenie!

Zoe Lin, a girl from Taipei, Taiwan, has been living in Melbourne for the past three years. She came to Australia with her parents, who are both doing their doctoral studies. The family are planning to move back to Taipei in 2010 after her parents have finished their degrees.

Zoe enjoys her study at GPS because she makes lots of good friends. Her best friends are Elise, Georgia, Eugenie, Milly B and all the other classmates. She loves to play and learn with all the kids in 1V.

Zoe's favorite sport is Badminton because her father, Calvin, is a professional player in Taiwan. He teaches Zoe badminton once a week. She also loves jazz and ballet and goes to the same dance studio with Elise and Georgia every Saturday. She loves Gymnastic and is now taking intermediate training at MLC .

Zoe loves arts and craft because she learned many things from her mum, Daphne, a graphic designer, and her aunty, Frances, a well known ceramist.

When working in her studio, Zoe can make arts and drawing for hours. Zoe dreams to be a hotel manager, a fashion designer or a teacher.

Eugenie Rickard has become one of Zoe's best friend since prep W. They went to after-school-care every Monday and Thursday and did lots of drawing together.

They do not go to after-school-care now, but sometimes they visit each other.

Eugenie loves making crafts. She is good at using different materials and turning them into arts. She also loves playing Badminton with Zoe at the Rocket Park.

Hi Daphne

It was lovely to have Zoe in our home today. She is such a sweetie. As you'll see from the photos, they had a lovely time dressing up, dancing around and pretending they won dance trophies.

Also a big thank you for the yummy yummy delicious chocolate cake. The family all ate their vegetables in order to earn dessert. It worked a treat and there is plenty left for tomorrow night. It was very kind of you to think of us (and our tummies!).

Sweet dreams to you all and see you at school

Julie

Presentation

——图像的置入和效果

PRESENTATION

lesson 8.1 —— 图像置入和链接

InDesign可以通过Adobe Bridge拖曳图片，或通过文件置入的方式，将多个图像同时置入文件中。

◎ 置入格式

InDesign可置入的文件格式相当多，可分为文件、图像图片和多媒体格式等。除了InDesign本身创建的文件以外，其他接受的文件格式有Microsoft Word和Excel等，并且可以接受整个Excel表的置入。此外，可置入的图像和图片文件包括EPS、PICT、TIF、JPG、GIF和PDF，甚至可以置入有图层的PSD文档。由于InDesign具有制作交互多媒体的功能，所以也能接受多媒体文件。可参阅《Lesson 14——数字出版应用》，本章主要介绍图像置入功能。

◎ 多个图像置入

请选择「文件」→「置入」或者「文件」→「在Bridge中浏览」，直接从Adobe Bridge窗口拖曳图片。若选择12张图片同时置入，在鼠标光标下会出现（12）的数字 (12)。然后按照图片顺序，正确地将图片插入到已绘制好的图框中，括号中的数字就会慢慢递减。

(5)

◎ 更新修改的链接

经过修改或存储的图片文件位置移动后，原来的文件就变成已过期的链接，需要再更新。所以，在文件完成后，进行输出归档之前（「文件」→「打包」），要先确定图片的链接已全部正确更新。请使用「窗口」→「链接」浮动面板，执行以下操作：

更新特定链接

请选择显示文件遗失的红色图标 ❷ ，按下「更新链接」或是从「链接」浮动面板的菜单中，选择「更新链接」。

更新所有修改过的链接

使用【Shift】键（连续）或【Ctrl】键（跳跃式）选择遗失链接的文件，或选择「更新所有链接」，可同时更新所有修改过的链接。其实，若文件中有数个图像来自同一个文件夹时，只要更新其中的一个链接，所有位于同一文件夹的其他图片都会自动更新，无需逐一操作重新链接的动作。如果想要在文件夹中搜索与其他遗失链接文件相同路径位置的文件，也只要在对话框中，选择「在该文件夹中搜索遗失链接」。如果没有选择该选项，则只会重新链接选中的图像。

使用不同的源文件取代链接

以上所述的更新链接应用于图片修改后的更正，若需替换新图片时，请选择「重新链接」，选择替换的图片文件，可以不必再创建新的图框，直接用新图片替换原图框内的图片。

◎ 编辑原稿

选择任何已置入的图片，按下鼠标右键单击「编辑原稿」，就会直接打开创建原图片的原始软件进行修改编辑。使用InDesign「编辑原稿」选项，修改过的原图片存储后，就会自动在InDesign中更新，这个功能最大的好处是图片不会有重新链接的问题。

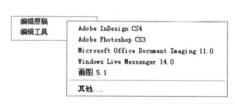

设计小技巧——Design Tips

执行输出打包的操作时，请先检查是否有文件遗失的图标，若出现<img>，请选择重新链接文件再进行打包的操作。链接浮动面板提供了文件名称、格式、状态（正常或遗失）、所在页等相关信息，这些信息方便查看图片状态。

善于管理文件名称

文件名称的管理很重要，建议文件名称可以提供章节、内容等信息，这样可加快寻找或链接文件的速度。

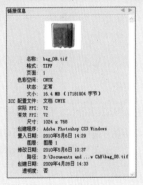

1 重新链接
2 转至链接
3 更新链接（按【Alt】键全部更新）
4 编辑原稿

PRESENTATION

lesson 8.2 —— 图层管理

图层可作为
对象分类管理的工具！

InDesign的图层应用可作为文件内部的对象管理工具，把相同属性的对象放在同一图层上。例如：文字集中在文字图层，图片放在图片图层。不过，与其他Adobe绘图软件相比，InDesign的图层应用并非绝对必要。由于多页的文件所包含的图片和文字相当丰富，尤其是包含数个文档的书籍，在使用图层时需要小心地管理，否则反而会增加排版的麻烦。

因此，建议图层管理仅在页数较少的文档中使用。对于由较多文件组成的书本（杂志或书籍），则避免使用复杂的图层。排版设计中经常遇到的情况有：设置在主页中的页码或对象，一般都自动设置在文件最底端，当页面放置满版或置入很大的图片时，会导致遮盖了主页对象的问题。这种情况无法使用「对象」→「排列」将页码置前，所以，

可以利用图层来管理，将背景等大面积对象放在背景图层（Background）并设置在最底部的图层。然后，再设图层以放置主页项目或其他排版组件，并确定此图层置于背景图层上，就不会产生遮盖和选择对象的问题。此外，对使用图层的另一个建议是将辅助线、刀模线和上光图案等非打印组件另建图层，记得打印时将辅助图层关闭。

排版时若发现使用「对象」→「排列」仍无法改变对象的前后顺序时，请检查对象所在的上下图层顺序，底部图层的对象无法应用「对象」→「排列」的功能。在将对象移到上方图层之前，需将对象剪切并粘贴在同一图层中，才可进行将对象顺序移至最前或最后的操作。

◎ 右页范例图层分析

Layer5_文字
将文字组件放置在文字图层

Layer4_线条
描绘边框的线条放置在线条图层

Layer3_透明色块
版面中半透明的色块位于线条和图片图层之间

Layer2_图片
若隐若现的人形剪影放在透明色块之下和背景图之上的图层

Blackground_背景图
几乎满版的背景图放置于图层的最底层，才不会影响其他组件的编排

◎ 隐藏的边界框图层

排版特殊规格的文档时，绘制裁切线标记，主要可供印刷厂制作裁切刀模使用，排版时将这些辅助线的可视性关闭（即图层浮动面板中的眼睛符号），这样制作的裁切线就不会显示出来。边界框主要是给制版厂制作页面的裁切刀模使用，页面角落的4组转角符号，可作为协助版面裁切线定位使用。

Layer1_边界框
如果是拼版的文件或特殊裁切的页面，可以为印刷厂提供边界框图层。一般常用的A4或B5等尺寸，不需要提供裁切线信息

OUR
SHADOWS
TALLER
THAN
OUR
SOUL

SOUL

※Design by Daphne

PRESENTATION

lesson 8.3 —— PSD的图层支持

InDesign支持Photoshop PSD文件，置入时可以读取PSD的所有图层，直接在InDesign中随意打开图层，进行变换或应用。

◎ 显示导入选项

置入Photoshop PSD文件时，请选择「文件」→「置入」，并确定勾选「置入」对话框左下角的「显示导入选项」（右图红框标出），执行Photoshop单独图层的显示和关闭设置。图像置入选项包括「图像」、「颜色」和「图层」三种设置。

◎ 图像和颜色菜单

在Photoshop中创建存储路径、蒙版或Alpha通道的图像（制作路径、蒙版或Alpha通道的图形，如透明对象），使用「图像」菜单中的「应用Photoshop剪切路径」、「Alpha通道」就可以在InDesign中移除背景。

「颜色」菜单的「配置文件」和「渲染方法」，主要用于定义原始文档和InDesign配置文件的关系，最常使用「使用文档默认设置」和「使用文档图像方法」的设置。

◎ 图层菜单

「图层」菜单如右图，可以打开或关闭图层的可视性（眼睛按钮），这是选择图层的主要方式。由于具有单独置入图层的能力，因此只要是有多图层的PSD文档，就可以在InDesign中将图片排列重新组合。对话框下面的「更新链接选项」，可以选择「保持图层可视性覆盖」或「使用Photoshop的图层可视性」两种。选择前者时，若在Photoshop改变了图层可视性或图层构图，并不会改变InDesign中的图层可视性设置。

◎ 编辑原稿

InDesign的「编辑原稿」工具（选择图片并按下鼠标右键），让修改原稿和文件重新链接变得更简便。PSD文档置入的图层支持功能，更增强了InDedign图文整合的功能。本章所给出的三个范例，只使用一个包含有7个图层的PSD文档，应用图层可视性分别打开图层，将7个已去背并旋转的对象，逐一置入到InDesign文件，模拟透视调整对象大小、位置远近等效果，简单地应用至三种不同的构图画面，无需在Photoshop中制作多张组合图像，也不必因为来回切换软件而进行原稿修改。

选择「文件」→「置入」，勾选「显示导入选项」，PSD文件的图层支持才可工作

「图层」菜单内的更新链接选项

· 使用Photoshop的图层可视性

图层可视性在图片更新链接后，采用原始文件的设置

· 保持图层可视性覆盖

保持InDesign文件设置所指定的图层可视性

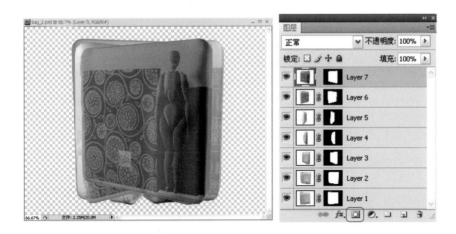

在Adobe Photoshop中，使用图层浮动面板中的「添加图层蒙版」（Add Layer Mask ▣）将7种透视角度的对象进行去背，并将文件存储为PSD文档。

打开InDesign使用「文件」→「置入」，在Photoshop中不管是使用路径、蒙版或Alpha通道去背的图形，置入InDesign后，都是去背（背景透明）的对象。选择之前存储的PSD文档，请记得勾选「显示导入选项」，在「图层」选项中逐一打开每个图层的可视性，来执行图层显示或隐藏的动作。

依次置入Layer 1～Layer 7的对象，按「确定」，7个已去背、不同旋转角度的透视图分别放置在文件中，即可开始图像的编辑。

若是配合《Lesson 8.6——效果》和《Lesson 8.10——渐变羽化》修改图像，更能表现出InDesign的强大图像功能。即使是复杂的图像，也不一定需要通过Photoshop制作合并图层的图像。使用InDesign合成图像的最大好处在于，它可以更随意地构图、重复使用和减少图文件数量，功能十分强大。InDesign自己就能完成图像组合和构图的工作。

最后，还可将已去背的7个图像文件对象创建到图像库（参阅《Lesson 13.3——图像库》），图片可直接拖曳到任何文件或屏幕上重复使用（上排从左至右分别为Layer 1～Layer 4；下排从左至右分别为Layer 5～Layer 7）。

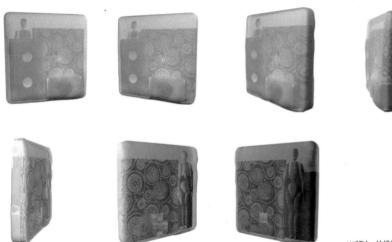

※3D by 林维冠

对象——
是一种对比关系
对象距离可塑造空间的层次
也可突显对象的重要性

◎ 大小和透视

右上图范例只选择使用Layer 1～Layer 4的旋转角度的透视图，按顺序由近至远地排列。版面构图将前景的对象放大，后方的对象缩小，利用这种大小的对比关系，让对象的空间层次感更强，这是一种利用大小对比达到空间层次的表现手法。

右下图的对象围绕成一个小范围的圆框，对象彼此间的距离相对靠近，所以，在透视方法上，对象的尺寸对比与上图相比更为夸张。

◎ 设计理念

平面作品若要表现空间层次感，可以想象，靠近观察者的对象由于距离观察者较近，图像通常是大而清晰的感觉，可用的表现方式如放大面积、画质清晰、使用较鲜艳的色彩（高饱和度）或对比度较强的光影（如舞台上用聚光灯帮主角照明），都是可以突显对象的近距离感和视觉重要性的方式。

反之，离观察者距离较远的对象，在空间上因与观察者距离较远，则常以缩小面积、图像模糊（照相机的失焦）、低饱和度配色，或使用柔和、昏暗的照明（如舞台上帮配角打光的方式），均可减弱其重要性并让空间产生后退的感觉。

对象之间是一种「对比」，不是绝对的关系。要想利用对象距离创建空间层次感时，只要应用以上建议的一两种方法，就可以让空间距离感表现出来。

Cultural Probes in Second Life

Art & Culture

About the Artist

※Design by Daphne

PRESENTATION

lesson 8.4 —— 适合

在选择对象的状态下，「适合」功能会出现在控制面板上，
可用于调整图片置入框架后的配置方式。

「适合」工具出现在菜单列表下方的选择控制面板中（「窗口」→「控制」，再选择工具栏的选择工具）。选
择「对象」→「适合」也可以产生同样的操作。主要设置可分为：

 使内容适合框架　图像被强制性调整以适合框架尺寸，在图片和框架比例不同的情况下，容易导致
图片的变换 图1 。

 按比例适合内容　图像以原X和Y轴比例置入框架中，图片最大边缘与框架对齐，因此，可能会出现
图片小于框架的情况，导致背景图露出来的效果 图2 。

 内容居中　图片以原尺寸置入且不进行任何缩放，直接放置在框架的中心。当图片过大，图片便以
局部内容呈现，无法显示完整的图像 图3 。

 使框架适合内容　框架将配合置入图片的原始尺寸，自动调整框架大小以适合图片尺寸 图4 。

 按比例填充框架　图形保持原X和Y轴比例，以图片最小边缘作为适合框架的基准。虽然可能造成图
片较大边缘的局部裁切，但在框架固定的情况下，这是图片和框架合适匹配的最佳选项 图5 。

※Design by 黄瑞怡

1	2	4
3	5	

1　使内容适合框架
2　按比例适合内容
3　内容居中
4　使框架适合内容
5　按比例填充框架

PRESENTATION

lesson 8.5 —— 翻转

翻转工具出现在菜单列表下方的选择控制面板中（《Lesson 4.2.1——选择控制面板》），也可以选择「对象」→「变换」→「水平翻转」或「垂直翻转」来执行。本章试着使用翻转工具和缩放工具，对置入的单一去背图像应用重复、翻转和缩放等简单工具，执行组合变换。

翻转工具不仅适用于图像，也可应用于文字或钢笔工具所绘制的贝塞尔图形。在绘制对称图形时，仅需使用钢笔工具绘制图形的一半，应用翻转将另一半复制完成，再使用对象管理器工具合并。请参阅《Lesson 6.2——钢笔工具》的内容。

$$\frac{1 \mid 2}{4 \mid 5} 3$$

1　顺时针旋转90°
2　逆时针旋转90°
3　未翻转
4　水平翻转
5　垂直翻转

Carousel

PRESENTATION

lesson 8.6 —— 效果

效果工具包含透明度、投影、发光、斜面、浮雕、光泽和羽化等，可从单调的图形创造更多特殊的视觉效果。

InDesign的「效果」工具，虽不如Photoshop强大，但已足够应付大多数的排版设计工作。效果工具出现在选择控制面板中，或选择「对象」→「效果」也可。主要的效果可分为「透明度」（可用控制面板的「不透明度」调整百分比）、「投影」（可设置阴影强弱和距离）、「内阴影」（适合做对象内陷的效果）、「外发光」（霓虹效果）、「内发光」（霓虹反射在对象的上效果）、「斜面和浮雕」（立体化效果）、「光泽」、「基本羽化」、「定向羽化」、「渐变羽化」等，此外，可以设置统一所有效果的「全局光」。

「透明度」的主要设置是不透明度的数值。此外，提供对象合成效果设置的基本混合的「模式」，模式可分为正片叠底、滤色、叠加、柔光、强光、减淡或加深颜色、变暗或变亮、差值、排除、色相、饱和度、颜色、亮度等。这些设置与Photoshop的模式相同，操作时可以打开对话框的预览功能，便可以实时看到设置的效果。

本节针对右页范例做了其主要效果设置的步骤分析（如下图）。投影和发光效果可以应用于文字、对象和图片，当这两项功能应用在不规则框架上时，产生的效果尤为明显（《Lesson 8.7——投影和发光》）。斜面、浮雕和光泽效果，也将在后续章节陆续介绍，请参阅《Lesson 8.8——斜面、浮雕和光泽》。

```
1 | 2 | 3
4 | 5
```

1 应用效果到对象
2 投影
3 向选定的目标添加对象效果
4 不透明度
5 不透明度百分比

```
透明度 (T)...
投影 (S)...          Alt+Ctrl+M
内阴影 (I)...
外发光 (O)...
内发光 (N)...
斜面和浮雕 (B)...
光泽 (E)...
基本羽化 (F)...
定向羽化 (D)...
渐变羽化 (G)...

清除效果 (C)
清除全部透明度 (A)

全局光 (L)...
```

选择菜单「对象」→「效果」出现的工具

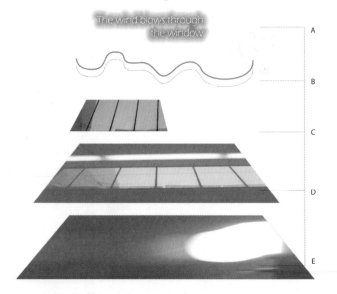

A 文字：「效果」→「外发光」
混合模式：滤色　　方法：精确
大小：2mm　　扩展：45%

B 波浪：「效果」→「渐变羽化」
类型：线性　　角度：85°-90°
复制已作渐变羽化效果的线条，配合粗细、透明度变化，可产生多层次效果

C 「效果」→「透明度」
混合模式：变亮　　不透明度：100%

D 「效果」→「透明度」
混合模式：滤色　　不透明度：40%

E 「效果」→「透明度」
混合模式：正常　　不透明度：100%

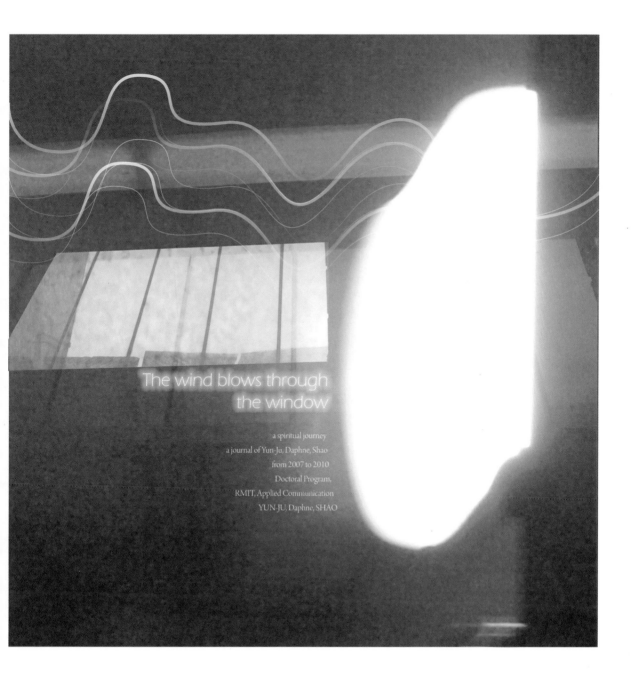

The wind blows through
the window

a spiritual journey
a journal of Yun-Ju, Daphne, Shao
from 2007 to 2010
Doctoral Program,
RMIT, Applied Communication
YUN-JU, Daphne, SHAO

※Design by Daphne

PRESENTATION

lesson 8.7 —— 投影和发光

应用投影效果可以强化去背对象的真实性；发光可以突显对象与背景的空间距离感。

投影和发光工具均位于「对象」→「效果」，可以对对象、线条、填充和文字进行变换。投影工具可分为「投影」和「内阴影」，如光线照在对象前方，对象会在背景上产生阴影，这就是「投影」效果；「内阴影」则是对象本身的阴影暗面造成对象的厚度增加，让对象本身产生立体化的效果。发光工具可分为「外发光」和「内发光」，「外发光」犹如在对象背后装置了霓虹灯管，所以，对象和背景间产生光线渗透的效果；「内发光」所创建的效果如霓虹灯管本身，对象本身发光。

进行排版设计时，文字如何突显在背景上是非常重要的。当遇到复杂的背景时，文字往往容易被背景吞蚀掩盖，选择文字颜色将变得十分困难。比如说，背景零星散布了亮和暗的颜色，若选择高亮度颜色的文字，在亮度高的局部背景下，文字可能无法清晰辨识，反之，如果用低饱和度的字，同样无法克服部分背景和文字模糊不清的问题。所以，投影和外发光工具提供了一种图文色彩搭配的解决方法。可以在文字和背景图之间加入具对比性的光线效果，文字仍可保持良好的辨识度。

虽然InDesign的效果工具无法与Photoshop的滤镜或特效工具相提并论，但在InDesign中使用效果工具的最大优点在于，除了可以方便地修改设置、减少反复置入文件以外，更重要的是，可以将效果设置在对象样式中，因此，可以大量且快速地将效果应用于排版过程。

neon

外发光
方法：柔和
大小：2mm

neon

外发光
方法：柔和
大小：2mm

neon

内发光
方法：精确
源：边缘
大小：1mm
收缩：30%

neon

内发光
设置同左
外发光
方法：精确
大小：3mm

内阴影
混合模式：正片叠底
不透明度：75%
位置距离：3mm
X位移：2.5mm
Y位移：-1.5mm
角度：-155°
大小：3mm

基本羽化
羽化宽度：2mm
角点：扩散

外发光
混合模式：强光
不透明度：75%
方法：柔和
大小：4mm

基本羽化
羽化宽度：2mm
角点：扩散

内发光
混合模式：正常
不透明度：50%
方法：精确
源：边缘
大小：6mm

基本羽化
羽化宽度：2mm
角点：扩散

增强去背对象贴在画面上的真实感，加入阴影是一种方式。图1是未加投影效果的去背对象，像浮贴在画面上。图2和图3看起来像是光源下所产生的自然阴影，对象和版面自然地融合起来。

在InDesign中，若想创建较真实的阴影，可使用「使用整体照明」的概念，即将文件中所有应用效果后的对象统一光源的一种设置。当设置阴影时，可想像有一道光源位于版面的前方，若光源离对象远，阴影较柔和图2；光源越靠近对象，阴影则越强，甚至还会产生局部的反光图3。

光源的投射角度也是影响阴影设置的关键，若光源位于上方90°的位置，代表光源垂直照射在对象上方，产生的阴影位于对象正下方，阴影深且短促图4；若光源位于150°前方的位置，其角度如日落的光线，产生落在后方较长的阴影图5。

若「投影」工具无法完全达到效果，可以使用钢笔工具绘制不规则阴影，再使用「定向羽化」工具将阴影的边缘柔化，最后再使用「渐变羽化」减少阴影的尾部羽化图5。

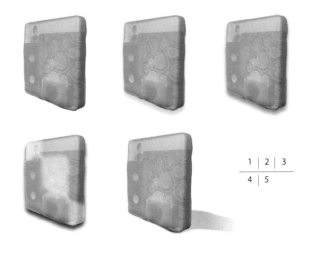

| 1 | 2 | 3 |
| 4 | 5 |

Hi!
Those are my collections from **Tasmania**.

Have you ever been there?

※Design by Daphne

1. 置入岩石的背景图，使用钢笔工具描绘石头边缘

2. 「编辑」→「剪切」，将岩石的背景图重新置入钢笔图框中，使用「编辑」→「贴入内部」即可

3. 「对象」→「效果」→「投影」，设置混合模式：正片叠底，不透明度：55%，距离：4mm，Y位移：4mm，角度：90°，大小：2mm，扩展：10%，并勾选「阴影接受其他效果」。为了使对象及阴影与画面有较自然的融合感，需设置「基本羽化」，羽化宽度为1mm

PRESENTATION
lesson 8.8 ── 斜面、浮雕和光泽

斜面和浮雕工具创造了许多立体按钮的效果，光泽则增加对象缎状色泽和反光的效果。

选择「对象」→「效果」→「斜面和浮雕」，此效果可应用于对象、线条、填充和文字。斜面和浮雕工具可以产生对象的立体真实感，广泛应用于立体字或按钮设计，其样式可分为：

外斜面　其斜面的立体感创建在对象外部（类似阴影）。

内斜面　斜面立体感创建在对象内部（对象立体化）。

浮雕　让对象突出的三维效果。

枕状浮雕　是让对象嵌入背景之后再浮出的效果。

此外，其方法可分为平滑、雕刻清晰和雕刻柔和三种，是对象立体转角边缘由模糊到锐利的设置。而「向上」或「向下」的方向是设置对象产生上浮或下沉的效果，其他设置如大小、柔化、深度和阴影等。

执行「对象」→「效果」→「光泽」时，可增加对象的缎状色泽，适合用于制作金属字等效果。可搭配混合模式、不透明度、角度、距离和大小设置，表现更多的质感。当选择「反转」选项时，将反向选择对象上色和透明区块。

若搭配不同的细节设置，可以产生很多变化。右页提供9种使用斜面、浮雕或光泽所产生的效果，并提供了设置数据，方便读者操作和练习。

※右图范例的效果设置

	斜面和浮雕	斜面和浮雕	斜面和浮雕
样式	外斜面	内斜面	浮雕
大小	3mm	3mm	3mm
方法	平滑	平滑	平滑
柔化	3mm	3mm	2mm
方向	向下	向下	向上
深度	70%	70%	70%
阴影角度	120°	120°	120°
高度	30°	30°	30°

	斜面和浮雕	斜面和浮雕	斜面和浮雕
样式	内斜面	内斜面	枕状浮雕
大小	4mm	3mm	4mm
方法	雕刻清晰	雕刻柔和	平滑
柔化	0mm	3mm	0mm
方向	向上	向上	向上
深度	100%	100%	100%
阴影角度	120°	120°	120°
高度	30°	30°	30°
突出显示	正常	正常	正常
阴影	正片叠底	正片叠底	正常
不透明度	100%	100%	35%

	光泽	光泽	光泽
模式	正常	正片叠底	正常
效果颜色	C46 M15 K39	M100	C26 M19 Y100
不透明度	100%	50%	90%
角度	120°	120°	180°
距离	3mm	3mm	5mm
大小	3mm	3mm	5mm
反转		○	○

1	2	3
4	5	6
7	8	9

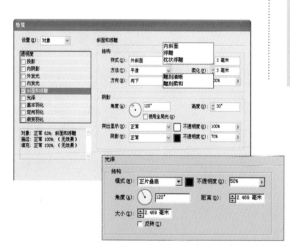

Faculty of Design

I. D.

Level 1

Fashion

Level 3

Textile

Level 3

Interior

Level 2

Jewelry

Level 3

Ceramic

Level 1

Communication

Level 4

Landscape

Level 2

Fine Arts

Level 5

PRESENTATION

lesson 8.9 —— 羽化

InDesign的羽化功能分为三种：基本羽化、定向羽化和渐变羽化，本节介绍基本羽化和定向羽化，渐变羽化请参阅《Lesson 8.10——渐变羽化》。

◎ 基本羽化

基本羽化是针对整体对象或文字，进行整体均匀羽化的效果，可以针对宽度、填充、角点和杂色等项目进行设置。另外，角点效果有扩散、锐化和圆角三种变化，扩散是最自然的效果，因为图像会根据整个图框做均匀分布的模糊淡化。此外，羽化宽度的设置，可控制模糊效果的范围，数值越大图像越模糊。最后，杂色则控制画面粒子的粗细程度。

◎ 定向羽化

定向羽化的设置更多，包括上、下、左、右四条边不规则的羽化宽度，也可以设置羽化的范围，例如，仅第一个边缘、前导边缘或所有边缘。因此，羽化的变化较自然且多样。

羽化工具均可应用于文字、图形和图像。在不创建文字轮廓的情况下，文字可直接使用羽化，日后若需改变字体或文字内容时，直接在已做效果的文字上修改文字即可。

此外，利用定向羽化也可以让钢笔工具绘制的线条看起来像毛笔绘制的笔触。

较淡的线条

羽化宽度：2mm	杂点：0%
填充：12%	形状：前导边缘
角度：-30°	

较深的线条

羽化宽度：3mm	杂点：0%
填充：12%	形状：仅第一个边缘
角度：99°	

Pink Ribbon

羽化宽度：1mm	填充：0%
角点：扩散	杂点：0%

Pink Ribbon

羽化宽度：2mm	杂点：0%
填充：0%	形状：仅第一个边缘
角度：45°	

Pink Ribbon

羽化宽度：1mm	填充：0%
角点：锐化	杂色：70%

Pink Ribbon

羽化宽度：上0.5mm	杂色：0%
填充：0%	形状：所有边缘
角度：45°	

STEP 1   使用钢笔工具绘制蝴蝶结形状。

STEP 2   设置基本羽化的羽化宽度：5mm，填充：25%，角点：扩散。

STEP 3   应用外发光效果，混合模式：正常，不透明度：50%，方法：精确，大小：5mm。

STEP 4   将STEP 1和STEP 3的两个蝴蝶结重叠，再复制一个STEP 1的蝴蝶结，将两个STEP 1蝴蝶结错位，使用「透明度」→「基本混合」，设置「正片叠底」，结合同色系背景，即完成右页范例。

透明度
☐ 投影
☐ 内阴影
☑ 外发光
☐ 内发光
☐ 斜面和浮雕
☐ 光泽
☐ 基本羽化
☐ 定向羽化
☐ 渐变羽化

STEP 1   STEP 2

STEP 3   STEP 4

Pink Ribbon

Tie a 'Pink Ribbon' Round the Ole Oak Tree

PRESENTATION
lesson 8.10 —— 渐变羽化

渐变羽化工具能够使图片或对象以渐变方式透明，让对象和背景产生自然融合的效果。

在InDesign工具栏中有渐变羽化工具，也可以选择「对象」→「效果」→「渐变羽化」。这是InDesign较新版本才出现的工具，渐变羽化的主要功能是让对象产生渐变的透明，使对象和背景自然融合。羽化类型分为线性渐变和径向渐变两种，可以应用「渐变羽化」对话框中的渐变色标，单击色标下方方框新增或删除节点，重新定位新的渐变点，调整透明度和渐变位置，即创造出渐变透明蒙版。

渐变羽化工具可以应用于对象、线条、填色和文字。文字在不必创建轮廓的情况下，直接使用渐变羽化，若需要改变字体或内容时，只要直接编辑已使用渐变羽化的文字即可。

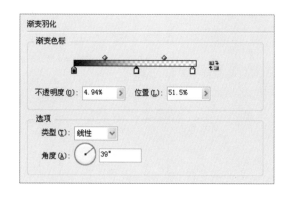

dusky

选择线性渐变羽化，产生「dusky」文字下方的透明感，自然地融入昏暗的背景，与主题情境相符

dawning

应用径向渐变羽化让「dawning」如烟雾般地局部透明，与破晓的背景产生传达主题情境的融合效果

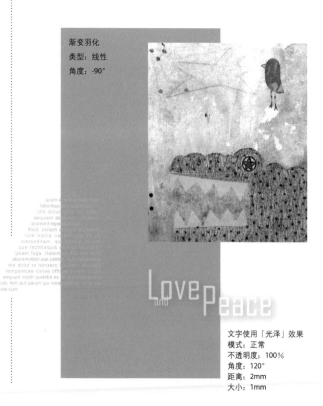

渐变羽化
类型：线性
角度：-90°

文字使用「光泽」效果
模式：正常
不透明度：100%
角度：120°
距离：2mm
大小：1mm

※Illustrated by 林俞槿

Presentation

——图表设计

PRESENTATION

lesson 9.1 ——表

使用表工具可以进行有趣且高效的表管理。

InDesign的表工具虽不如Illustrator等其他绘图工具那么强大，也不如演示文稿软件具备内置表格的便利，但在InDesign中制作表的最大优点是整体排版的统一性远胜过其他软件。

行数	列数
行高	
列宽	
排版方向	上对齐
将所有设置设为相同	
上单元格内边距	左单元格内边距
下单元格内边距	右单元格内边距

InDesign可以接受Microsoft Excel、Word等软件的表格置入，但需正确地设置文字，使用定位点、逗号或段落换行符号来分隔字符。也可以置入或复制Illustrator中的表。

先选择工具栏的文字工具，创建文本框架，只有在文本框中选择内容的情况下，才能使用「表」下拉菜单中的「插入表」。表的面板中，提供正文行、列、表头行、表尾行等设置。正文「行」为表的「纵向」格数、「列」为水平分隔的栏数。表头行可作为表标题的设置位置；同理，表尾行可作为批注空间。

以右图为例，将表行数设置为20、列数为8，主要应用合并单元格和表边距线条的选项（线条尺寸、类型）进行有趣的表设计。利用不规则的边距设置，例如，将上下左右的表边距设为不同粗细、透明度、颜色或类型，可产生不对称表的变化。在表单元格控制面板右方的「选择表中心线和边框」选项（E），可以供用户选择或关闭上下左右和列行中心线，分别进行表边线的设置。

此外，表的填色变化也可以让常规的表制作更富有趣味。

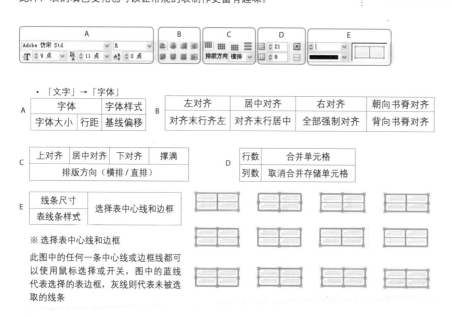

• 「文字」→「字体」

A
字体	字体样式
字体大小	行距	基线偏移

B
左对齐	居中对齐	右对齐	朝向书脊对齐
对齐末行齐左	对齐末行居中	全部强制对齐	背向书脊对齐

C
上对齐	居中对齐	下对齐	撑满
排版方向（横排 / 直排）			

D
行数	合并单元格
列数	取消合并存储单元格

E
线条尺寸	选择表中心线和边框
表线条样式	

※ 选择表中心线和边框

此图中的任何一条中心线或边框线都可以使用鼠标选择或开关，图中的蓝线代表选择的表边框，灰线则代表未被选取的线条

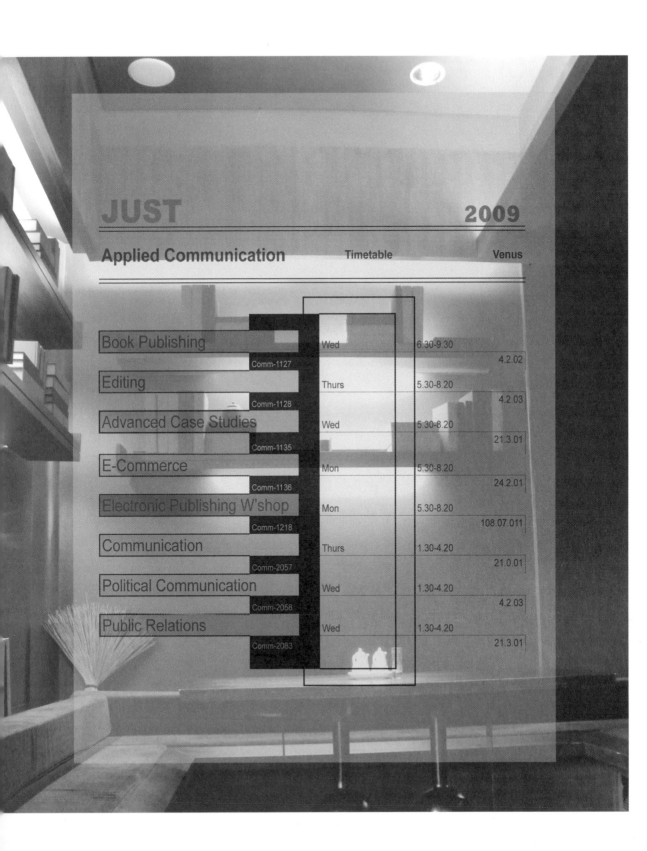

JUST

2009

Applied Communication

Timetable

Venus

Book Publishing		Wed	6.30-9.30	
	Comm-1127			4.2.02
Editing		Thurs	5.30-8.20	
	Comm-1128			4.2.03
Advanced Case Studies		Wed	5.30-8.20	
	Comm-1135			21.3.01
E-Commerce		Mon	5.30-8.20	
	Comm-1136			24.2.01
Electronic Publishing W'shop		Mon	5.30-8.20	
	Comm-1218			108.07.011
Communication		Thurs	1.30-4.20	
	Comm-2057			21.0.01
Political Communication		Wed	1.30-4.20	
	Comm-2058			4.2.03
Public Relations		Wed	1.30-4.20	
	Comm-2083			21.3.01

PRESENTATION

lesson 9.2 ——将文本转换为表

可以将使用制表符【Tab】键或段落换行符号【Enter】键的
纯文字段落，直接转换为InDesign的表文字。

InDesign可以从Microsoft Excel、Word等文字处理
软件中置入表，无论是置入的文字或InDesign内
置的文字都需要正确地设置。文字间使用制表符
【Tab】键、逗号或段落换行符号【Enter】键，分
隔不同列或行的字符 图1。

将键入Tab键和Enter键的段落，应用「表」菜单中
的「将文本转换为表」，将出现如 图2 所示的对话
框，在列和行的分隔符选项中，可以选择的分隔符
有制表符、逗号或段落换行符号。通常列的分隔符
多使用制表符【Tab】键，行的分隔符则习惯设置
为段落换行符号，这是最容易辨识的分隔符符号设
置。如 图1 显示粉红色符号，即为定位点和换行符
的隐藏字符，分别用来分隔列和行。

对于右图范例，应用制表符【Tab】键将文字分割
为7列，用【Enter】键，产生12个文字行。选择菜
单「表」→「将文本转换为表」的选项，可自动将
已使用分隔符的段落变成表形式。

接着拖曳表中行和列的分隔线，调整所需的列行
宽度。若需要设置行列空间均等，可以使用菜单
「表」→「均匀分布各列」和「均匀分布各行」。若需
要整张表按等比例缩放，选择表外框任一边角，按
【Shift】键拖曳即可。列行的调整除了手动设置之
外，也可以利用表面板输入列行高度或内边距等数
值，进行较精确的设置。

图1 用【Tab】键分隔列，用【Enter】键产生行

图2 「表」→「将文本转换为表」对话框

2008		Class	Gender	Name	Number	Avatar
	About	1V	Girl	Chole	901396	
	Section					
			Boy	Mike	901397	
	Information		Boy	Charlie	901398	
			Girl	Geogia	901399	
			Girl	Elise	901400	
			Girl	Zoe	901401	
			Boy	Hugo	901402	
			Boy	Oscar	901403	
			Girl	Eugenie	901404	
			Boy	Archie	901405	

图3 已转换为表的文本段落，可以用手动或选择均分列行的选
项，调整列和行的宽度和高度

将使用铅笔工具绘制的
Avatars复制到表中

Chole

Geoeia

Hugo

Mike

Elise

Oscar

Charlie

Zoe

Eugenie

Archie

◎ 窗体制作

合并行
隐形表外框
选择单元格旋转90°
字体：SnapITC、48pt
单元格应用径向渐变
颜色

合并行
隐形表外框
表间隔线设置为白色

选择单元格旋转90°
字体：Kristen ITC、10pt

Class 1V		Gender	Name	Number	Avatar
	About	Girl	Chole	901396	
	Section	Boy	Mike	901397	
	Information	Boy	Charlie	901398	
		Girl	Geogia	901399	
		Girl	Elise	901400	
		Girl	Zoe	901401	
		Boy	Hugo	901402	
		Boy	Oscar	901403	
		Girl	Eugenie	901404	
		Boy	Archie	901405	

水平垂直居中

水平垂直居中
字体：Jokerman、14pt
从此列往右，单元格使用色调递减的变化

ZOE IS TURNING

Dear Friends,
You are invited to My Bowling Party

6岁的保龄球生日，使用InDesign表工具制作一份邀请名单，并使用InDesign的基本图文工具，制作4×6尺寸的邀请卡和答谢卡，直接以相片格式输出，Kids had a good time!

Dear Elise,

Dear Eugenie,
Thanks for coming to Zoe's Party and Beados-Uno Cards and more!
You were the Bowling Champion!!

Dear Georgia,
Thanks for coming to Zoe's Party and gorgeous Dance bag! It's so pretty!!

November,
am-1.00pm (Su
Please meet at Kingpin Bowling cou
15 mins before start

Dear Charlie,
You are invited to Zoe's bowling party

IS TURNING 6

16th November, 2008
11.30am-1:00pm (Sunday)
Please meet at Kingpin Bowling
15 mins before start

Kingpin Bowling
Victoria Gardens
Shopping Centre Richmond

RSVP by 6 November 2008
Daphne 0412124581
Calvin 0421194202
shao_design@hotmail.com

YES, Charlie WILL COME TO ZOE'S PARTY
NO, Charlie WON'T COME TO ZOE'S PARTY

RSVP by 6 November 2
Daphne 0412124581
Calvin 0421194202
shao_design@hotma

Please Tick & Return

YES, I AM COMING TO ZOE'S PARTY.

NO, I WON'T COME TO ZOE'S PARTY.

2009

Class 1V		Gender	Name	Number	Avatar
About	Section	Girl	Chole	901396	
		Boy	Mike	901397	
	Information	Boy	Charlie	901398	
		Girl	Geogia	901399	
		Girl	Elise	901400	
		Girl	Zoe	901401	
		Boy	Hugo	901402	
		Boy	Oscar	901403	
		Girl	Eugenie	901404	
		Boy	Archie	901405	

◎ 渐变统计图表

使用表工具制作统计图表，这个范例是观察老师上课活动的一个记录表，整体思路是应用同色系色彩渐变产生波动，波动幅度显示了教学活动的转换和变化。

请使用文字工具创建文本框，选择「表」→「插入表」。将表行数设置为19、列数设为9。设置行主要考虑三个大项的内部项目数不同，但又需保持大小均分，所以，设置时以最多项目的行作为基准，标题部分（Teacher & Approach）则用「合并单元格」，将同类的行合并。

列的部分则相反，因为每大列内部细分的列数相同，所以就先设置标题列数，内部10个小的列应用「表」的「垂直拆分单元格」进行三次，即创建8个小列。再选择其中两列再次进行「垂直拆分单元格」，最后选择「表」→「均匀分布行」。利用渐变色彩搭配应用在表中，产生色彩很调和的设计。

右页范例制作的两张怀旧车票也是应用表水平或垂直拆分单元格、合并单元格，以及均分各列的工具制作完成。

◎ 创建均等的10列

首先，创建2行1列的表，利用「表」→「垂直拆分单元格」将原本只有1列的表，先分割成2列，重复以上动作，变成4列，依此类推增加至8列（$2^3=8$）。因为需要的列数为10列，所以，再选择其中2列进行「垂直拆分单元格」。最后将不均分的列进行「均匀分布列」，即可完成均分的10列的表。

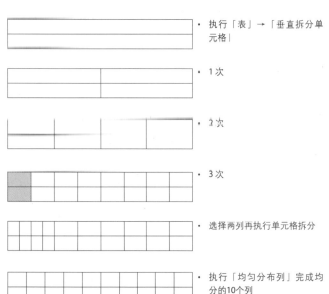

- 执行「表」→「垂直拆分单元格」

- 1次

- 2次

- 3次

- 选择两列再执行单元格拆分

- 执行「均匀分布列」完成均分的10个列

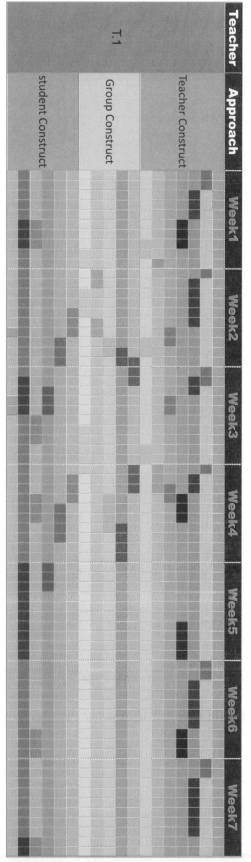

Ticket 1:

Tram & Trian Transportation Company

Transfer to

Not transferable

barker street

victoria street

Wed'day Dec'ber 1968 — 25

It is high time that world codes were created to reduce this senseless waste of human life. With regard to driving, laws of some countries are notoriously lax and even the strictest are not strict enough.

000182

General		Zone	1	2	3	4	5	6	7	8	9	10	11	12	Fare Rate
A	B		10	20	30	40	50	60	8	X					
		Zone	1	2	3	4	5	6	7	8	9	10	11	12	

Ticket 2:

Tram Transportation Company
Not transferable

It is high time that world codes were created to reduce this senseless waste of human life. With regard to driving, laws of some countries are notoriously lax and even the strictest are not strict enough.

906805

North Melbourne
Power Street
Barker Street
Glenferrie
Kew Juction

Wed'day August — 12

XI XII I II III IV V VI VII VIII IX X XI

30 15 A.M. 45
15 A.M. 45 30

S — X

◎ 怀旧车票

两张怀旧车票也是应用「表」→「合并单元格」，以及「表」→「均匀分布列」，使用表水平或垂直拆分单元格等技巧制作完成。

PRESENTATION

lesson 9.3 —— 隐形表

InDesign书籍中介绍的表工具大多适用于常规的表制作，本书则尝试表现表制作的多元化。教你如何使用隐形表有效编排阵列文字。

◎ 楼层平面图

以学校的楼层导航指示为例，这一类的设计大多应用Illustrator绘图软件制作。其实应用InDesign制作阵列编排的设计很简单，使用表制作就是一种方法。使用列和行的设置，快速排列阵列文字或图案，最后，再将表隐去。这种利用表制作阵列文件，可以很容易地复制成另一个表，只要针对文字内容和间距做一些修改，马上就设计好第二个类似的对象。

右页范例使用双层表的概念，上方建立楼层配置的文字，底层则放置楼层透视的背景图，再将两个表上下重叠，并将表的中间线和边界外框的线条设置为0mm，即成为隐形表。文字部分设置表的列数为3、行为6，再移动表边界，将列、行间距调整为适当的宽和高。

使用｜钢笔工具｜制作下方透视图，模拟楼层地板图的透视面，将透视图逐一居中粘贴到设为1列、7行的表，调整适当的行高，放在文字表后面即可。文字和隐形表格重叠放置后再进行间距的调整。最后，设置所有表边框和中间线为0mm。

Conference Room	4F	Design Classroom
Design Classroom	3F	Design Classroom
Faculty Rooms	2F	Dept. Office Computer Lab A. Computer Lab B.
Faculty Rooms	GF	Design Centre Workshop C.
Gallery	1F	WorkShop A. Workshop B.
	B1	Media Centre

· 列数设置为3、行数为6的文字表

· 设置列数为1、行数为6的背景图表

Conference Room	4F	Design Classroom
Design Classroom	3F	Design Classroom
Faculty Rooms	2F	Dept. Office Computer Lab A. Computer Lab B.
Faculty Rooms	GF	Design Centre Workshop C.
Gallery	1F	WorkShop A. Workshop B.
	B1	Media Centre

· 将文字和背景图表重叠后，手动调整列行位置，并将边框和中心线设为0mm

Conference Room	**4F**	Design Classroom
Design Classroom	**3F**	Design Classroom
Faculty Rooms	**2F**	Dept. Office Computer Lab A. Computer Lab B.
Faculty Rooms	**GF**	Design Centre Workshop C.
Gallery	**1F**	WorkShop A. Workshop B.
	B1	Media Centre

Conference Room	**4F**	Design Classroom
Design Classroom	**3F**	Design Classroom
Faculty Rooms	**2F**	Dept. Office Computer Lab A. Computer Lab B.
Faculty Rooms	**GF**	Design Centre Workshop C.
Gallery	**1F**	WorkShop A. Workshop B.
	B1	Media Centre

※Design by 郭胤显

◎ 柱状图

利用表也可以绘制柱状图（Barchart），表行数设为15、列数为9，上半部分做柱状统计图表，所以，可以用最小统计单位设置行数，方便统计使用。中间区块为9块大正方格，使用「合并单元格」，将每3个合并为1列，再手动拉长表，使之成为列行相同的正方格。

中间区块的左下方方格打破规则，用「水平拆分单元格」4行，便于放置标志说明。

表下方区块则使用「合并单元格」，将9列合一，放置最少的说明文字。最后，应用颜色、底纹和隐形部分分隔线等技巧，增加表设计的丰富性。

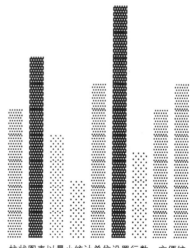

柱状图表以最小统计单位设置行数，方便统计使用

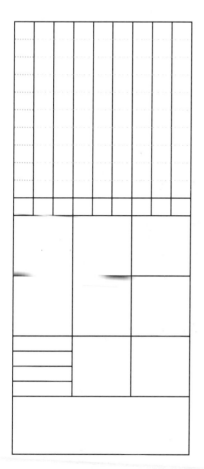

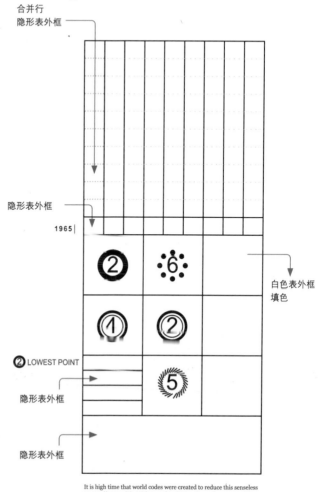

合并行
隐形表外框

隐形表外框

1965

白色表外框
填色

② LOWEST POINT

隐形表外框

隐形表外框

It is high time that world codes were created to reduce this senseless waste of human life. With regard to driving, laws of some countries are notoriously lax and even the strictest are not strict enough.

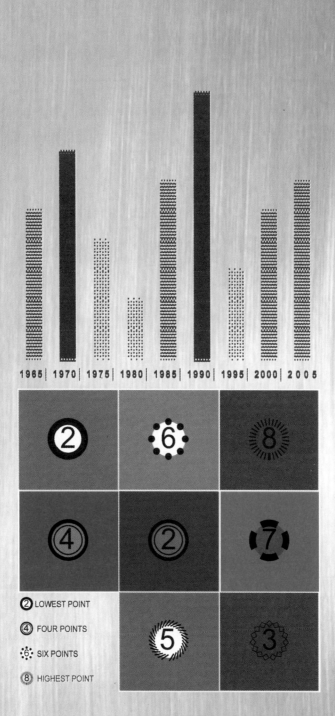

| 1965 | 1970 | 1975 | 1980 | 1985 | 1990 | 1995 | 2000 | 2005 |

② ❂6 8

④ ② ⑦

⑤ ③

② LOWEST POINT
④ FOUR POINTS
❂6 SIX POINTS
⑧ HIGHEST POINT

It is high time that world codes were created to reduce this senseless waste of human life. With regard to driving, laws of some countries are notoriously lax and even the strictest are not strict enough.

APPLICATIO
PART/3

N

Application
——版面和编排

APPLICATION
lesson 10.1 ——点、线、面元素

图形（矢量图形或点阵图形）和文字是版面编排的主要元素，这些元素的大小、尺寸或远近距离，会产生版面的点、线、面的视觉效果。当元素（不管是文字还是图片）的尺寸较小，与其他元素的间距较远或无交集时，都容易被视为版面的「点」。若文字或图片排列在一起，间距较连续且呈带状，则容易被视为版面的「线」。当元素本身所占版面面积较大或与其他元素之间的距离较近，甚至紧密连接为块状面积时，则如完形心理学所主张的「近距离之物容易被视为『一块』」的「接近法则」，因此，在版面上被视为「面」元素。不管是文字或图形都可能因为大小面积及其排列方式，在版面上呈现点、线、面的元素变化。

一个好的版面编排，应避免视觉元素过于重复。比如，当版面的文字和图片都呈现零星分散的点的构成时，必须调整部分元素的间距或尺寸，让版面具备线或面等其他元素。

版面右上方零星的文字因为尺寸小且间距大，构成版面的「点」元素。当文字因为放大且经过切割保留局部时（版面下方的两个O），在版面中失去了文字的特性，呈现两条曲线的效果，构成「线」元素；版面上方的图片因为连接呈块状分布，在版面中则成为最引人注目的「面」元素。

一个有趣味的构图，需具备不同元素的变化组合，越引人注目的元素，越需要与其他元素呈现一种对比的关系，这样重点才更容易在版面中突显出来。

※Design by 黄瑞怡

版面左侧的图片因为尺寸小，所以视觉上成为版面的「点」。中间的文字则构成两条线。右方版面的图片因超过整个右半版面的一半面积，且位于版面中心，成为版面中的「面」元素。左半边的点和线构图和右半边的面元素，虽然表现手法不同，但分量上达到一种和谐的平衡。

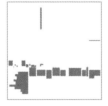

封面书名「Nine Pioneer in Graphic Design」，选择跳动的方式进行文字编排，文字由习惯的线性特征转化为点特征。书名也因为字符间距放大，稍稍减弱了文字的醒目度。幸好左下方的文字区块，与书名相连，两个文字块的结合，形成版面的「面」，成为版面最注目的焦点（化零为整）。

版面上方和右边两个排列的文字，在构图上平衡了重心，与版面下方呼应起来。因为同时具备点、线、面元素，丰富了版面构图的趣味性。

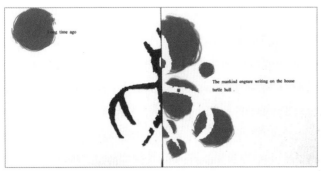

版面的构成就像点、线、面的配置游戏，作者以手写风格的中国文字，结合书法笔触的几何图形，构成了整个编排设计作品。经切割的手写文字因为字形不完整而降低了阅读功能，但却呈现出美妙的自然线条效果。选择用书法笔触来表现的圆形，因为不同的尺寸变化，分别在版面上形成小面积的「点」或大面积的「面」特征。

※Design by 蔡必妍

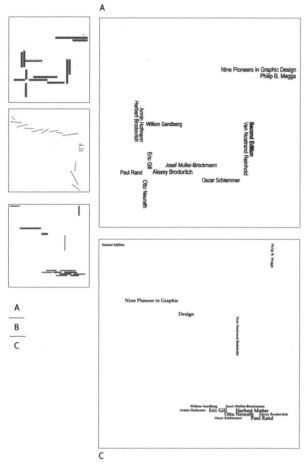

这个封面的编排设计练习中，第一阶段设置一些限制，比如 图A 和 图B 的练习，限定使用相同字体和相同字号的文字进行编排。图C 则限定使用一种字体，但可搭配两种字号。在编排设计练习中，若限定的条件越多，越能专注于元素形状、空间和构图等设计的考虑。对初学者来说，这是非常重要的设计练习。

封面中提供的文字内容分别为书名、作者、介绍和出版社等重要信息。在这个练习中，因无法自由应用字体和字号，如何突破使用文字大小表现轻重层次的习惯方法，或如何应用空间配置和组件间距等进行版面构图变得非常重要。若所有文字的条件设置相同，对主要标题应用孤立（大量留白）或群组化（化零为整）的方式，才可以突显该组件的分量，从而成为视觉焦点。

这两张作品中，以自然挥毫的手写文字，作为版面上的「线」元素。因为突破一般计算机文字封闭的造型，手与字所产生的流畅线条，赋予版面流动的生命感。

※Design by 黄瑞怡

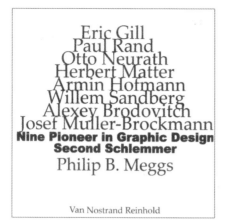

※Design by 刘晏如

E
—
F
—
G
—
H

版面元素（文字或图形）的排列间距较近，会产生群组的效果（化零为整），这是整合版面元素的一种恰当方式。

对文字而言，调整字符间距、行距和段距，都可以实现群组的效果。以 图E 为例，文字的行距设定小于字体大小，行和行之间紧密相连，形成由文字组合而成的大范围「面」。图F 则将文字组合成简单流畅的造型，把书名放在造型的起点，让读者有清楚的阅读顺序，也是一种有趣的编排方式。但是，请注意由图文组合而成的造型，应考虑与主题的相关性，否则容易给人花哨构图的感觉，忽略了文字最重要的功能：阅读性。

图G 应用了群组效果，缩小图片和文字等元素之间的距离，产生集中的效果。图片可以通过衔接或重叠形成群组。另外，去背的图形不受外框限制，不仅与背景有较佳的融合感，与其他元素的搭配也容易达到协调的群组效果。

若文字或图形元素组合之后，仍感觉构图过于松散，如 图H 可使用色块集中过于分散的组件。在版面中加入背景或色块，是群组化零星组件的一种方式。

APPLICATION
lesson 10.2 ——结构

在《Lesson 1.2——造字原则》中，字体的比例架构是决定设计字体好坏的第一要素，就如同人体的身材比例，也是判断是否为完美身材的首要因素。因此，版面结构也是控制编排美感的关键，是编排设计的首要因素。

请参阅《Lesson12.3——网格结构》一节，详细介绍了结构的操作范例。很多人担心使用结构会限制编排的自由性，其实不然，大多有趣的设计都构建在版面结构之上。大多数人习惯直接在空白的文件上进行编排，除非设计者接受过很多的编排训练，无需使用可见的结构线进行构图，否则，过多的自由常常会造成无所适从的凌乱感。本节将介绍4种最基本的构图结构，分别为米字，垂直水平，垂直水平加斜线，垂直水平、斜线和弧线等，这些都是最基本的编排概念，读者可以在此基础上进行延伸应用。

根据我指导学生参与金犊奖海报制作的经验，发现容易瞬间引起注意的作品多采用「米字」构图。所谓「米字」，是指按海报的对角线和中间线所形成的构图。因为海报和其他出版物的目地不同，需要在最短时间内最有效地捕捉观察者的注意力。所以，眼睛最容易停留的位置就是「广告版面的中心」。将插图或文字等主要元素，设置在最吸引目光的米字线条上，可达到提高注意力的效果，整幅作品的构图也呈现出稳定感。虽然这种上下左右都对称的构图略显呆板，但只要将元素刻意进行上下左右偏移，或者设对角线为对称轴，即可避免完全对称的构图。

另外三种结构为渐进式的，首先为垂直水平构图（网格结构），其次是构建在网格结构基础上的垂直水平加斜线构图，最后是加入弧线的垂直水平、斜线和弧线构图。后两者以垂直水平构图为基础，依次加入斜线和圆弧。以主题为9位设计师的封面作为练习，版面尺寸设为200mm×200mm，主要封面信息有书名、作者、出版社、版本和内容提要，应用这些结构训练编排设计。

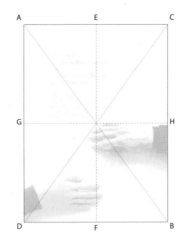

◎ 「米字」构图

米字构图适用于海报编排，由对角线及中间线所构成的「米字」结构，容易将读者的注意力集中到版面中心点。

为了避免完全对称的呆板，可以运用偏移达到不完全对称，但仍保持平衡的构图。范例中的文字集中在对角线AB左上方，图片则主要放置在对角线AB的下方，整个海报基于米字构图，但以对角线CD为对称轴，可避开完全对称的单调感。

◎ 「垂直水平」构图

垂直和水平线所构成的结构，是编排最基本也最常用的构图方式 图1 。在《Lesson 12.3——网格结构》中，有很多使用网格结构作为主页参考线的应用。

网格结构可以由等距的格子构成，也可由不等距的格子构成。由垂直线和水平线所构成的辅助线，除可直接用作图文对齐的参考线外，还可将这些辅助线作为制作蒙版的参考线，用于打破图片单一性，或制作不规则的图片透明蒙版。这种打破背景构图的方法，加上文字和结构的搭配，是一种有效的版面构图方法。

图4 和 图6 分别为 图5 和 图7 的蒙版分析图，桃红色的色块代表100%的不透明，所以可以完全遮盖和切割背景图。 图4 中设50%的桃红色块面，则代表该区域的背景图设置了50%的透明度。其他灰色渐变则代表将选择范围进行渐变羽化，背景图将向页面边缘逐渐地淡化。

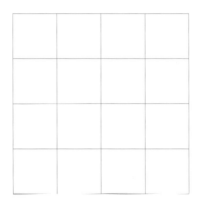

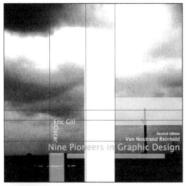

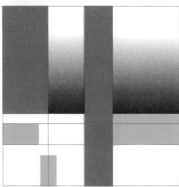

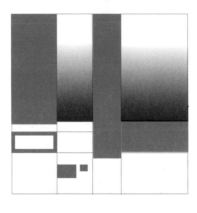

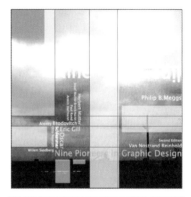

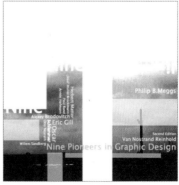

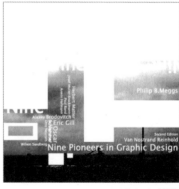

※Design by 刘晏如

◎ 「垂直水平和斜线」构图

「垂直水平和斜线」构图创建在垂直水平构图上，增加一些斜线作为版面参考线的构图。其优点是丰富了版面组件对应的参考线。版面中的图片、文字或色块在构图上除了可对齐垂直水平线之外，还可以斜线作为组件对齐或设置文字走向的参考线。组件因倾斜排列而产生动感。因此，这种增加斜线的结构，让版面更具流动性，也就是增强了版面的动态感。

相对而言，增加参考线使组件之间的排列更需要注意协调性，例如，斜线走向的组件和水平垂直走向的组件之间，容易产生版面的动态干扰和冲突。

所以，「动向」在这种构图中是很重要的。组件之间是否构建空间关联性，或者版面的「留白」是否带来空间的流畅性，都必须认真考虑。使用其他线条、块面或辅助图形，都可以辅助版面创建更明确的结构性。以下范例使用了其他元素，将版面结构整合起来。

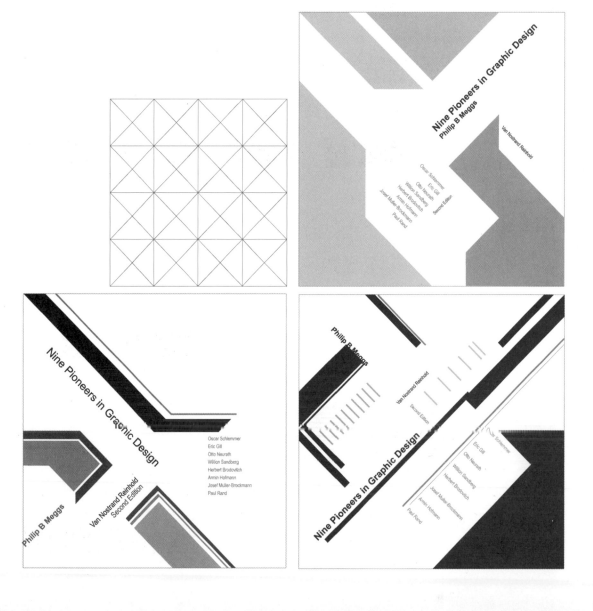

◎ 「垂直水平、斜线和弧线」构图

「垂直水平、斜线和弧线」构图也是创建在基本网格结构的基础上，再加上斜线和圆弧线为辅助线。版面组件（文字、图片和背景切割）都可以根据水平垂直和斜线、圆弧等进行放射状方向编排。

若参考线越复杂，版面的变化也越多，但是整合起来的挑战性也越大。最重要的考虑事项有：组件群组的整合、动向的配置和形状的搭配。比如，文字在版面上会构成点或线条的元素，设想这些元素之间用隐形的线条连接，检查这些隐藏的辅助线是否搭配协调。组件产生的「动向」和版面中的「留白」（背景构建的空间）是否创造流畅的动向和空间的协调，这些都是非常重要的。

以上提供的4种构图方法都以等比、均分、等距的架构进行示范。其实，读者可以根据自己的需求，规划为不规则间距或不等分参考线的设置。在熟悉了使用基本结构构图后，再慢慢打破这些很规则的线条，应用其他几何形状或更自由的线条，制作更有趣的结构参考线。

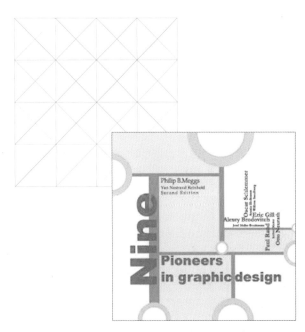

※ Design by James

APPLICATION
lesson 10.3 —— 韵律：重复和对比

对设计人员而言，「Typographic Design:Form and Communication」是文字变化和排版设计的经典教科书。其中提到「ABA」形式的概念，这是版面编排的经典法则。简单来说，「ABA」中出现两次的字母「A」，代表设计概念的重复性（Repetition），相对只出现1次的字母「B」，则代表设计概念的对比性（Contrast）。重复和对比是版面产生律动最重要的设计法则。版面中同时存在重复和对比，既感觉协调，又产生律动，重复和对比是版面韵律最重要的因素。

「ABA」形式，在组件方面可应用在任何版面元素上，其互动关系包括图和图、图和文或者文字和文字之间，甚至是背景和对象（前景）之间的应用。在形式方面，它可以应用在度量（体积）、属性（如点线面元素属性或图片和文字属性）、间距（如文字的字符间距、行距和段距）、色彩（包含色相、饱和度和亮度）、质感、比例（如前景和背景）等要素，本节试着给出一些图例，解释重复和对比的概念。

◎ 「ABA」形式

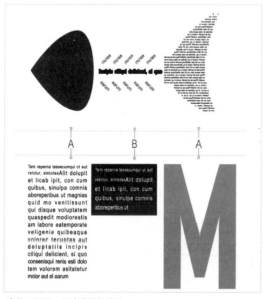

度量：面积、尺寸或视觉重量

上图以鱼骨造型进行构图，头部使用的色块（可换图片）和鱼尾的文字段落，形成度量上的重复；中间由较分散的文字线条构成的鱼刺，则与前后部分形成度量的对比。

下图左侧文字段落与右方大M字母产生度量的重复；中间反白的文字段落因为面积小，则与前两者形成度量的对比。

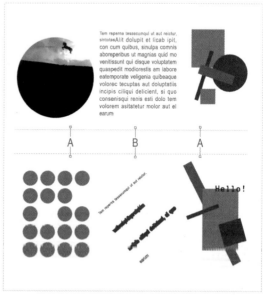

属性：图片和文字；点、线、面

上图左侧黑白照片和右方的几何形组合，形成图形属性的相似性；中间「文字」段落，则与前述的「图形」属性形成对比。

下图左侧由点构成的度量，因间距靠近形成「面」的属性，与右侧几何形构图的「面」属性重复；与此形成对比的是，中间行距分散而具有线条属性的文字。

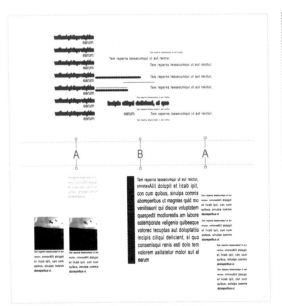

间距：字符间距、行距、段距、栏间距；空间距离

上图左侧段落和右侧文字都应用规则的行距设置，形成间距设置的重复；中间缩排行距不等的文字则形成间距的对比。

下图左右两边的段落选择相近的段落宽度，是一种重复；中间段落以跨栏方式编排，加上使用较大的栏间距，与左右段落产生间距的对比。

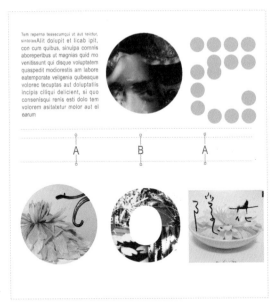

色彩：色相（暖色、冷色）；饱和度；亮度

上图两侧的文字和图片，形成冷色色系的重复；中间暖色系的图像，则打破前两者的重复，形成对比。

下图左右两侧的灰阶图像，产生无饱和度的重复；中间镂空圆形的照片则与前两者形成饱和度的对比。

质感：Serif、San Serif；正体、书写体；材质

上图Undo和fall两组文字，加上适合字义的质感表现，设计方法上形成类似性；中间Slim虽也使用较瘦体的字体传达意思，但由于使用简洁的计算机字体而缺乏质感的表达，因此与前两者形成对比。

下图两侧的文章段落使用规矩的正体字；中间柔和的手写标题与两侧文章形成质感的对比。

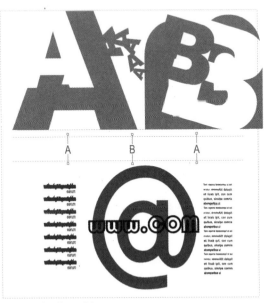

比例：尺寸；数量；空间

上图左侧双A所构成的度量与右侧3个B所构成的度量，版面比例十分相似；中间渐变缩小且旋转的A在版面空间比例上，显得比前两者缩小了许多，形成对比。

下图两侧的文字段落，在版面空间比例上非常相似；中间的图形符号占整个版面较多的空间比例，与文字段落形成所占比例上的对比关系。

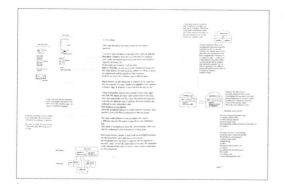

※Design by Professor, Dorothee Weinlich, University of Applied Sciences and Arts in Hanover

从悠闲的变奏中，产生如音乐般的旋律，交织成优雅律动的画面。

◎ 音乐诗篇编排

回到1992年，在Massachusetts College of Art, Boston, USA的研究所工作室中，Dorothee和我常利用晚餐后开始工作前的一小段休息时间，她乐意免费教我吹奏横笛，这是我们学习旅程中的一段插曲。

24岁的我，读研究生时才开始步入平面设计（Graphic Design）的殿堂，7个Graphic Design研究生中，来自德国的Dorothee和在当地大学任教的Laura是少数几个正统平面设计科班毕业的学生。两者相比之下，Dorothee的平面设计带有浓厚的结构性，总是带来自然简约却仍节奏分明的版面。她不只是我的业余音乐老师，也是让我开始了解排版结构的启蒙老师。

对于从3岁就开始学习音乐的Dorothee来说，音乐和设计对她都很重要，与她的生命息息相关。她创作的时候，音乐的情感会自然浮现，再加上长期接受的基本设计训练，音乐通过操作自如的双手，融合在设计之中。

音乐的旋律和节奏，牵动着版面元素的大小和空间的律动及距离，两者构成美妙的韵律。音乐节拍的快慢和轻重缓急，与版面组件的间距和浓淡远近，是一样的艺术表现。排版设计可以包容音乐感情。当然，音乐不是唯一丰富设计的媒介，设计也可以来自其他媒体（如诗篇）或生活中的所有热情。

◎ 图像书籍

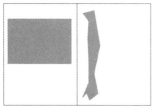 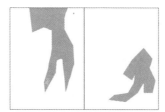

「ABA」形式对于连续性的排版设计而言，是非常重要的设计准则。不管是应用在同一页面或不同版面，重复和对比都需要同时存在。

图像书籍中的两个跨页版面，运用度量（大和小）和图片属性（去背或不去背）等类似和差异的变化，在不同的版面中形成重复和对比。

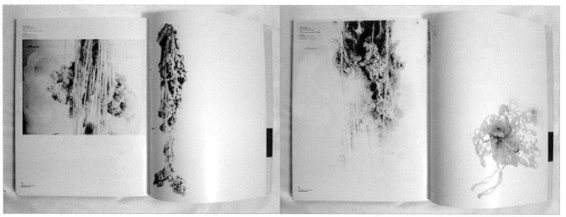

※Design by 黄瑞怡

◎ Emma & Ruiyibaby海报

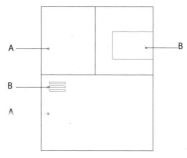

「ABA」形式也应用在海报设计中。「Emma & Ruiyibaby」这张海报，基本构图为上下左右较对称的结构（重复性高），适度应用不对称的文字配置，对过于规则的图像进行破坏，丰富了版面的趣味性。

※Design by 林俞槿

◎ 女孩╳女人

1-2

3-4

5-6

7-8

9-10

「ABA」形式对于长篇文档的排版非常重要。可以应用在每个单页中，或者间隔应用在不同页面中。

「女孩×女人」应用的「ABA」形式要素和配置位置如下：

色彩 重复性：红色（2、5、6、7）；对比性：黄色（9-10）。

图片属性 重复性：单色调（2、4、8、9、11、13）；对比性：彩色（1、16）。

文字属性 重复性：水平排版；对比性：垂直排版。

其他应用如度量尺寸、段落宽度变化、字体和字号、留白应用等要素，也应用了许多重复和对比的变化。对于长篇文档而言，重复产生连贯性，对比打破单一性，两者同时应用可构建协调且具趣味性的作品。

11-12

13-14

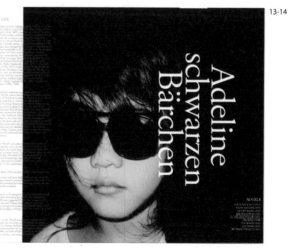

※Design by 黄瑞怡

15-16

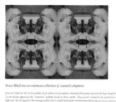

YOUNG DESINGER

lesson 10.4 —— Cryptogamie黄瑞怡

Ruiyi Huang

http://www.flickr.com/photos/47932184@N00/　http://www.lefthandrotation.com/pure/

Young Desinger
Ruiyi ——
my diary.

平凡的生活

怨叹自己生活的一切后，
总有人跟我说：要对自己有信心。
念书的时候，我只做我想做的东西，
那时候，很任性，只要对自己负责。
那时候，过得很有个性，很好的几年。

我现在，在一间七人工作室里当助理，
刚开始工作时，很不适应这个环境。
因为你得抛弃自己原本的那些形状，
学习融入这个环境，我做得很不好。

慢慢地，改变想法了解这是一份工作，
我们都需要花一段时间去学习，
我不确定以后是否会更好，或是更糟。
总是不断给自己很多次机会去融入新的环境，
也许在平凡的生活中，需要给自己多一点的快乐。

——— **Ruiyi**

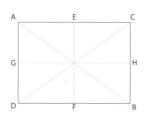

喜欢平凡，作品却玩得大胆
喜欢灰阶照片，画面却想要呐喊
喜欢改变，主体却常缅怀过去
很平凡，但也绝对不平凡

lost Cinema

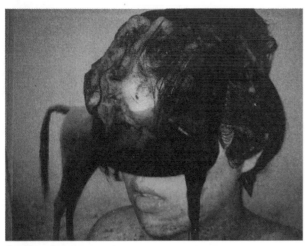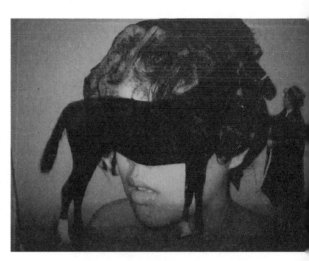

About Cinema Atmosphere

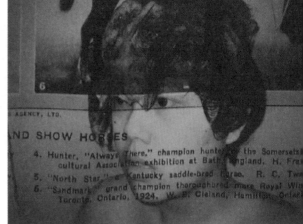

Creative Design by Ruiyi 20

以四格一组的形式，
带出**电影画面**的流动感。
——失影格

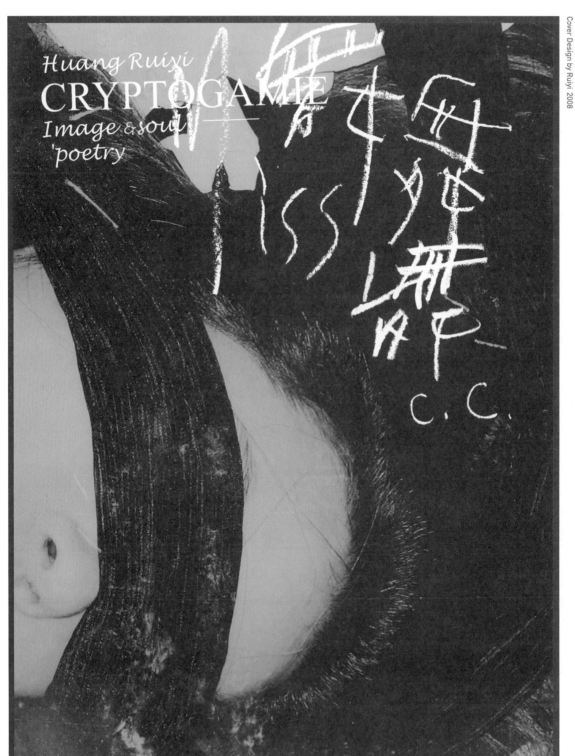

Cover Design by Ruiyi 2008

Image creative Design by Ruiyi 2007

一堂彩绘的课，
留下**蜡笔**、**涂鸦**和一张面具。
——荧光的晚上

Image creative Design by Ruiyi 2007

sunry and mommy
To Float Around

我们需要发现，
更多的自己；
或是生活上更多的细节，
去发现一些**秘密**。
—— 小照片

image soul poetry;
Ruiyi —
inflorescence

は な。

2009 MAY

FLOWER
JAPAN

Image creative Design by Ruiyi 2007

这是坟墓的花，**枯萎**得很有自己的样子。

LAST PLACE

19x13cm
2006

LAST PLACE

19x13cm
2006

Image creative Design by Ruiyi 2007

当我们还是小孩的时候，
我们有好多的小故事藏在心里。
—— 所有混乱都是我造成的

YOUNG DESINGER

lesson 10.5 —— Smooth彭禹瑞

Reiyo
http://www.flickr.com/photos/pomyura/

Young Desinger
Rei ——
Rock crystal;

男孩的最后一年

总是反复修改自己的作品，
有一天我问他：老板不是说可以了吗？

他说：我是做给大家看的。
每天一上班就是先打开汽车网页，
硬盘里有着与同事之间共享的电子音乐，或是
那些我们永远不会知道的东西。
一个连自我介绍都还要别人帮忙写的大男孩，
对自己作品的要求却是到出稿前都还在微调，
我想，他是一个心思很细腻的人，
25岁，男孩要转变成男人的阶段，
实践生活态度与梦想的开始。
十年后，会是怎样的35岁，
我们都期待着。

——Ruiyi

about poetry;
Under The Blue Umbrella

雨中的世界是一片黑灰白，
我的依旧是蓝色；你看见了吗？
—— 蓝色雨伞下

Image creative Design by Reiyo 2006

吞下了太多搁置过久的废料在心头，
远远加速了自己的保存期限。
——蓝色雨伞下

EMOTIONAL CITY
13x10cm
2006

Image creative Design by Reiyo

这都市，只剩下**花朵**还拥有那么点天真?
—— 脆弱都市

喜欢拼贴质感，喜欢冥想
喜欢使用符号，喜欢灰
喜欢低调，我是超现实
I am blue

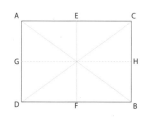

candy
Hypocritical

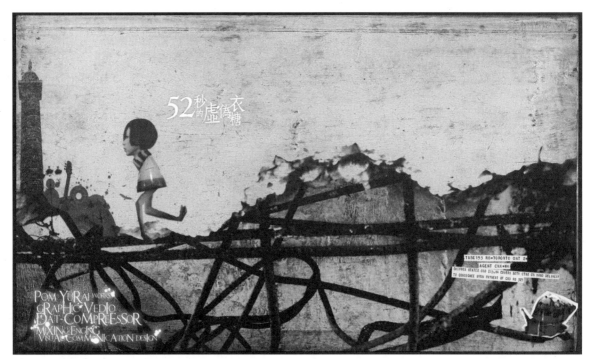

Image creative Design by Reiyo 2007

用了一辈子在建立自己，
你却只花了52秒脱下我的糖衣？
——52秒的虚伪糖衣

Image creative Design by Reiyo 2006

冗长不停的轮回又转生，
我杀死自己；一遍又一遍。 ——轮回树

rei
Silent rain

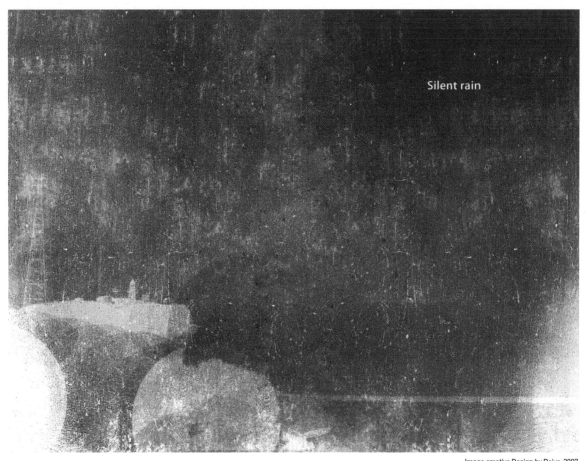

Silent rain

Image creative Design by Reiyo 2007

在那个下雨的夜，
窗外湿了；
我的世界**也湿了一片**。
—— 宁静雨

THE UNDELIVERABLE THINKING
19x16cm
2006

Image creative Design by Reiyo 2006

我矗立在凋落的漂岛仰望，
眼前的状态一切显得宁静而美好。
—— 无法传递的思念

YOUNG DESINGER

lesson 10.6 —— Illustration林俞槿

EMMA
http://www.flickr.com/photos/15887211@N08/

Young Desinger
emma—
handmaker.

小小老板娘

我刚刚结束了一段，
对我来说超无趣的工作。
现在，我是一个自由插画者，
也是个创意市集的小小老板娘。
我喜欢画一些逗趣的插画，
这是我慢慢发现自己可以
做得很好，也能得心应手的方向。
接下来，我知道只要相信自己
努力就可以做得很好。
我很庆幸自己一直记得，
也知道自己喜欢什么，想做什么。
现在，好像才是
人生真正的开始。
不管最后的结果是怎样？
我想，我曾为自己想做的事努力过！

———— **Emma**

EMMA A PARTY
8.5x21cm
2008

生活中的片段，
多些心思留意，
都是美丽的时光。
—— 小时光

Cover Design by EMMA 2008

Cover Design by EMMA 2008

大象的日记，
里面记下了森林里的动物，
还有洗澡的次数。
—— 大象日记

Simplelife;
SMILE LOOK

HAPPY
WEDDING

Image Design by EMMA 2008

我们要笑得很开心，
生活得很自己。
—— 片段生活

MAGAZINE Design by EMMA 2008

我喜欢
随意地翻阅书籍，
因为它
总是带给我生活
很多的小乐趣。

喜欢涂鸦，喜欢幻想
喜欢用自己的图像
喜欢用映射处理图像
喜欢色彩的饱和度变化
喜欢简单的趣味
喜欢对称构图
但也喜欢打破对称

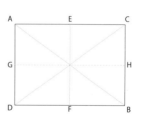

Application

——样式设置

APPLICATION
lesson 11.1 —— 样式设置

样式是高级排版的重要设置，是一种将文档或书籍内容（如字符、段落、对象、表，以及单元格等）的格式系统地整合在一起的功能。

InDesign的样式设置包含文字、对象、框架网格和表等几类，本章将依次介绍字符样式、段落样式、结合字符样式和段落样式的复合样式，以及对象样式等4种常用的样式设置。

样式设置后不仅可在同一文件中使用，还可用于整个书籍，甚至可以用于创建一套个人风格系统，广泛用于杂志、书籍和专刊的排版工作。企业的视觉形象识别系统（Visual Identify, VI）也可以通过样式实现。创建专用字体和排版样式，既可统一出版物的风格，又是延续统一风格的良好规范。

打开样式的浮动面板时，若样式项目的后方出现十字（＋），代表所应用的样式和该对象已应用的部分样式定义有冲突，称为优先选项。所以，选择对象后，按下【Alt】键（Windows）或【option】键（Macintosh）单击样式，可关闭优先选项的限制。

字符样式设置 主要针对字符的字体、字体大小、缩放、颜色、字符间距等进行设置。与段落样式相比，它是较小单位的设置，没有考虑段落关系。文件中若需要更复杂的文字变化，可应用复合样式，将字符样式嵌入到段落样式中，可制作更多的效果。

段落样式设置 段落样式包含了字符样式的属性并考虑了段落属性，排版时不一定常用字符样式设置，但几乎必须使用段落样式。

复合样式设置 段落样式中的某些设置，可以加入字符样式作为嵌入样式，应用字符样式可局部改变已设置段落样式的内容，改变其特定属性，带来更多的文字变化。

对象样式设置 对象样式可应用于文字、图框或线条等，可以同时设置多种效果，并简单地应用在对象中。

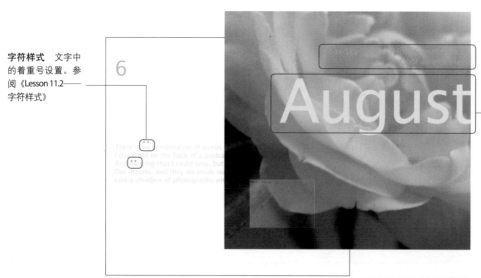

字符样式 文字中的着重号设置。参阅《Lesson 11.2——字符样式》

段落样式 段落中的标题和正文样式等设置。参阅《Lesson 11.3——段落样式》

置》

复合样式1 应用段落样式中「首字下沉和嵌套样式」将段落首字放大3行，并结合嵌套样式加入自定义的「Green Words Content」字符样式，即可产生图示的复合效果

复合样式2 选择正文应用段落样式的「首字下沉和嵌套样式」，设置段落首字跨3个行距，再使用嵌套样式加入字符样式的着重号设置，产生复合段落和字符的样式设置。参阅《Lesson 11.4——复合样式设

复合样式3 标题使用段落样式的标题设置，再选择需要变化的部分文字，选择要改变颜色的字符样式，这也是一种复合样式的呈现方式

对象样式1 将文本框使用的透明度和文字对齐方式设置在对象样式中，即可在其他文本框中套用同样的设计

对象样式2 在对象样式中设置图框的角效果，可快速直接应用在相同设置的其他图框中。参阅《Lesson 11.5——对象样式》

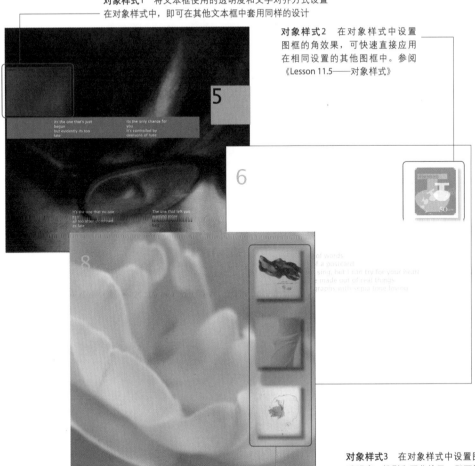

对象样式3 在对象样式中设置图框透明度、投影和羽化效果，即可快速直接应用到其他图框

APPLICATION
lesson 11.2 —— 字符样式

字符样式主要针对字体、字体大小、颜色、字符间距等进行设置，可应用于单独文字的设置，因此，较少考虑段落关系。

字符样式的设置主要针对字符的字体、字体大小、缩放、颜色、字符间距等进行设置，与段落样式相比，它是较小单位的设置，除了可以设置字符的行距外，其实并不考虑段落关系。

字符样式主要用于设置字符格式属性，字符样式选项可分为基本和高级字符格式、字符颜色、OpenType功能、下划线选项、删除线选项、直排内横排设置、拼音位置和间距、拼音字体和大小、拼音颜色、着重号设置和颜色、斜变体以及分行缩排设置等。选择「文字」→「字符样式」或「窗口」→「文字和表」→「字符样式」，打开字符样式浮动面板（【Shift＋F11】键）。

设置字符样式时，除了直接使用复杂的「字符样式选项」对话框进行设置，还可以使用较简单的方式，首先设计好文字，然后以新建字符样式的方式创建。常用的设置包括：拼音、分行缩排、斜变体、着重号等，这些都是增强文字效果的方法，可以让文字更醒目。

◎ 下划线设置

　粗细2mm、位移3mm
　类型：虚线颜色
　颜色：M85 K56
　间隙颜色：C25 M55 K39

◎ 下划线

Underline

◎ 拼音设置

　字体：华康明体W3、9.6pt
　类型：逐字加注
　对齐方式：均等空格
　位置：左 / 下
　间距：强制双齐
　自动对齐行边缘

◎ 拼音

◎ 着重号设置

　字体：Lucida Sans Unicode、9.6pt
　A. 字符类型：空心三角形
　　对齐方式：居中，下 / 左
　B. 字符类型：牛眼
　　对齐方式：居中，上 / 右
　C. 字符类型：实心芝麻点
　　对齐方式：左，下 / 左
　　位置：-2pt
　D. 字符类型：自定（字体Wingdings）
　　字符：a、直接输入
　　位置：-5pt
　E. 字符类型：鱼眼
　　对齐方式：左，下 / 左
　F. 字符类型：自定（字体Wingdings）
　　字符：L，直接输入
　　位置：-1pt

◎ 着重号

A. miss my old friend
B. no combination of words
C. on the back of a postcard
D. no song
E. Our dreams
F. a shoebox of photographs

◎ 分行缩排设置

　行数：2
　分行缩排大小：40%
　对齐方式：右 / 下
　换行选项，首行最小值：5

◎ 分行缩排

a shoebox of photographs with sepia tone loving

◎ 字符样式面板和选项

选择「文字」→「字符样式」或「窗口」→「文字和表」→「字符样式」或【Shift＋F11】键，均可打开字符样式浮动面板 图1。

选择或新建字符样式，打开字符样式选项对话框 图2，设置选项共包含15个项目。本章仅以下划线（◎橙）、拼音（◎紫）、着重号（◎蓝）和分行缩排（◎绿）等项目进行说明和示范。

图1 字符样式浮动面板

图2 字符样式设置选项

下划线设置

设置下划线粗细、位移（下划线和文字距离）、下划线类型、颜色和间隙颜色等。将这些设置好的选项，新建到字符样式中即可，请参阅《Lesson 1.1——文字初步》中的下划线设置。

拼音设置

输入拼音前，先选择要配上拼音的文字，单击鼠标右键，选择弹出菜单中的「拼音」工具，或按【Alt＋Ctrl＋R】键，出现拼音窗口（下图），拼音类型可选择「按词组加注」或「逐字加注」，使用中文输入拼音符号以进行组合。拼音样式选项设置可分为：拼音的位置和间距、拼音的字体和大小、当拼音较正文长时调整、拼音颜色等。

图2 单击鼠标右键弹出菜单「拼音」选项

图1 拼音输入窗口

选择文字并按下鼠标右键，出现的弹出菜单主要项目 图2：拼音（同 图1「拼音的位置和间距」）、样式（「拼音的字体和大小」）、过长时（「当拼音较正文长时调整」）和颜色（「拼音颜色」）

着重号设置

着重号可增强文字的省目性，字符样式设置选项有着重号设置和着重号颜色两个相关选项。着重号字符可分为已设定符号或自定义字符，自定义字符时可以选择直接输入自己喜欢的文字或符号，再配合字符大小和位置进行设置。

符号字体（如Marlett、MS Outlook、Webding和Wingdings等）输入的字符，适合用作自定义的着重号

分行缩排设置

分行缩排设置常出现在书页左右侧的小字，多用于文字注解用途（Sidenote）。分行缩排设置项目包括行数、分行缩排大小、行距、对齐方式和换行等选项。

APPLICATION
lesson 11.3 —— 段落样式

段落样式包含所有字符样式的设置，考虑更复杂的段落关系，
是排版设计中不可或缺的重要工具。

段落样式设置除包含字符样式的所有设置外，还提供更复杂的段落设置，如：缩进和间距、制表符、段落线、保持选项、连字、字距调整、首字下沉和嵌套样式、自动直排内横排设置、中文排版设置和网格设置等。对文件或书籍进行排版时，不一定需要字符样式设置，但若想提高排版效率，则必须使用段落样式。

基本段落样式设置包括段落字体、字体大小、字符间距、行距、大小写、颜色、字符缩放比例、基线偏移、缩进，以及段前距和段后距等。开始进行段落样式设置前，可先尝试进行样式规划，接着尝试将设置好的样式（如右页范例一）纳入版面，看一下组合效果。通过实际操作的过程比较容易判断样式的搭配是否合适，最后才在InDesign中进行详细的段落样式设置。建议文件中不要设置太多字体（按作者个人习惯，大约设置三种以内的字体），过于复杂的字体搭配，往往让设计师忽略版面构图中其他重要元素。字体的变化虽然不多，若巧妙运用字体粗细、大小、颜色、缩放（水平或垂直缩放）、字符间距和行距等效果，仍可构成丰富有趣的文字变化。右页提供了两个段落样式设置的范例，范例一是本书的初步段落样式设置，范例二是学生排版练习中的一种规划尝试。

Style 1	Title1	Style 1
字体	Lucida Sans Unicode	
大小	144pt	
行距	172.8pt	

August

Style 2	Title2	Style 2
字体	Lucida Sans Unicode	
大小	48pt	
行距	48pt	

better
Together

Style 3	Title3	Style 3
字体	Lucida Sans Unicode	
大小	20pt	
行距	24pt	

Sea⊟Sky⊙Smile⊖Hot⊗Summer⊘Ice⊛
Cool air⊛Fanner⊗

Style 4	Content	Style 4
字体	Lucida Sans Unicode	
大小	16pt	
行距	19.2pt	

But don't leave much up to the
imagination
So I want to give this imagery back
But I know it just ain't so easy like that
So I turn the page and read the story again and
again and again
It sure seems the same with a different name

Style 5	Murmur	Style 5
字体	Lucida Sans Unicode	
大小	9pt	
行距	10.8pt	

its the one that's just
begun
but evidently its too
late

Style 6	Chaotic Content	Style 6
字体	Lucida Console	
大小	72pt	
行距	10pt	

We're being confused

范例一：本书初步段落样式设置　　　　　　　　　　范例二：段落样式和版式设置练习

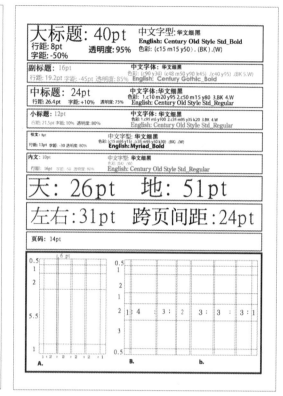

・段落样式大多以段落层次来命名，例如：大标、中标、小标、正文、图说、注解文字和表格文字等。　　　　　※Design by 郑家伟

段落样式浮动面板的隐藏菜单，例如，「新建段落样式」提供新的段落样式设置；「重新定义样式」和「样式选项」可编辑修改已设置的样式。

「载入段落样式」是编辑书籍文件时常用的，将书籍标准版本的段落样式，载入单一文件，可让每个文件套用统一的标准设置。最后，使用书籍将文件集结成册，再选择「同步样式」进行最后的确认。

段落样式选项除了包含所有的文字样式选项外，其他包括：缩进和间距、制表符、段落线、保持选项、连字、字距调整、首字下沉和嵌套样式、自动直排内横排设置、中文排版设置和网格设置等。

APPLICATION
lesson 11.4 —— 复合样式设置

复合样式是在一种样式中套用另一种已设置样式的组合，最常用的是在段落样式中套用字符样式，或是在表样式中套用字符样式。

复合样式设置出现在段落样式的某些设置中，如「首字下沉和嵌套样式」选项。将字符样式套用在段落样式或表样式中，是最常见的复合样式应用。Style 1（下图）首字放大，选择段落样式选项（右页STEP 1 图1）中的「首字下沉和嵌套样式」，可设置首字放大行数、字数。若需要特别突显放大首字，可使用复合「字符样式」改变部分字体或颜色（STEP 3），这样可与其他文字明显区分开来。也可应用「嵌套样式」选项，进行多种字符样式的设置（STEP 4），还可以设置套用的字符属性（STEP 5），如字符、字母、数字、单词和句子等非常详细的设置。除此之外，还可新建「线条样式」作为嵌套样式（STEP 6）。

第二种创建复合样式的方式是在套用段落样式的段落中，以手动方式选择部分文字，再套用特定字符样式，即可完成局部更改属性的文字效果。右 图1 应用色彩变化加强局部文字，右 图2 则在其他字母上加入着重号，两个步骤即可获得下图Style 3 的效果，让读者能够快速捕捉到段落中的重点内容。

图1 选择需要套用其他颜色的文字，套用 Yellow Text的字符样式

If I Could

图2 选择需要套用着重号的文字，套用牛眼着重号的字符样式

If I Could

Style 1

I heard this old story before
W here the people keep on killing
for their metaphors

Style 1

基本段落样式	Big Content
字体及大小	Lucida Sans Unicode，18pt
首字下沉行数	3
首字下沉字数	1
嵌套样式1	Green Text

Style 2

I miss my old friend
And though you gotta go, we'll keep a piece
of your soul. One goes out, one comes in.

Style 2

段落样式1	Content
字体及大小	Lucida Sans Unicode，18pt
颜色及色调	M30 Y100，100%
段落样式2	Big Text
首字下沉行数	3
首字下沉字数	1
嵌套样式	Green Text

Style 3

If I Could

Style 3

基本段落样式	Title2
字体及大小	Lucida Sans Unicode，48pt
颜色及色调	M30 Y100，100%
套用字符样式1	Yellow Text
套用字符样式2	牛眼着重号（居中、右／上）

Style 4

There is no combination of words
I could put on the back of a postcard
And no song that I could sing, but I can try for your heart
Our dreams, and they are made out of real things
Like a shoebox of photographs with sepia tone loving

Style 4

基本段落样式	Content
字体及大小	Lucida Sans Unicode，16pt
套用字符样式1	牛眼着重号（居中、右／上）
套用字符样式2	自定着重号（-5、右／上）

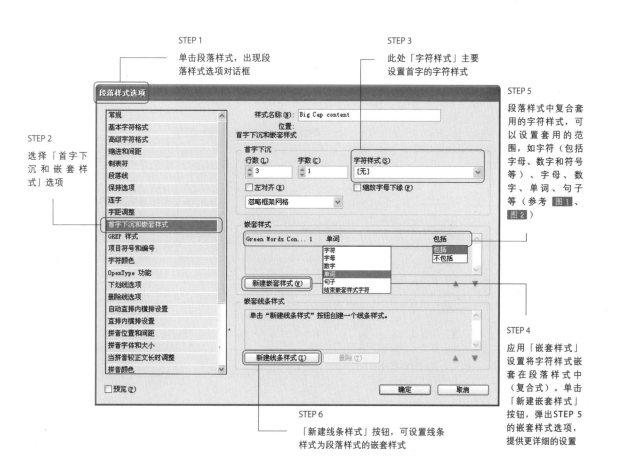

STEP 1

单击段落样式，出现段
落样式选项对话框

STEP 3

此处「字符样式」主要
设置首字的字符样式

STEP 5

段落样式中复合套
用的字符样式，可
以设置套用的范
围，如字符（包括
字母、数字和符号
等）、字母、数
字、单词、句子
等（参考 图1、
图2）

STEP 2

选择「首字下
沉 和 嵌 套 样
式」选项

STEP 4

应用「嵌套样式」
设置将字符样式嵌
套在段落样式中
（复合式）。单击
「新建嵌套样式」
按钮，弹出STEP 5
的嵌套样式选项，
提供更详细的设置

STEP 6

「新建线条样式」按钮，可设置线条
样式为段落样式的嵌套样式

图1 如STEP 5将「首字
下沉和嵌套样式」的嵌套
样式范围设置为「字符」
时，出现只有第一个字符
套用嵌套样式的效果。若
第一个字符为数字或符
号，也是一样的结果

图2 如STEP 5将「首字下
沉和嵌套样式」的嵌套样
式范围设置为「单词」

APPLICATION

lesson 11.5 —— 对象样式

对象样式可套用在文本框、图框或线条中，设置选项包括基本属性和效果两大类，可同时套用执行多种效果变换。这是一种快速格式化对象的便捷功能。

在《Lesson 7——对象和框架》中提供了许多对象和框架的设计造型和效果，请参阅Lesson 7提供的范例，直接将那些设置完成的对象效果新建为对象样式。这样就可以在不同页面或文件中快速格式化对象。

对象包括图框、文本框、线条和图形等。样式的设置包括基本属性设置和效果设置两大类。常规基本属性针对图框的设置包括转角和框架适合等选项，针对文本框进行的设置包括段落样式、文本框架常规选项、文本框架基线选项、文章选项等。其他如填色、描边、文本绕排和定位对象等可同时应用基本属性和效果设置。

选择「窗口」→「对象样式」浮动面板中的隐藏菜单，包括新建、复制、删除、载入和编辑对象样式的工具。首先设置对象效果，例如，将图片加阴影并羽化处理后，选择「新建对象样式」，即可创建加阴影和羽化的对象样式。建议以效果或属性来命名样式，以便快速格式化需要同样效果的对象。

对象样式浮动面板的隐藏菜单，如「新建对象样式」、「直接复制样式」和「删除样式」

「载入对象样式」是排版多个文件时常用的工具，从范例文件载入书籍的样式，在排版过程中，每个文件都遵循统一样式。最后，将文件集结为书籍时，可以选择「同步样式」，进行最后的统一

对象样式的设置分为常规基本属性（左图）和效果（右图）

基本属性可应用于图框和文本框，效果可应用于对象、描边、填色和文本

◎ 主要应用于图框和文本框的设置
◎ 主要应用于文本框的设置
◎ 主要应用于图框的设置

图片共执行透明度、投影和基本羽化三种效果，然后新建对象样式，即可快速格式化其他对象

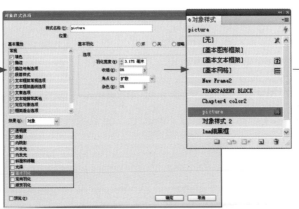

6

There is no combination of words
I could put on the back of a postcard
And no song that I could sing, but I can try for your heart
Our dreams, and this are made out of real things
like a shoebox of photographs with sepia tone loving

图片主要的对象样式设置
包括基本属性中的角效果
（花式）和效果工具中的
投影两种

以《Lesson 7.5——转角
效果》中建立的图框为
例，提供其对象样式设
置和视觉效果。

STEP 1 首先，对已设置
角、斜面、浮雕和光泽
效果的框，新建对象样
式。

STEP 2 应用路径查找
器（Pathfinder）「排
除重叠」建立新框
（《Lesson 6.6——路径
查找器》）。

STEP 3 选择已切割的图
形，套用喜欢的对象样
式。

STEP 1	对象样式	Frame1		对象样式	Frame2		对象样式	Frame3
	角选项	斜角		角选项	花式		角选项	内陷
		大小：5mm			大小：5mm			大小：5mm
	斜面和浮雕	高度：30°		斜面和浮雕	高度：30°		斜角和浮雕	高度：30°
		角度：120°			角度：120°			角度：120°
		大小：2mm			大小：2mm			大小：2mm
		方向：向上			方向：向上			方向：向上
		方法：雕刻清晰			方法：雕刻清晰			方法：雕刻清晰
	光泽	角度：120°		光泽	角度：120°		光泽	角度：120°
		大小：7mm			大小：7mm			大小：7mm
		距离：2.5mm			距离：2.5mm			距离：2.5mm
		混合模式：正片叠底			混合模式：正片叠底			混合模式：正片叠底

STEP 2

STEP 3

a diary :

Sea◎Sky◎Sunshine Hot Summer
Cool air◎Family

August

Never knowing

※Designed by 刘晏如
※Edited by 黄瑞怡

2

I heard this old story before
Where the people keep on killing
for their metaphors

But don't leave much up to the imagination
So I want to give this imagery back
But I know it just ain't so easy like that
So I turn the page and read the story again and again a
again
It sure seems the same with a different name

3

If I Could

Down the middle drops one more grain of sa
They say that new life makes losin' life easier to understa
Words are kind, they help ease the mi

I miss my old friend
And though you gotta go, we'll keep a piece of your soul
One goes out, one comes in

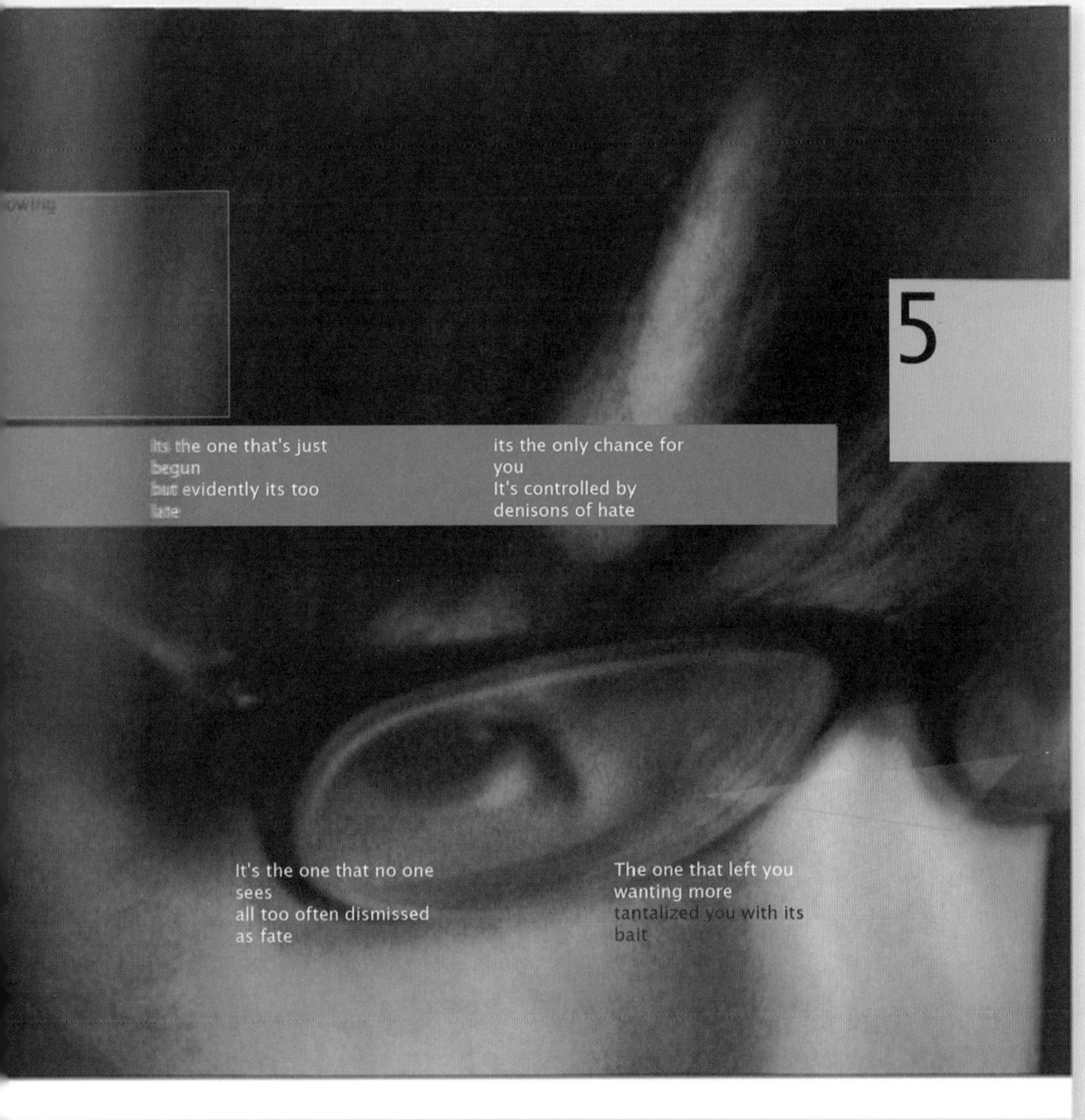

5

owing

its the one that's just
begun
but evidently its too
late

its the only chance for
you
It's controlled by
denisons of hate

It's the one that no one
sees
all too often dismissed
as fate

The one that left you
wanting more
tantalized you with its
bait

6

There is no combination of words
I could put on the back of a postcard
And no song that I could sing, but I can try for your heart
Our dreams, and they are made out of real things
Like a shoebox of photographs with sepia tone loving

better
Together

7

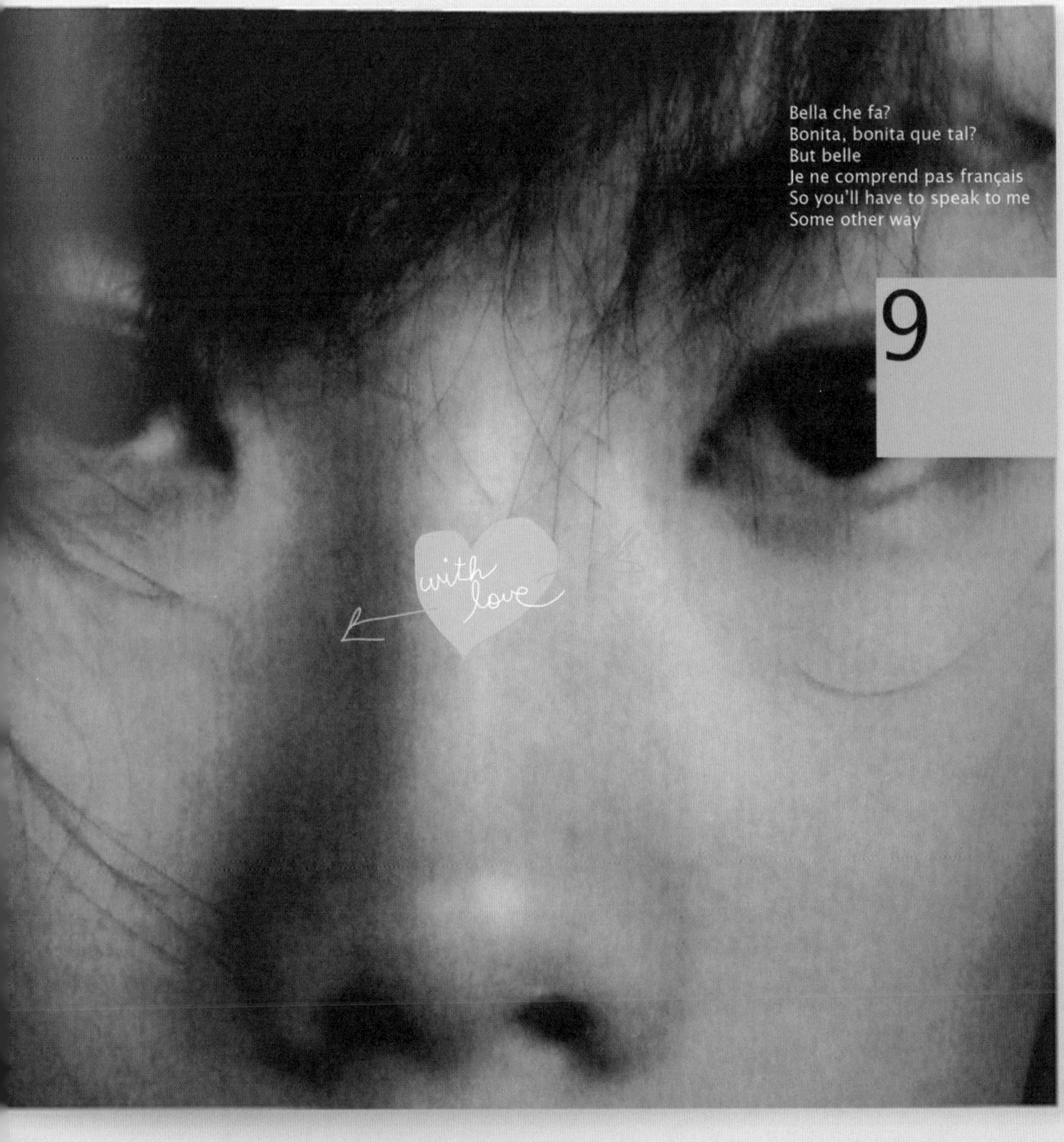

Bella che fa?
Bonita, bonita que tal?
But belle
Je ne comprend pas français
So you'll have to speak to me
Some other way

9

with
love

Application

——主页设计

APPLICATION
lesson 12.1 —— 主页

主页可比喻为空间设计中的平面图，提供文字和图片置入版面的参考线，主要的
设置有边距、分栏、参考线、页码、页眉和页脚等。

主页（Master Page）设置是排版时构图的关键所在，主页如同空间设
计中的平面图（Floorplan），提供文字和图片等元素切割或对齐的参
考线。另外，在主页内设置的文字和图片等组件，将重复出现在应用
主页的所有页面，因此提高了排版效率。

基本上来说，主页可以设置的元素包括边距、分栏、参考线等（参阅
《Lesson 3.5——高级排版》），这些都是用来进行排版的准则。其
他设置包括页眉（通常包含书名、章节、次章节标题、线条和图案
等）、页脚（通常包含页码、章节、线条和图案等），以及绘图组件
（如背景图、色块、线条甚至图像等），这些都可以设置在主页中，
供页面或其他文件重复应用，无需逐页编排这些对象。

选择「文件」→「新建」→「文档」，在「新建文档」对话框中，设
置页面配置（单页或跨页）、页面大小、页面方向和装订位置等基本
设置，还可设置主页大小、边距和分栏等，当然也可以在文件打开后
进行修改。

主页的设置位于「版面」菜单，以及「页面」浮动面板的隐藏菜单
中。「版面」→「边距和分栏」（「标尺参考线」、「创建参考
线」）主要是针对参考线的设置。选择菜单「窗口」→「页面」，弹
出的浮动面板则提供新建、插入、载入主页等高级设置。

「页面」浮动面板可分为两区：主页显示区和页面显示区。用户可根
据自己的操作喜好，设置主页在上或页面在上的显示效果。在页面浮
动面板的隐藏菜单中选择「面板选项」，即可设置主页和页面的
显示图标大小及排列方法，并建议启用「显示缩览图」，这样，在页
面浮动面板中即可直接单击页面缩览图，选择需要排版的页面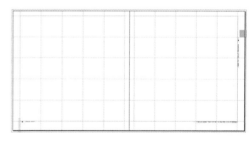。

单页主页

跨页主页

跨页形式的主页有左右页的限制，其右主页需应用在书籍的
右页。同样，跨页的左主页，也只能应用在书籍的左页。但
跨页主页不一定要同时应用于连续页面，假如共设计了三组
跨页主页（A、B、C），右页可以使用A主页，左页则可以搭
配C主页进行新的页面组合，依此类推可延伸出9种配置。

图 1 面板选项

主页显示区

启用显示缩览图。

页面显示区

启 用 显 示 缩 览
图，可在页面浮
动面板中，预览
页面的内容。虽然
画面不算很大，但
方便通过缩览图选
择并打开页面。

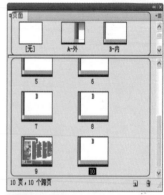

图 2 页面浮动面板

◎ 创建主页

STEP 1 边距和分栏

边距设置不需要对称,以本章作品为例,边距的设置:上10mm、下20mm、内10mm、外15mm,这是规矩且安全的设置。由于人的视觉偏差,让等距的上缘和下缘产生上缘大于下缘的错误视觉效果。这是因为位于版面上方的空间或对象,看起来分量较重(因为地心引力,位置越高的物体产生重力越大)。所以设置边距时,若将上边距设置小于下边距,版面容易找到均等平衡感。

设置内边距和外边距时,因为内边距靠近装订处,需要预留较多空间。但是,页面内边距会与另一页面的内边距连接,产生空间翻倍的效果,所以,单边内边距的设置建议小于外边距大小。另外,由于担心产生印刷裁切的误差,因此,外边距不要设置太少。还有部分原因是当文字太靠近边缘时,版面的精致度会降低,会让人误会太靠近页面边缘文字,这是裁切偏移所带来的问题。制作主页时可以设置左右页的边距差异较大,不对称的版面给人较强的设计感。

STEP 2 创建参考线

参考线只出现在正常屏幕模式下(非预览状态),本章作品的参考线设置为5列、5行、栏间距均设为0,若选择参考线适合边距的选项,创建的参考线将扣除上下内外边的边界空间,再水平垂直均分5份。

STEP 3 设置页眉和页脚

页眉可以包含书名、章节、线条等出版信息,页脚则主要用于设置页码、线条和符号等。

STEP 4 设置视觉元素

将需要出现在版面上的视觉元素(如几何图形或图片),分别设置在不同的主页中。

STEP 5 应用主页

最后步骤就是将设置好的主页应用于页面,直接选择主页显示区的主页图标,拖曳到页面显示区的页面图标。若同时应用于多个页面,使用【Ctrl】键(跳跃选择页面)或【Shift】键(连续选择页面)复选多个页面图标,再选择隐藏工具的「将主页应用于页面」项目。

若需要更换页面所应用的主页,只需将替换的另一个主页图标拖曳到页面图标即可。

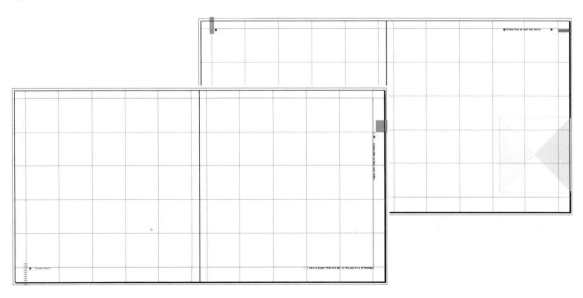

◎ 图层应用

主页设置项目（如色块、线条和页码等）应用
到页面时，这些项目自动设置在页面最底层。
假如需要将满版或跨页的图片文件置入页面
中，这些分量较大的对象，往往会覆盖主页中
所设置的元素。

本章范例将使用简单的图层概念，创建背景图
层（Background Layer）以供分量大的对象使
用，同时将主页对象放置在其他图层（可命名
为Master Page Items Layer），确保Master Page
Items Layer置于Background Layer之上。这样，
进行图文配置排版时，只需将背景图贴入Back
groundLayer，即可避免图片覆盖主页对象的问
题，请参阅《Lesson 8.2——图层管理》。

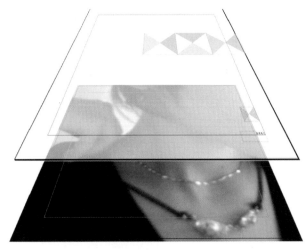

- 将Master Page Items Layer置于Background Layer上层，主
页组件就不会受背景覆盖的影响

◎ 文字排版方向和页面设置

水平排版方向的文件，单数页码一般从右页（Recto：翻开的
书的右页）开始；而垂直排版方向的文件，单数页的页码一般
设置在左页（Verso：翻开的书的左页），但也可以打破此常规
的页面编码方式。新建文档文件时的窗口提供了选择装订方式
的图标，因为翻页方向与主页设置息息相关，将影响页眉和页
码等元素的设定和配置。

一般来说，若新建一个水平排版方向的文件，第1页位于右页
并且是单页设置，第2页进入跨页的左页，接着第3页在跨页
的右页，其他页面设置依此类推。所以，将文档整合到书籍中
时，每个文档的起始页必须为右页且文件结束于左页，这样才
能与后续文件的右页衔接起来。以本书为例，所有文档的起始
页设为跨页，因此文件也需以跨页结束。所以，书籍文档应采
用统一相同的页面配置。

水平排版方向，阅读方向从左至右
从上至下，书籍装订位置在左侧。
垂直排版方向，阅读方向从右至
左，装订位置在右侧

◎ 设置跨页为文件起始页

如上所述，在InDesign中选择对页的文件，其起始页自动设置为单页，然后才开始所有的对页。若需要将起始页设置为跨页（而非单页），可使用以下几个步骤进行修改：

STEP 1 新建文件并选择对页选项，页面设置至少3页。

STEP 2 在页面浮动面板的页面显示区，使用【Shift】键复选页面2-3的跨页图标图1。若新建页面多于3页时，请同时选择单页和首页以外的其他跨页，选择页面浮动面板隐藏菜单，或在页面图标上单击右键打开弹出菜单，将「允许文档页面随机排布」选项关闭图2，选定的跨页将锁住无法移动了。

STEP 3 回到页面显示区，将第1页的图标删除即可，文件便以跨页开始编排。

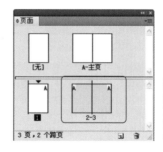

图1 使用【Shift】键复选2-3页（或以下的所有跨页），也可用鼠标光标拖曳图标范围，同样也可选择多个页面

图2 页面浮动面板隐藏菜单中的「允许选定的跨页随机排布」选项，在一般情况下是勾选的（代表启用），在此请将选项关闭

◎ 创建多页跨页

一般新建文件时设置的对页只有左右两页，制作DM或小书籍时，常需要设置特殊的页面规格，如风琴折。风琴折展开后其实是尺寸较特殊的单页文件。在Illustrator中设置的文件，都以其展开后的最大尺寸计算，再用辅助线标出折线的位置。InDesign则提供了更具弹性的特殊文件规格设置，将单一折页设置为独立页面，使用创建多页跨页的方式将其串联成连续页面，这样的设置可自由调整折页顺序，也可简单地删除或增加折页页面，或者改变其尺寸。

首先，在页面显示区选择需设置多页跨页的页面，将页面浮动面板隐藏菜单（上方图2）中「允许选定的跨页随机排布」关闭，直接拖曳主页图标新建页面，在跨页上即出现第3个页面，重复以上的拖曳动作，最多可创建10个连续的跨页。连续跨页页数设置完成后，选择页面显示区的多页跨页，再将页面浮动面板隐藏菜单（上方图2）的「允许选定的跨页随机排布」关闭，所设置的多页跨页将锁定，不随新建页面而移动。

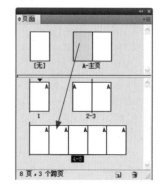

折叠页数设置为偶数的风琴折可表现出最佳效果，因为它的封面和封底都朝外，作品看起来比较完整。

由于打印机有纸张尺寸限制，打印风琴折作品时，可将单页或跨页单页打印，注意要保留一些粘贴的空间，方便打印后的粘合

※Design by 曲翎华

◎ 主页的高级应用

在长文件的排版中，需要设置不同类型的主页以提供多样化的版面。与早期传统手工完稿一样，杂志或出版社可能有好几份印有淡蓝色辅助线的完稿，在Indesign中，美编可以选择页面属性，就像手工选择完稿一样。主页需要独立设计考虑，比如某些主页适用于以图片为主的排版，而有些则适合排版文字多的页面。

设置不同主页是很重要的排版前期工作，但是文件中若设计过多的独立主页，容易缺乏设计的整体性。建议可以基于已创建好的几款主页进行修改，这些主页称为父主页（Master A和Master B），在这些主页的基础上再加入其他元素或进行局部修改，创建基于父主页的子主页（Master A1和Master B1）。还可根据子主页（Master A1和Master B1），衍生其他类似的子页面的应用（Master A2、Master A3、Master B2、Master B3），请参考 图1 主页架构。

本书的《Lesson 10.3——韵律：重复和对比》一节中提到，同一版面中应带有重复性，才容易具备整体感和协调感。子主页因为基于父主页而创建，两者之间具有重复的设计属性。相对的，因为基于版面的不同需求，父主页的设计可以完全独立，父主页之间形成对比性，对比可增强版面的醒目性。

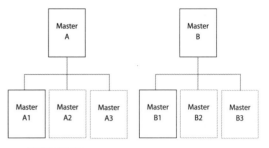

图1 主页架构

以父主页（A和B）为基础衍生出具有相关性的子主页（A1和B1），子主页还可以衍生出其他同系列的子主页（A2、A3、B2、B3）

父主页（A）

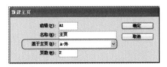

「新建主页」对话框中，「前缀」为主页名称前的代号，选择「基于主页」中已设置好的任一父主页，可以新建子主页，在父主页设计的基础上进行修改。图2 的A1主页是根据A主页创建的，在A1主页的左页边距中心和右页面脚处增加了图案，即完成了新子主页的设置

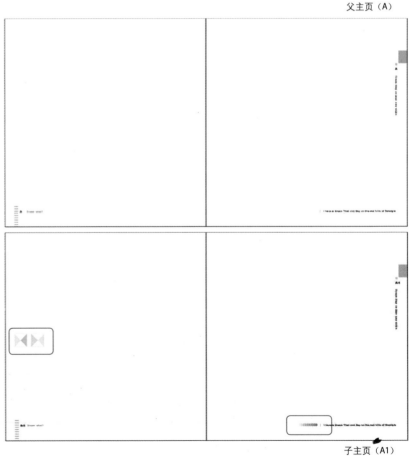

子主页（A1）

图2 主页架构范例

根据父主页（A-主页）新建子主页（A1），在新建主页中增加图案或符号，父主页和子主页之间产生相似而又略有变化的效果

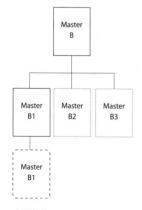

主页架构二

红色虚线框内的主页B1，是在不增加主页的情况下，使用覆盖或分离主页项目，使其与主页B1仅有细微变化

左图红色虚线框起来的子主页B1也是由父主页B衍生出来的，在不创建新主页的情况下，覆盖或分离B1主页项目，使其与B1设置仅有细微差异，这采用了主页的高级设置。主要的主页高级设置工具有「覆盖全部主页项目」（Override All Master Page Items）、「移去全部本地覆盖」（Remove All Local Overrides）、「从主页分离全部对象」（Detach All Objects from Master）和「在选区上允许主页项目优先选项」（Allow Master Item Overrideon Selection），从其英文名称可了解各个工具的含义。

使用覆盖（Override）时，只有选择覆盖的项目无法随主页的变动而更新，其他属性仍然与主页有链接关系。以下图为例，图3是覆盖B1子主页（图2）后产生的页面，所覆盖的主页项目如图3上标出的红色圆圈。操作方式是先选择页面显示区中需进行覆盖的页面图标，再选择隐藏菜单中的「覆盖全部主页项目」，这时，页面上的主页组件可以暂时任意移动，可进行局部对象的颜色或位置变动，其他未移动的组件仍会随主页（B和B1）修改时自动更新。

若希望还原被覆盖的项目，只要选择「移去全部本地覆盖」即可恢复主页中的原有设置。若需要永久性地改变这些更改后的组件时，则选择「从主页分离部分对象」。此时，页面和主页才真正地分离（Detach），主页上的任何变动已不会对此页面产生更新。

为了避免页码等重要组件被覆盖，在主页显示区单击主页图标，选择「覆盖全部主页项目」后，进入主页页面进行修改，选择不想被覆盖的重要组件，在页面面板的隐藏菜单中关闭「在选区上允许主页项目优先选项」。

主页的高级设置工具位于页面浮动面板的隐藏菜单中，主要有「覆盖全部主页项目」、「移去全部本地覆盖」、「从主页分离全部对象」和「在选区上允许主页项目优先选项」等

图 1 父主页（B）

图 2 子主页（B1）

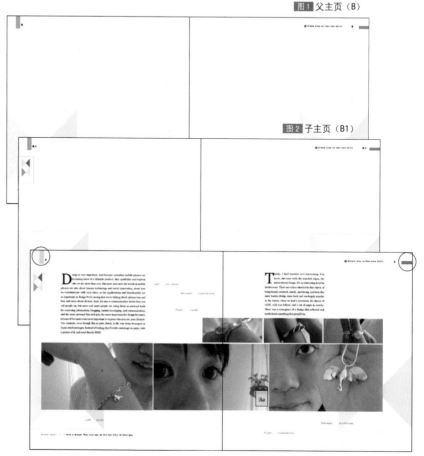

图 3 覆盖主页B1的页面

APPLICATION
lesson 12.2 —— 边距、分栏和参考线

边距、分栏和参考线是设置主页参考线的重要元素。

图1 「版面」菜单列表

图2 「边距和分栏」对话框

图3 「标尺参考线」对话框

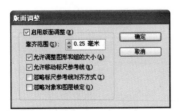

图4 「版面调整」对话框

在「版面」菜单列表中 图1，涵盖了主页参考线设置的多项功能。这些设置需要在主页页面中执行，才可成为主页参考线。

「边距和分栏」可设置版面的边距（上下左右）、栏数、栏间距和排版方向等 图2。「标尺参考线」主要可以改变参考线颜色 图3，标尺参考线的颜色设置，建议选择与其他辅助线及版面背景色差异较大的颜色。可结合「编辑」→「首选项」→「参考线和粘贴板」设置参考线在文件的前或后（参阅《Lesson 2.3——常用首选项》）。「视图阈值」设置为5%时，代表视图比例在5%以上就会出现标尺，数值越大代表在较小缩放比例下将不会出现参考线。

「创建参考线」是创建网格结构页面的重要设置，请参考右页的对话框和设置方式。

「版面调整」可设置允许移动标尺参考线，以及忽略标尺参考线对齐方式等。

使用边距和分栏或手动拖曳创建的参考线，只要关闭「视图」→「网格和参考线」的「锁定参考线」选项，即可使用工具栏的「选择工具」，直接手动拖曳参考线改变其间距和位置。

若需创建不等比例的参考线，比如希望创建比例为3:3:3:1的4个不均等宽度的分栏，则先创建比例最大总数的参考线（3+3+3+1=10），再用删除参考线的方式，调整出正确的比例，无需通过标尺计算且更准确。这是一种创建不等比例参考线的快速方式。

其他在「视图」→「网格和参考线」中还有一些重要的选项，比如，可配合编排预览效果的「显示参考线」和「隐藏参考线」；可自动使对象与参考线对齐的「靠齐参考线」，打开此选项时可节省很多对齐图文的时间。

其他如「锁定参考线」可将参考线固定，无法用选择工具移动。InDesign的新工具「智能参考线」为排版设计提供了更多的参考线和数据，使排版设计工作变得更有效率，请参阅《Lesson 2.6——智能参考线》。

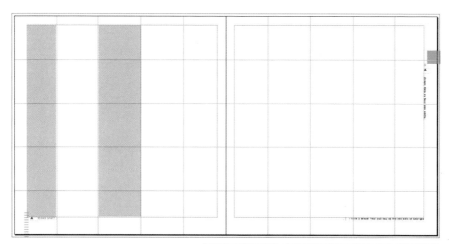

上图主页所设置的参考线，行和栏的
数量设置为5，栏间距都为0mm，参
考线适合选项设为「页面」。参考线
以页面的最大范围计算，将页面的水
平和垂直版面均分为5个网格结构。
当排版文字时，要注意保留文字和页
面边缘的距离。因此，若按扣除边距
计算，形成的辅助网格的大小是不均
等的。

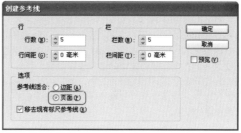

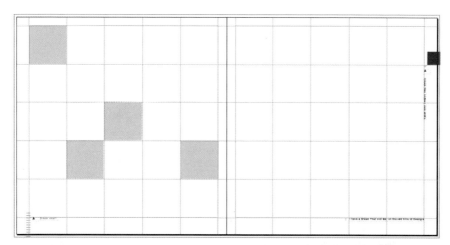

此主页所设置的参考线，与上面主页的
设置一样，唯一的差别是将参考线适合
选项设为「边距」。参考线的计算便以
扣除上下内外的边距范围（版心区域）
后计算，主页的水平和垂直方向均分为
5个网格结构。这种设置避免了文字位
置与页面边缘太近的问题，并且是大小
均等的网格结构。

APPLICATION

lesson 12.3 —— 网格结构

网格结构是主页设置的重要架构，很多人认为创建规则的辅助结构会减少排版设计的乐趣。其实，创建结构可让图文的构思更富变化。

很多人不使用主页参考线，认为水平和垂直线条所构成的主页结构，限制了排版设计的自由性。其实不然，许多充满律动的作品，都是创建在基本的网格结构之上。想象一下打开Microsoft Office Word这类简单的文字处理软件，其默认的分栏设置为1栏，整个文档采用相同的1栏进行排列。当字数相同的文件分别以1栏或以2个以上分栏进行编排时，前者（1栏）所使用的页面较多（适合于提交报告的工作）。在页面篇幅有限制的情况下，1个分栏的编排相对而言使页面显得过于拥挤，无法腾出留白空间。相比之下，多个分栏的编排会占用较少页面，可以利用大量留白空间尽情地发挥。因此，没有设置任何辅助线的页面，就如同仅设置1栏的文字处理软件。在无参考线的情况下，除了容易产生单一分栏的单调感之外，也容易因为无所适从的自由而造成版面的凌乱。

以设置6个分栏作为参考线的主页为例 图1，在进行图文混排时，可应用任何一条参考线（无论水平线还是垂直线）作为图框、文本框或文本段落的对齐基准。此外，段落宽度可根据这6个分栏进行不同栏宽和栏间距的设置。段落宽度可任意跨1～6栏进行设置，版面中的留白或图片也可以参考这些设置。

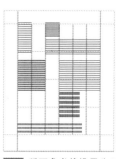

图1 版面参考线设置为6栏，文本段落宽度的变化十分多样（请将虚线视为一行文字）

范例一

size：250mm╳250mm

■ 主页设置值

· 5╳5均等

· 参考线适合「边距」

· 无栏间距，25格的网格结构

以本章编排作品为例，单页主页因为只用于封面、封底这些较单纯的图文版面，因此仅设置单一分栏。

跨页主页以5╳5均等的网格结构设置，左页跨25格的所有范围进行接近满版的图片配置。右页的图片跨页面下半部10格的范围，文本段落跨3栏，居中跨越在1～4栏之间，其他适当地腾出留白空间

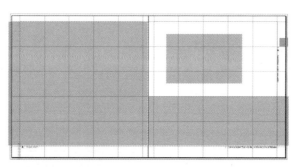

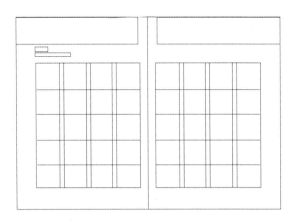

跨页页面A左|A右

范例二

"CHINA INSURANCE ANNUAL REPORT"
A.D. Daphne Shao
Size：A4
Client：CHINA INSURANCE CO.

■ 主页设置值

设置栏间距，栏数为4

这是一个将页眉（页面上方区分章节的横幅）、标题等组件设置在主页中的范例。单一主页的上下左右采用不对称设置，但左右页设置为水平翻转的对称形式。

跨页A左A页打破参考线，图片以满版构图；跨页A右页的目录文本框则跨右页边3个分栏，将留白设置在最左边分栏。

跨页B左页将文本框设为跨2栏的均等段落；跨页B右页则延续相同宽度的文本框，留白的另两栏空间则巧妙地应用背景图的延伸。

跨页C左页和右页的表均以跨3.5栏的宽度平均分布在整个页面

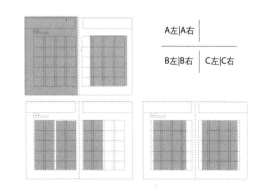

A左|A右

B左|B右　C左|C右

跨页页面B左|B右

跨页页面C左|C右

范例三

Portfolio Posters

size：800mm╳800mm

■ 主页设置值

- 4╳4均等
- 参考线适合「页面」
- 无栏间距，16格网格结构

将版面的水平垂直方向均分4等份，产生16格正方形网格的版式设计。在构图应用中，图片可以自由地放大缩小，打破网格参考线的配置限制

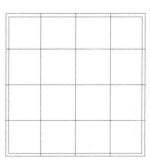
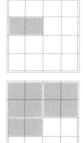

A
——
B

Poster A

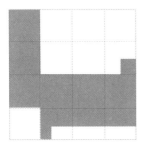

此图为Lesson 10的范例之一，以9位平面设计师为主题的封面设计练习，这也是应用了16个均等的正方形网格结构进行编排练习，利用网格来创建不规则的图框，打破了网格的限制

※Design by 刘晏如

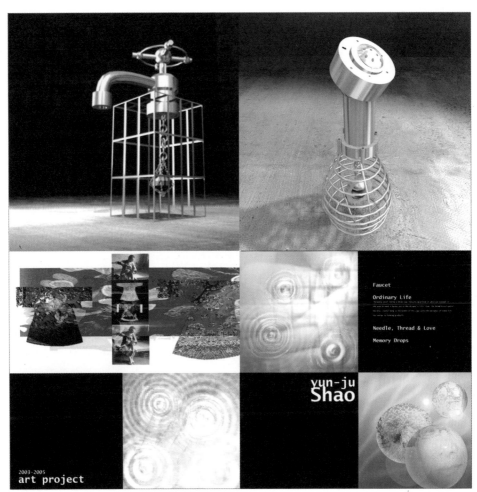

Poster B

范例四

"YUYU YANG BUDDHA / PRINT SERIES" DM
A.D. Daphne Shao
Size：H130mm╳W720mm
Client：YUYU YANG Museum

■ 主页设置值

· 6页风琴折

· 无栏间距，每页设5个分栏

这是连续折页（风琴折）的一个版式设置。基本上来说，在编排过程中只设计一个版式，然后应用到6个页面上。采用Lesson 12.1中介绍的「创建多页跨页」方法，将6个页面的「允许选定的跨页随机排布」选项关闭，成为无法随意移动顺序的风琴折版式。这个主页较特殊的部分是额外创建了一个波浪曲线作为图文配置的律动参考线，图片的高低位置可根据此曲线放置。波浪曲线替代了水平直线，让排列产生如音乐般的律动感

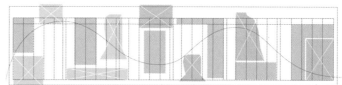

范例五

"Urban Rhythm" Brochure
A.D. Daphne Shao
Size：H210mm╳W210mm
Client：Jun Group Fashion Co., Ltd.

■ 主页设置值

· 4╳4均等

· 参考线适合「边距」

· 无栏间距，16格网格结构

这是以图片为主的产品目录设计，文字的排列较少，所以，主页的外边距不一定要设置大于内边距，参考线基于版心区域分割成等距的4栏和4列，左右页除页码不同外，基本上采用水平翻转的对称形式，图片均以跨页出血的方式配置。

左页的页码放置在半圆形的彩色色块上，每个页面因背景色不同，色块可搭配页面变化。可使用「覆盖全部主页项目」，仅在个别页面中将半圆形色块做颜色变化。请参阅《Lesson 12.1》中的「主页的高级应用」一节。

右页的页码设计在右下角，因字体较大刻意使用出血设计，呼应左页出血的半圆形色块

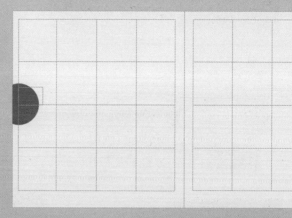

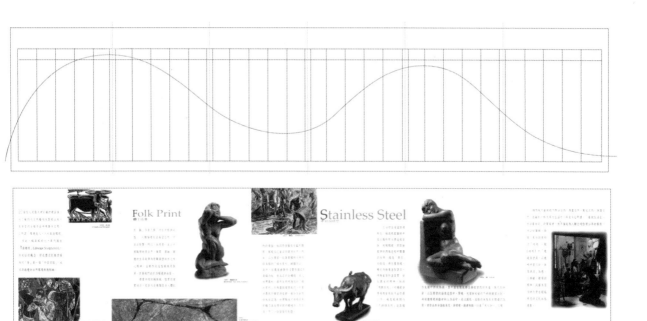

◎ 网格结构的变化应用

版式的设置方法除了前面介绍的使用「边距和分栏」和「创建参考线」创建较规则的参考线之外（参阅《Lesson 12.2——边距、分栏和参考线》），还可利用绘图工具中的几何图形，创建更灵活的主页版式。

一般采用边距、分栏和参考线创建的主页参考线，在预览模式下，不会被打印出来。选择「视图」→「网格和参考线」→「隐藏参考线」，这样也可预览正文编排的实际效果。（除非在显示参考线的状态下，选择打印选项中的「打印可见参考线和基线网格」功能，这样才会打印参考线。）

本范例除了使用前面介绍的创建参考线的方法之外，还使用了绘图工具中的几何图形，创建富有变化的版式设计。使用这种方式创建的主页参考线，其实就是一般的绘图组件，可在应用主页的页面上出现。因此，请使用创建参考线图层的概念，将这些辅助参考图形，独立存放在参考线图层中，待编排完毕需打印时，记得把参考线图层关闭。图形的应用除了矩形外，也可以延伸至圆形、椭圆、三角形或其他不规则形状。

A

范例六

"Ting-ju shao 1991-2004" portfolio
A.D. Daphne Shao
size：A4
Publisher：Taipei County Yingge Ceramics Meseum

■ 主页设置值

主页一：6个分栏设计，以文字为主的主页。

主页二：跨页主页的左页，用于作品信息的编排。版面中的4个方框，可以选择性地使用。小圆点式的页码设计，在页码上下方加入作者和年份信息。

主页三：跨页主页的右页，用于展示主要作品的页面。以3×5的方格等距地排列在页面偏右的位置，图片可以打破方格的限制，图文可对齐方格的任何边界，这种设计可增加版面应用的灵活性。

相比之下，这是较长文档的设计范例，设计3～5种主页版式，可满足版面的多种需要，不让文档版式因过于统一而变得单调

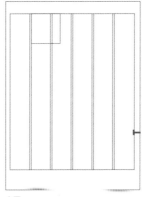

主页一

B

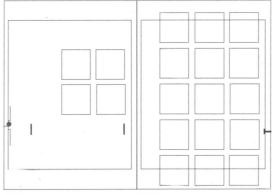

主页二　　　　　　　主页三

※主页一

主要针对文字页面设计，适用于前言、序和作者简介等页面。左页和右页的设计基本上一样，都是水平翻转结构，唯一的差别是页码，左右页面采用了不对称的设计方式

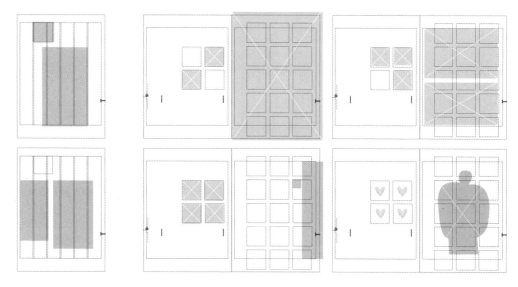

C

D

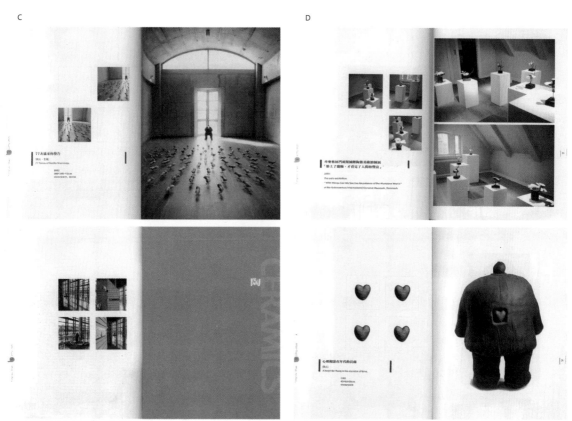

E

F

APPLICATION

lesson 12.4 —— 页眉和页脚

大多数情况下，页眉是指放在页面顶端的内容，页脚是指放在页面底部的信息。

常用的页眉（Header）信息包含书名、章名、节名、页码、线条、色块或图案等，大多放在页面上方中间或两侧。页脚（Footer）是放在页面下方的信息，如章节、页码、作者、日期、线条或图案等。

以水平排版方向的书为例，若需要将书名和章节信息放在页眉设计中，建议书名放在左页的页眉中，而章节（重要性次于书名的信息）放在右页，因为水平排版方向的书，其页面阅读的顺序是从左页至右页（信息重要性的层次需结合页面的顺序）。同理，放在页眉的信息要比放在页脚的信息重要，这也与阅读的顺序有关。

页眉和页脚在相关页面中不断重复，所以，请将页眉和页码的设计放在主页中。使用绘图工具进行页眉或页脚的图案设计，或在构图上采取非对称变化，都是非常重要的主页设计技巧。

现在像Microsoft Office Word之类的软件都提供了内置的页眉和页脚设计，可供参考。当然，将文档的主题和内容与页眉和页脚的设计关联起来，也是相当重要的一种设计思路。

这是关于「梦乱三国」的虚构故事，页眉设计使用人物加兵器的剪影效果。页脚则结合故事内容，以组合的兵器图案作为主要造型元素。这是将主题融入页眉和页脚的范例

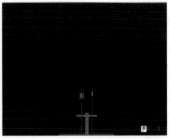

※Design by 周唯扬

页眉设计范例

※Microsoft Office Word内
置的页眉和页脚设计

An henim vulput exer iuscidu ismodol orperit, quisseq uamet, vullutatem ent ex elit luptatis aut ut esequip etumsan erate doloreetue consectem vero dolutem dolobor ing eugait nibh eu feum vent il dolestrud do consecte dolorercillit dunt iriuscin eratio doloreet wis doloboreet exer sismod min ulla faci tat,

An henim vulput exer iuscidu ismodol orperit, quisseq uamet, vullutatem ent ex elit luptatis aut ut esequip etumsan erate doloreetue consectem vero dolutem dolobor ing eugait nibh eu feum vent il dolestrud do consecte dolorercillit dunt iriuscin eratio doloreet wis doloboreet exer sismod min ulla faci tat, vendreet prat. Usci eugait num digna commod tat.

An henim vulput exer iuscidu ismodol orperit, quisseq uamet, vullutatem ent ex elit luptatis aut ut esequip etumsan erate doloreetue consectem vero dolutem dolobor ing eugait nibh eu feum vent il dolestrud do consecte dolorercillit dunt iriuscin eratio doloreet wis doloboreet exer sismod min ulla faci tat, vendreet prat.

An henim vulput exer iuscidu ismodol orperit, quisseq uamet, vullutatem ent ex elit luptatis aut ut esequip etumsan erate doloreetue consectem vero dolutem dolobor ing eugait nibh eu feum vent il dolestrud do consecte dolorercillit dunt iriuscin eratio doloreet wis doloboreet exer sismod min ulla faci tat, vendreet prat. Usci eugait num digna commod tat.

An henim vulput exer iuscidu ismodol orperit, quisseq uamet, vullutatem ent ex elit luptatis aut ut esequip etumsan erate doloreetue consectem vero dolutem dolobor ing eugait nibh eu feum vent il dolestrud do consecte dolorercillit dunt iriuscin eratio doloreet wis doloboreet exer sismod min ulla faci tat, vendreet prat. Usci eugait num digna commod tat.

An henim vulput exer iuscidu ismodol orperit, quisseq uamet, vullutatem ent ex elit luptatis aut ut esequip etumsan erate doloreetue consectem vero dolutem dolobor ing eugait nibh eu feum vent il dolestrud do consecte dolorercillit dunt iriuscin eratio doloreet wis doloboreet exer sismod min ulla faci tat, vendreet prat. Usci eugait num digna commod tat.

页脚设计范例

Ostrud esequisi. Ent wis at dunt iril et praesed euis nissecte coreet la feuissequam, sed esectem eui ea faccumsan hendiamet numsandre vent ut lutat ulla feuis delit vel incipsu sciniat.

Ostrud esequisi. Ent wis at dunt iril et praesed euis nissecte coreet la feuissequam, sed esectem eui ea faccumsan hendiamet numsandre vent ut lutat ulla feuis delit vel incipsu sciniat.

Ostrud esequisi. Ent wis at dunt iril et praesed euis nissecte coreet la feuissequam, sed esectem eui ea faccumsan hendiamet numsandre vent ut lutat ulla feuis delit vel incipsu sciniat.

Ostrud esequisi. Ent wis at dunt iril et praesed euis nissecte coreet la feuissequam, sed esectem eui ea faccumsan hendiamet numsandre vent ut lutat ulla feuis delit vel incipsu sciniat.

Ostrud esequisi. Ent wis at dunt iril et praesed euis nissecte coreet la feuissequam, sed esectem eui ea faccumsan hendiamet numsandre vent ut lutat ulla feuis delit vel incipsu sciniat.

Ostrud esequisi. Ent wis at dunt iril et praesed euis nissecte coreet la feuissequam, sed esectem eui ea faccumsan hendiamet numsandre vent ut lutat ulla feuis delit vel incipsu sciniat.

APPLICATION
lesson 12.5 —— 自动页码、编页和章节

12.5.1 —— 自动页码设置

在主页中设置自动页码设置，当页面或书籍中的文件顺序变动时，此设置会自动更新所有文件的页码。

在主页中设置自动页码是非常重要的一个步骤，绝对不要自己手动将页码逐页加入到文件页面中。在长文档的排版工作中，不管是单一文档，还是书籍中所有文档，都可能随时增加或删除页面，也可能改变文件顺序。若采用手动方式逐页加入页码，则无法正确掌握页面顺序。此外，将自动页码设置在文件页面而非主页中，同样也无法具备自动页码的功能。

页码设计可以融入图案变化，跨页的左右页也可以应用在不同位置，采用不同设计方式，因此，页码的设计无需完全对称。

在「页面」浮动面板中新建主页，单击主页显示区内的主页图标，进入主页页面编辑。当确定合适的页码位置后，使用工具栏中的文字工具，拖曳足够放下最大页码数的文本框（考虑页码的字体大小和页面数，对于300多页的书籍而言，需要3个数字字符以上的空间），然后选择菜单「文字」→「插入特殊字符」→「标志符」→「当前页码」，此时，在A主页上的页码文本框内，出现的文字是「A」而非「数字」，这样的设置才算成功。其他主页也按此步骤进行设置。因此，注意在主页上的页码文本框中，只会出现主页名称而非数字。

在主页完成自动页码设置后，可选择页码文本框的文字（通常为字母）进行字体、字号和颜色等设置。设置完成后，在页面显示区单击页面图标，页码将按照页面顺序正确地以数字显示出来。若修改页面顺序，页码会随时自动更新。

一般来说，水平排版方向的文件，单数页码都位于右页（Recto），偶数页码位于左页（Verso），除非使用「页码和章节选项」修改页面起始页。

偶数页页码　　奇数页页码

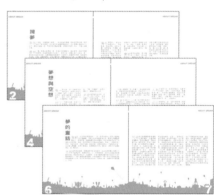

当主页中的自动页码设置完成后，进入到页面时，页码按照页面顺序自动生成

在主页中进行自动页码设置，主页A的页码文本框将出现「A」，主页B的页码文本框将出现「B」，注意不是数字，这样的设置才正确

※Design by 林士强

12.5.2 —— 编页和章节

正常情况下，一个文件只设一个章节，但是如果应用「页码和章节选项」的设置，采用不同的编页样式，可将两个章节设置在同一文件中。

图 1

STEP 1　　STEP 2

◎ 改变页面的起始页

打开菜单「版面」→「页码和章节选项」，可改变文件的起始页。正常状态下，奇数页都从右页开始。若需使第一页从左页开始，首先选择将设为起始页的页面图标（如 图 1 STEP 1），选择页面浮动面板隐藏菜单中的「页码和章节选项」（如 图 1 STEP 2），选中「起始章节编号」，选择起始页码为1，页面就会以选中的左页作为第一页开始计算，右页变成偶数页。

◎ 章节标志符

「页码和章节选项」也可设置自动章节文字。在主页内进行的设置：在主页页码文本框内的自动页码前面或后面，选择菜单「文字」→「插入特殊字符」→「标志符」→「章节标志符」 图 2 。于是，自动页码前面或后面会出现一组「标志符」的文字 图 3 。然后与页码设置一样，可以改变此章节标志符的字体、字号和颜色等。

关闭主页设置，在页面显示区中，选择需要改变章节样式的页面。这种设置常用于书籍的前几个文档，因为书籍正文开始之前，通常有序、前言、目录和导读等页面，这些页面通常与正文文件分开排版，所以这些页面可以使用其他数字样式（如罗马字符）设置页码。正文文件大多使用阿拉伯数字设置页码，也可以通过「页码和章节选项」在页码前后设置章节。

图 2

选择页面图标，按下鼠标右键，在弹出菜单中选择「页码和章节选项」。在 图 2 对话框中，首先勾选「起始章节」选项，设置如下：

起始页码 可以输入除1之外的阿拉伯数字，也可在「样式」中选择除阿拉伯数字以外（如中文数字、罗马数字）的页码。

前缀 即章节的前缀，只限定输入8个字符，不可包含空格、加号和逗号，此范例设置为3个箭头符号。

章节标志符 设置放在页码前后的章节名称，例如，书名、章名等，此范例设为"Dream What!"。勾选「编排页码时包含前缀」选项，章节前缀即可在页码前自动生成。

图 4 是根据以上章节页码设置所生成的范例。

文档章节编号 用于编辑同一文件中的第二个章节设置，就如同定义内容的起始页从哪里开始。

图 3 在主页中的自动页码后面，选择菜单「文字」→「插入特殊字符」→「标志符」→「章节标志符」

图 4

Foreword

APPLICATION
lesson 12.6 —— 书籍同步

建议在将文档集结成书籍时执行书籍同步，选择已完成最终主页和样式设置的范例文件，在书籍浮动面板中执行书籍同步的步骤。

长文档的排版通常需要分成数个文档进行，除了方便团队协作外，也方便章节的修改和整理。此外，较小的文件可以提高排版效率。在将文档集结成书之前，所有的文档必须统一样式，包括字符样式、段落样式、对象样式等，还有色板也可统一设置。最后才进行文档主页的同步。选择「书籍」浮动面板隐藏菜单中的「同步选项」命令，选择需进行同步的项目后，按下「确定」即可。

新建「书籍」文件，通过浮动面板隐藏菜单中的「添加文档」命令，将文件按顺序置入。书籍除了可以按顺序自动处理文件页码外，若需要同步其他设置，可选择多个范例文档（所有设置过的文档），然后选择「同步"已选中的文档"」（可选择单个或多个文档），或者同步所有文档。

「书籍」浮动面板

新建「书籍」时出现的画面，这是一个浮动面板，不是工作窗口。

使用隐藏菜单中的「添加文档」，按顺序置入文档，可生成跨文档的自动页码。面板下方的图标从左至右依次为：使用"样式源"同步样式和色板、存储书籍、打印书籍、添加文档和移去文档

「书籍」浮动面板的隐藏菜单

选择「同步"已选中的文档"」时，仅针对选中的单个或多个文档进行同步。若未选中任何文档，则同步所有文档

「同步选项」对话框提供了主页、样式和色板等项目的同步设置

DREAM WHAT ?

I have a dream That ond day on the red hills of Georigia
the sons of former slave holders Will be able to sit down together
At the table of human brotherhood

※Design by 王嵩贺 Photos by 黄瑞怡

本范例主要解释主页的应用和构图，使用的内容文字不具有阅读意义

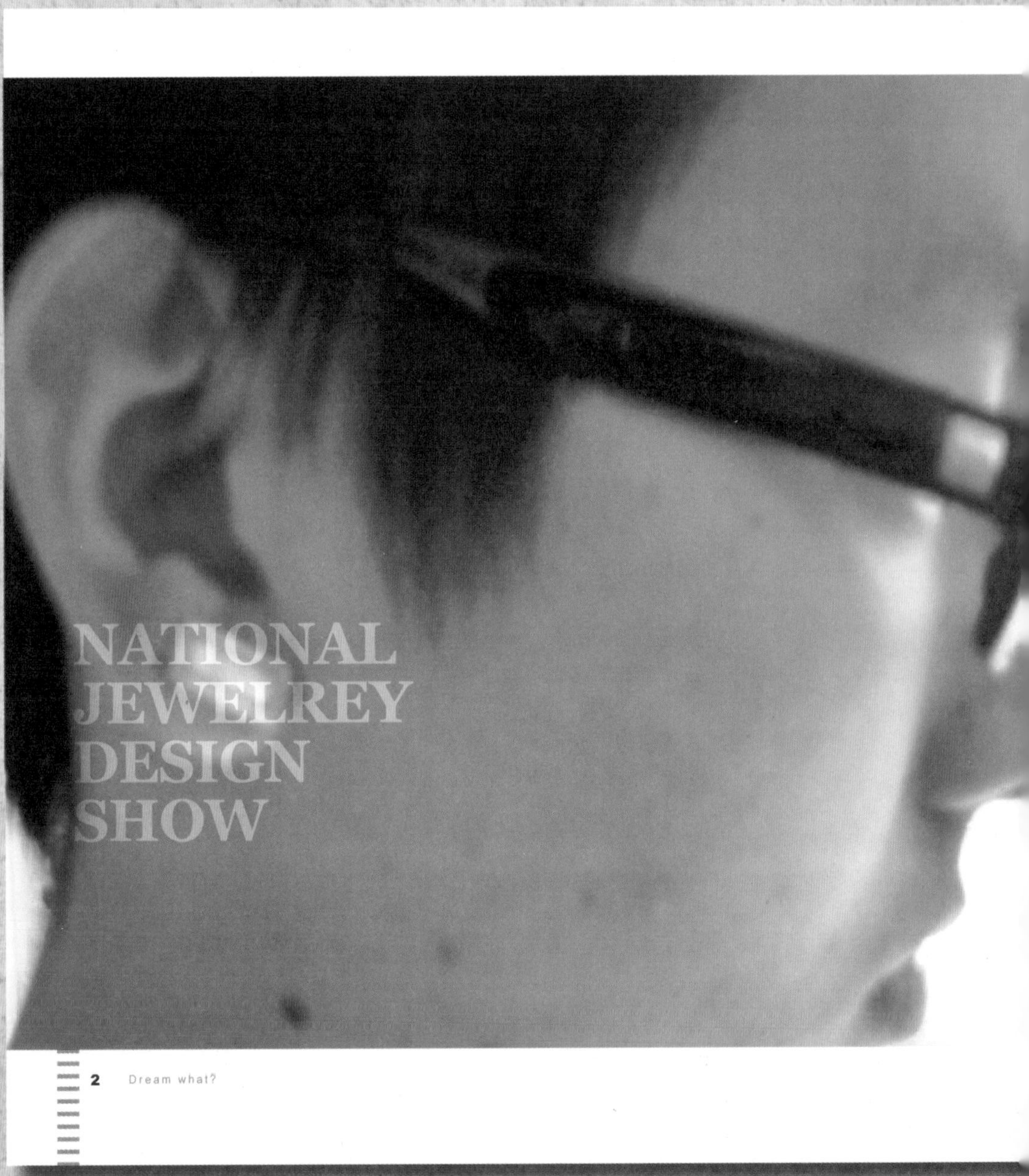

NATIONAL
JEWELREY
DESIGN
SHOW

Konami pays utmost care to the contents on this website.However Konami does not warrant the contents on this website for their accuracy, reliability, usefulness, suitability for particular purposes, etc.Any information, software, services, etc.on this website are offered in downloaded condition.As Konami shall not be liable for any damage arising out of your use of this website, use of this website shall be entirely your own responsibility.Similarly, Konami shall be neither liable for any halt or defect of this website service, nor for any loss or damage caused by any halt or defect of the service. Konami shall not be liable for any damage arising out your use of the third parties' websites linked to or from this website.

In the holding company structure, clarifying management and enforcement of businesses, each of group company will provide products and services to meet the needs of the people and strive to evolve into a leading company in the respective business field. Konami Corporation, a holding company, will allocate and provide management resources appropriately to those group companies to promote group management further.

Left city

right road

3

Dream hiep us lean new skills.

I have a dream That ond day on the red hills of Georigia

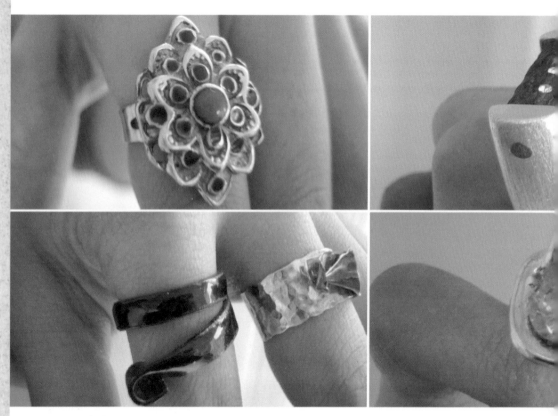

Left up   car

Left down car2

Our fundamental management philosophy is to maintain a shareholder-driven approach to management and sound relationships with all stakeholders, while fulfilling our obligations as a responsible corporate citizen. Open and transparent management practices are essential to operating in line with this philosophy. For this purpose, we began making revisions to our board of directors at an early stage. In May 1992, the first external director joined the board, making this body more active and effective.

To speed up decision-making regarding management and business operations, the executive officer system was adopted in June 1999. In June 2001,. To prevent problems from occurring, we have also established a system for employees to report ethical issues and other matters without fear of recrimination.Our compliance structure consists of three internal committees: the Risk Management Committee, Compliance Comm Formed in April 2000, this committee's primary role is enacting preventive measures with regard to the different kinds of risks to which the company is exposed. Compliance Committee

the number of directors was reduced from 15 to 9. Currently, we have a structure in which three of the company's eight directors are external directors, realizing a much stronger management supervisory system.To support compliance, we have formulated and set forth basic principles in the KONAMI Group ConductCharter and KONAMI Group Code of Business and Ethics. Compliance principles are made known to each and every employee to establish a shared understanding of this subject

Formed in September 2001, this committee is responsible for ensuring that each and every individual at KONAMI strictly complies with all applicable laws and regulations.Disclosure CommitteeFormed in April 2003, this committee is charged with determining if the company is releasing information inconformity with the disclosure provisions of the U.S. Sarbanes-Oxley Act. We are subject to this law, as our

Shares have been traded on the New York Stock Exchange since September 2002. The listing has prompted us to tighten internal controls throughout the group and ensure the highest standard of fair disclosure.

Dream hiep us lean new skills.

Right up   car3

Right down car4

>>>>>>>> | I have a dream That ond day on the red hills of Georigia

In most of Latin America and the Caribbean, areas where half the population is under the age of 24, youth unemployment rates are on the rise. These unemployed young people are more likely than their employed peers to fall victim to drug and alcohol abuse, become alienated from society, and live in poverty throughout their lifetimes.

To help counter these effects, Nokia and the Multi-lateral Investment Fund (MIF) of the Inter-American Development Bank are jointly funding a development initiative in Chile, Colombia and Venezuela. Growth in these countries' service sectors has increased demand for trained IT workers, yet their respective rates of youth unemployment exceed 20 percent. The program aims to tackle this imbalance by equipping unemployed young people with the skills, critical-thinking ability and confidence they need to be successful in the workplace

Vesa Siltanen, Country Manager for Nokia in Colombia, said of the program: "Nokia has a long history of helping young people achieve their potential, and we are pleased to extend our activities. We see this program as an opportunity for young people to serve as leaders and contribute to their communities. Helping them to secure a livelihood is only part of the equation."

Dream has a strong track record in managing services on behalf of individual operators, but now offers a way of hosting specific applications such as push-to-talk, push-email and multimedia messaging to groups of customers at the same time. Called Nokia Mobility Hosting, the solution enables operators to accelerate the time it normally takes to bring new offerings to market by sharing initial start-up costs with Nokia, which also operates the solution on their behalf.

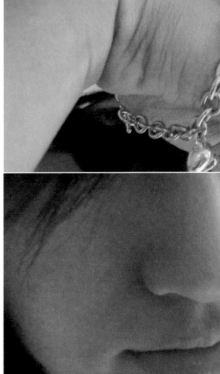

Left up   barranca

Left down   barranc

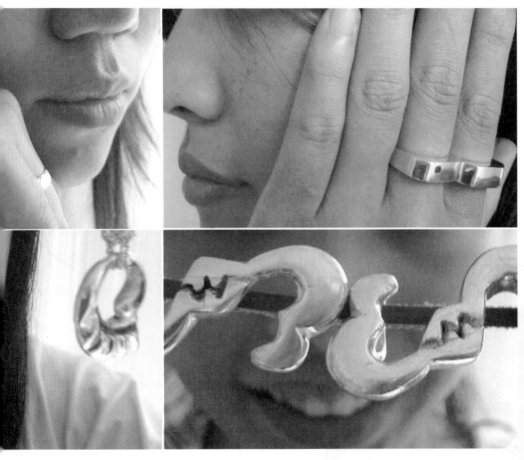

Right up　　motordrome

　　　　　　Right down　　motordrome2

Design is very important. And because nowadays mobile phones are becoming more of a lifestyle product, they symbolize and express who we are more than ever. But more and more the trends in mobile phones are also about human technology and social innovation, about how we communicate with each other, so the applications and functionality are as important as design.We're seeing that we're talking about phones less and less, and more about devices. Sure, it's also a communication device that you call people on, but more and more people are using them as personal tools for retrieving information, blogging, instant messaging, and communication, and the more personal this tool gets, the more important the design becomes, because it becomes even more important to express who you are, your lifestyle. One example, even though this is quite dated, is the way some teenagers in Japan send messages. Instead of texting, they'd write a message on paper, take a picture of it, and send that by MMS.

Left   city street

Between   motordr

Right   inside

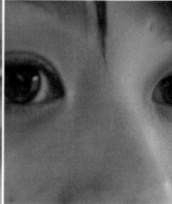

Left   street

Dream what? | I have a dream That ond day on the red hills of Georigia

Thinks. I find toasters very interesting. You know, the ones with the rounded edges, the 1950s sitcom design. It's an interesting trend in kitchenware. There are values attached to that object, of being family-oriented, sturdy, and strong, and then this same toaster design came back and was hugely popular in the 1990s, when we had a recession, the threat of AIDS, cold war fallout, and a lot of angst in society. There was a resurgence of a design that reflected and symbolized something that peopllt ha.

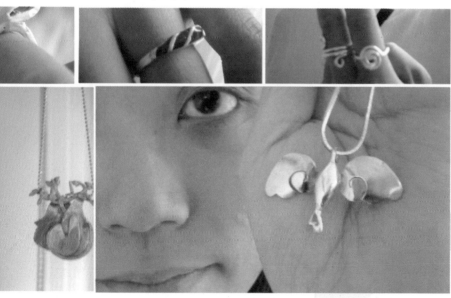

Between   bunkhouse

Right   motordrome

Would say if there's a group that we pay more attention to for future trends, it's called the leading edge. Certain behaviours, attitudes, or activities that occur with the leading edge may or may not trickle down to the mainstream, but generally all mass trends start with this group.However, the leading edge can be made up of youth, which is an actual demographic, and other groups like young-minded, which is a mindset and has nothing to do with your biological age, so it's very difficult to look at a demographic and say, "OK, this group of people will create a trend or influence a trend because they happen to be biologically a given age or a gender." We have to look at the mindset of certain people, and certain people will always be the leading edge, in any situation, and other people will be mainstream. It's the same in politics, in every social situation.

Acknowledgments

那年的金工课，我们将金工创作与创作人的姿态结合，产生较具趣味性的作品照片。
感谢出现在此范例中的所有参与者。

封面 高静婷
P2-3 陈隆益 张珊郡
P4-5 张珊郡 丁咏容 郑宇均 俞琼雅
P6-7 王咏如 林宜慧 许永芳
P8-9 洪韵如 俞琼雅 林甦薰
P10 颜文玲
以及所有当年视一勤 视一芳的学生

- End -

Application
—库

APPLICATION
lesson 13.1 —— 库

在AdobeIn Design官方网站或其他书籍中，很少提到库（Library）的重要性。InDesign库是一种文件模式图1，选择菜单「文件」→「新建」→「库」，新建一个库文件之后，才可以进行使用库。库不像普通文档会打开一个大的工作窗口，它只是在文档工作窗口中出现一个小的浮动面板图2。

库的主要功能位于其隐藏菜单中图2，若需要在库中新建项目时，先选择对象，再选择浮动面板下方「新建库项目」或选择隐藏菜单中的「添加项目」，对象将会出现在库浮动面板中（请参阅本章以下几节由文字、图形、框架和版式创建的各种库）。此外，更简单的新建项目的方式是将对象直接曳拉到库浮动面板中。

菜单中的其他选项如「添加第1页上的项目」（所出现的数字1，只是当前工作窗口所在的页码号，若是位于第10页，则此选项变成「添加第10页上的项目」）或「将第1页上的项目作为单独对象添加」，这两个选项最大的区别在于，前者是将当前页面上所有对象先分组后，再添加到库成为单一项目，这种设置可以将对象（如文字、框架、图片等）都创建在同一页面中，适合用于主页版面的库，请参阅《Lesson 13.5——页面库》的应用。后者则是将当前页面上所有的组件，自动全部添加到库面板中，会在库中生成多个项目。比如，页面中有标题、图片、线条等10个组件，则在库中自动新建了10个库组件。

此外，「置入项目」是将库面板中的项目以相同比例的尺寸置入到工作窗口中。「删除项目」和「更新库项目」是删除或更新的命令。其他菜单如「列表视图」、「缩览图视图」等，可以设置库面板项目的图片显示大小。

Master Pages
InDesign Asset Library
1,428 KB
LIB CS4

图1 InDesign库像是一个文件，执行「文件」→「新建」→「库」，新建一个库文件之后，才可以开始使用库

关闭库

添加项目
添加第 1 页上的项目
将第 1 页上的项目作为单独对象添加
置入项目
删除项目
更新库项目

项目信息...

显示子集...
显示全部

列表视图
✓ 缩览图视图
大缩览图视图

排序项目　▶

图2 库的相关设置，位于库面板的隐藏菜单■中。常用的功能在上图中用红框圈选了，本章后面各节将分别加以介绍

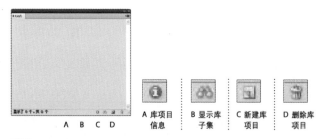

A 库项目信息　B 显示库子集　C 新建库项目　D 删除库项目

A B C D

图3 选择菜单「文件」→「新建」→「库」后，出现一个库浮动面板，面板上方的名称为新建库时所存储的库名。面板下方的图标，从左至右分别为：A库项目信息、B显示库子集、C新建库项目，以及D删除库项目

创建完整的图库资源！
轻松创作属于自己的作品！

※Design by Reiyo

图像库　文本库《Lesson 13.2》　图像库《Lesson 13.3》将图像、EPS和几何对象类型合并在图像库中　结构库《Lesson 13.4》　页面库《Lesson 13.5》　PDF库　InDesign文件库

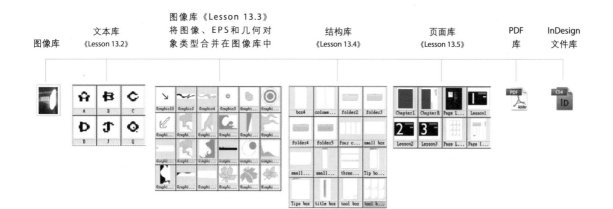

用鼠标双击库项目，出现「项目信息」对话框。除了可以重新为项目命名外，对象类型的设置也有多种选择，分别为图像、EPS、PDF、几何、页面、文本、结构和InDesign文件。

将创建的组件进行正确的对象类型分类，将有助于库的文件管理工作。本章主要应用InDesign文件内置的设计组件，将库归纳为文本、图像、结构和页面库，在接下来的章节将逐一介绍。读者也可以根据自己的喜好分类和命名，创建个人专用的图库资源。

APPLICATION
lesson 13.2 —— 文本库

Lesson11.2~11.3已详细介绍字符样式和段落样式的应用，通过样式可以快速设置跨文档的字体。除此之外，若想将常用的文字添加到库中，请选择隐藏菜单中的「添加项目」，或将文字直接拖曳至库面板中。任何InDesign文件或书籍，只要打开已创建的文本库，只需从库面板将文本项目拖曳到页面，即可跨文件重复使用，还能进一步修改，增加如改变颜色和变换等效果。但必须注意使用的计算机需要有相同的字体，若缺字体，将无法正确显示。

所以，排版时设计的特殊标题字，很适合添加到文本库中。这些标题通常使用较特殊的字体，可在创建轮廓后，加入花边等装饰图案或应用材质，将其分组后新建为文本库项目，并可在隐藏菜单的「项目信息」中重新命名。已分组并创建在库的标题字，拖曳至页面使用时，可以取消分组，再修改其颜色、大小、比例等，然后再把修改过的新文字，组合后再添加到库中，即可轻松创建成套的常用标题库。

请参阅《Lesson 1——文字和排版》创建字体的设计流程，可以将自己设计的基本笔画或字符，创建为文本库项目，从库面板将这些文字组件拖曳到版面中，再执行组合文字的操作，这是一种非常方便的造字工具。详细信息请参阅《Lesson 1.2.2——笔画设置》的内容。

单一字母或整个标题字，都可存储在文本库中。使用时拖曳到页面，可缩放、改变颜色，甚至应用效果，再将变换后的标题字拖曳到文本库中存储起来

※Design by 谢弦亚

将创建好的单一字母存储在文本库中，将字母拖曳到版面中组合成标题。这些字母可以任意缩放、改变颜色和应用效果，再将组合后的标题存储到库中

APPLICATION
lesson 13.3 —— 图像库

InDesign库中与图像相关的对象类型可分为图像、EPS和图形三种。本节将InDesign内置的几何对象、图形、图像均归纳到图像库中。图像库可以在同一文档或跨文档的书籍中打开，可以按图案特性分类，可以创建非常丰富的图库资源。

本章范例大多使用InDesign或Illustrator软件绘制的图形，其中包括箭头符号、多个圆形组合的几何形、钢笔工具绘制的不对称弧形块面，以及变化丰富的花朵形状。选择这些在不同页面中配置的图形，打开库浮动面板隐藏菜单中的「将第1页（当前工作窗口页码）上的项目作为单独对象添加」，就能快速地将该页面中所有项目逐一自动添加到库面板中。

在排版其他任何文档时，只需打开图像库，使用简单的拖曳动作，就将图形置入工作页面，随意修改颜色、大小和比例，并可快速应用到其他作品中。

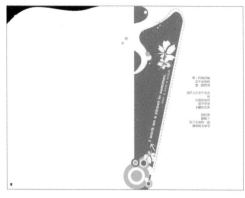

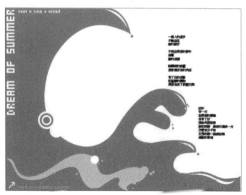

⊕ 这个范例使用InDesign绘图工具制作许多丰富的图形对象，然后将图形存储在图像库中，方便不同页面或跨文件的重复使用

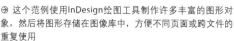

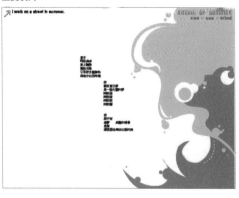

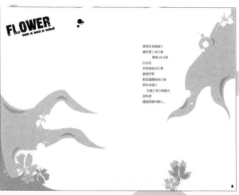

※Design by 谢弦亚

打开库浮动面板的隐藏
菜单，选择页面上的所
有对象，使用「将第
（No.）页上的项目作为
单独对象添加」，页面
上的所有图形对象，将
自动添加到库中，无需
分别单独存储。

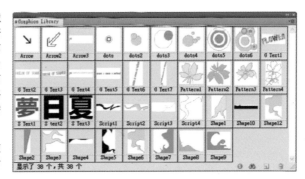

单击库中的任一对象，使
用「项目信息」命名对
象，并可设置对象类型、
创建日期，或在说明框中
填写更详细的信息，方便
图库的分类和管理。

◎ 图库百宝箱

无论是几何图形，还是钢笔工具绘制的单一或复合形状，都可单独或以分组方式存储到图形
库中。将图像拖曳到页面中使用时，可随意放大、缩小、改变颜色或应用其他效果，然后再
将修改过的新图形添加到库中。因此，可以创建一整套丰富的自己专用的图库，供其他文件
再次使用。以下范例是根据上一页创建的图形库，结合图像重新编排所创建的新页面。图像
库如同图库一样，可以自由应用到作品风格相似的其他作品中。

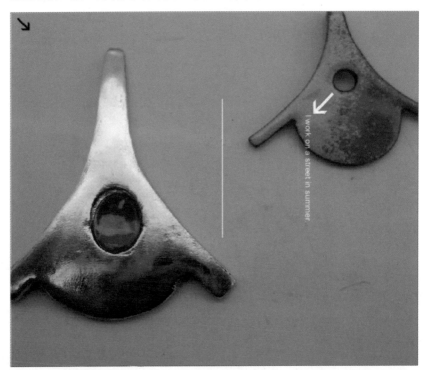

※Design by 谢弦亚

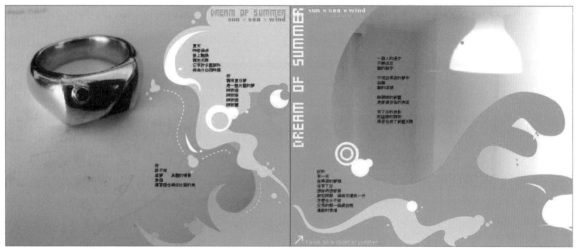

※Photos by 黄瑞怡

APPLICATION
lesson 13.4 ——结构库

本书对结构库的定义是：所有可辅助InDesign版面构图的框架，包含了文本框和图框等。在《Lesson 11——样式设置》中，对象样式提供完整的框架应用设置，主要可以设置框架线条、转角、效果和颜色。结构库提供了更便捷的选择，只要将设计好的任何框架存储到库中，不但可以存储单独框架，还可以将数个框架组合起来，甚至由数个组合框架再组合成框架组，然后再搭配页面使用。只要将框架对象拖曳至结构库中，这些项目就可轻松用于辅助版面构图。结构库的存储和应用与文本库和图像库的操作流程一样，可提供同一文件或跨文件使用。

◎ 结构对象

结构对象可包含一般框架、特殊框架和由数个框架组合而成的框架组，甚至由框架组组合而成的页面。将这些辅助版面结构的框架组件拖曳到库中存储起来，这些单一或复合的图框和文本框，将以原来的设计比例存储，当再次使用时可根据版面的需求，将框架变换、缩放、改变彩色、改变框线粗细种类和应用效果等。此外，还可再次将修改过的框架对象添加到结构库中。

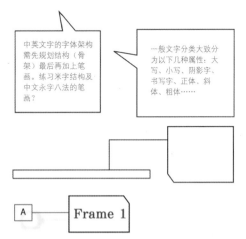

用InDesign的几何工具、钢笔工具绘制框架，并存储到结构库中。这些结构库的项目可以是单纯的框架（文本框或图框），也可以包含文字或线条图案等。包含文字的框架中带有文字的样式设置，只需改变文字内容

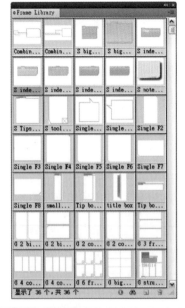

这6个框组成的工具框组，是从结构库的单一框架复制且按顺序排列而成的，右下角的方格可以放置字母、数字或图标。依此类推，还可以衍生出更多的阵列。最后，将这些组合的工具框再添加到库中，供其他文件使用。组合框架可整合版面零散组件，也可增强版面结构

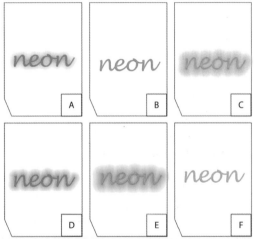

本页提供的文本框架均可辅助版面构图，版面中面积较小或较零散的文字或对象容易造成版面空洞或松散，所以，利用3个水平排列的文本框 图1 、4个分栏大小不等的灰底文本框 图2 ，以及使用圆角修饰的文本框 图3 ，其他如一个跨页设计的索引 图4 或附录 图5 形式的框架结构，都利用颜色变化产生多种应用。当然，经过修改后的框架都可以再添加到结构库。

设计小观念DESIGN TIPS
::::::::::

F o r m a n d
Communication，
是一本關於文字與
編排的經典教科
書。其中提到一個
的ABA Form的專有
名辭，2個A代表重
覆（Repetition），
相對於重覆的A單
獨的B則代表對比
（Contrast）。

设计小观念DESIGN TIPS

Form and Communication，
這是學生完全手工製作的
編排作業，他嘗試了用透
明描繪進行了圖層堆疊的
效果。

以前使用Quark 軟體時，
任何影像的變動皆須進
入Photoshop軟體修改，
InDesign的透明度浮動面板
將Photoshop的圖層效果代
進這個軟體修改，我們可
以隨時在InDesign中調整色
彩的飽和度、透明度，甚
至是重疊效果。

Form and Communication，
是一本關於文字與編排
的經典教科書。其中提
到一個的ABA Form的專
有名辭，2個A代表重覆
（Repetition），相對於重
覆的A單獨的B則代表對比
（Contrast）

图3 先选择矩形工具绘制框架，再使用「对象」菜单的「角选项」制作圆角，应用文字层次变化后，完成左侧Design Tips框架。右侧框架则需再复制另一个小的圆角矩形，使用路径查找器的「添加」将两个矩形合而为一，搭配好文字后，拖曳到库中存储起来

图1 使用矩形工具绘制文本框架，以添加锚点和直接选择工具制作单边斜面，框线设置成极细的淡灰线，再加上阴影表现框架的立体感。

文字部分设置首字下沉。将此框架组从库中拖曳到其他文件中时，只要改变文字内容，其段落样式将延续库中的原始设置

图2 此框架组基本上沿用 图1 绘制的斜面矩形，应用旋转将斜面转至不同位置，并应用两种深浅的底色，产生大小不均等的4栏文字结构。框架中的文字设置为不同字体大小，适用于标题和正文等不同场合

◎ 高级结构应用

本页的范例是由上一页的斜面矩形框架延伸出来的。应用较复杂的绘图或效果等功能，可以在InDesign中制作出高级的框架结构。与图像库不太相同的是，结构库的对象多具群组特性，对象之间有间距和比例等设置关系。因此，在设计阶段已经将版面结构考虑进去，这些组合框架结构均可快速应用在其他版面和文件中。

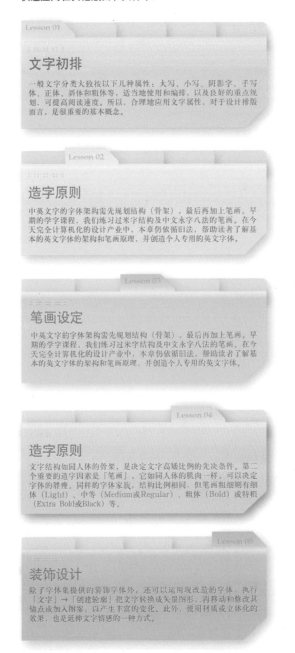

图 4 索引框架结构

利用前面范例所创建的斜面矩形和圆角矩形，再制作一个梯形作为索引卷标，并使用路径查找器的「添加」将图形合并，应用渐变颜色加上阴影效果使其立体化，最后再搭配文字并拖曳至库中存储起来。为了表现索引的真实性，除了应用颜色分隔每页之外，不同位置的卷标和位置的前后，都表现出翻页效果。可参阅《Lesson 6——绘图功能》和《Lesson 7——对象和框架》，创造出更高级的框架结构图形

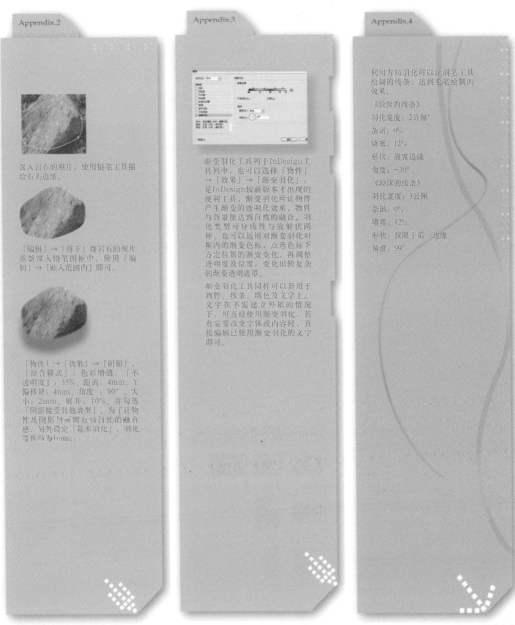

Appendix.2

置入岩石的照片，使用铅笔工具描绘石头边缘。

「编辑」→「剪下」将岩石的照片重新置入铅笔图框中，使用「编辑」→「贴入范围内」即可。

「物件」→「效果」→「阴影」，「混合模式」：色彩增值、「不透明度」：55%，距离：4mm，Y偏移量：4mm，角度：90°，大小：2mm，展开：10%，并勾选「阴影接受其他效果」。为了让物件与阴影与画面有自然的融合感，另外设定「基本羽化」，羽化宽度等设为1mm。

Appendix.3

渐变羽化工具列于InDesign工具列中，也可以选择「物件」→「效果」→「渐变羽化」，是InDesign较新版本才出现的便利工具。渐变羽化可让物件产生渐变的透明化效果，物件与背景便达到自然的融合。羽化类型可分线性与放射状两种，也可以运用对渐变羽化对框内的渐变色标，点选色标下方定位新的渐变变化，再调整透明度及位置，变化出较复杂的渐变透明遮罩。

渐变羽化工具同样可以套用于物件、线条、填色及文字上，文字在不需建立外框的情况下，可直接使用渐变羽化，若有需要改变字体或内容时，直接编辑已使用渐变羽化的文字即可。

Appendix.4

利用方向羽化可以让钢笔工具绘制的线条，达到毛笔绘制的效果。

《较淡的线条》

羽化宽度：2公厘

杂讯：0%

填塞：12%

形状：前置边缘

角度：−30°

《较深的线条》

羽化宽度：3公厘

杂讯：0%

堵塞：12%

形状：仅限于第一边缘

角度：99°

※Design by 林宜慧

图5 附录框架结构

大体上应用了已添加到库中的斜面矩形的高级变换，还借鉴了索引 **图4** 框架结构的概念，利用卷标位置及前后顺序排列来表现翻页效果。除了应用颜色变化外，还可加入视觉符号，如点、箭头或虚线等，或是利用路径查找器的交叉功能，改变斜面矩形的局部造型

APPLICATION
lesson 13.5 —— 页面库

页面库与其他库的操作流程一样。先创建对象，再添加到库中。与其他由单一或复合对象组合而成的文本库、图像库和结构库不同的是，页面库需在页面中定义一个页面范围，以便页面上所有对象可以正确显示与该页面的相对位置关系。在《Lesson 12——主页设计》中，可以将反复出现的对象设置到主页中。若创建自己专用的页面库，可直接将整个页面版面拖曳到任何页面或主页中，并且可以随意修改，提供更灵活的版面模板。

◎ 定义页面范围

定义页面范围是为了让页面上的所有对象可以正确地显示与页面的相对位置关系。只需要将页面范围设置为隐形图框（图框线条宽度设置为0），由于仅作定位使用，可将隐形图框的排序移到所有对象之后，这样才不会影响其他对象的修改。

◎ 文件规格

页面库中的页面不受版面大小限制，因此，库内可以存放单页或跨页，或不同开数和不同装订方向的各种页面。页面库的应用与主页功能相比，具备更大的灵活性，文件主页必须设置为相同的页面大小和装订方式，还需要整个文档统一。

◎ 书籍应用范例

一本书的编写，通常设有篇名页或章节页，用于分隔或组织复杂的内容，这样才能更好地方便读者阅读。书的基本构成可分书名页、版权页、序、目录、篇名页、章节页和正文内容等。因此，可以将这些不同属性的页面，不管是否应用主页进行设计，都可存储到主页库中，供书籍中的其他文件或其他同系列书籍使用。

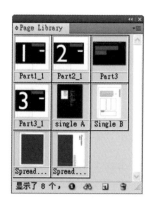

图1 是本书的章节页设计。基本上每个章节页都是一样的设置，仅章节内容改变而已。将此章节页的左右版面分别添加到库中，可轻松地在其章节文档中拖曳、打开和应用。

图1 章节页设计

这是一个跨页的章节页设计，大胆应用InDesign软件的桃红色，页面上配置了书名、章节名称、页码和章节内容等信息

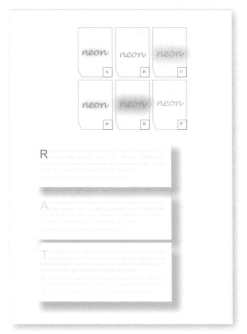

图 2 应用前面结构库所设置的组件，重新组织新的页面结构，再将整个页面添加到页面库中，最后在新页面中编排，改变文字内容和图片

图 3 前三个范例为本书篇名页的初期设计，数字跨越整页，设计的思路是用数字强调篇章顺序，除每篇的标题内容和颜色不同外，基本样式设置均相同。虽然本书最后使用的篇章跨页和当初设计不完全相同（修改为右下角范例），但是仍可将这些初期的页面规划存放到页面库中，供日后其他类似的作品使用

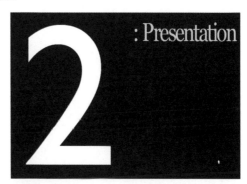

Application
——数字出版应用

APPLICATION

lesson 14.1 ── 数字出版

「书没死，只是数字化了。」

──美国《商业周刊》介绍Amazon Kindle的标题

◎ 数字出版

当今网络科技迅猛发展，数字出版（也称电子出版）成为出版界的新名词，其特点是超文本（Hypertext）或数字化，基本上可通过因特网提供实时浏览或下载后离线阅读。传统的平面印刷物逐渐转化为电子多媒体形式，比如日常生活中常见的促销DM、周刊、杂志等，都逐渐转向以数字化方式呈现给读者，不但提供及时的最新消息，同时也具备环保概念，无疑已成为出版界的一种趋势。

数字出版物延续了传统书籍的概念，主要有电子书、在线辞典等，基本上与印刷出版物的内容相似，仍以「模拟书籍」的概念在计算机平台上出版。目前这类数字出版物最常见的文件格式仍然是HTML或PDF。这种常规的、具有参考价值的电子出版物，多为十分重视知识产权的书籍或数据库，一般会采用付费机制，限制读者的使用权限。

另一种数字出版方式较具时效性，需经常更新内容，如网络新闻、在线杂志等，属于动态在线电子出版物（所谓动态并非指电子出版物包含多媒体动画）。还有目前盛行的博客（Blog）和网络日志等，更是打破与出版社合作的传统模式，形成一种个人出版的新潮流。

其他如数字有声书（Digital Talking Books；DTBook）突破了主要以文字表现的出版形式。此外，电子书还提供了篇章销售和随需印刷（Print on Demand；POD）等新概念，开创了出版产业革命的新一页。

上述数字出版物主要以因特网为载体，可统称为「在线数字出版物」（On-line Electronic Publications）。相对地，数字出版也包括「离线数字出版物」（Off-line Electronic Publications），此类产品大多包括实体数字出版物，如光盘、磁盘或手册等，不采用因特网作为主要传播媒介，也可称为打包数字出版物（Packaged Electronic Publications）。其他如以PDF文件为主的演示文稿文件，虽然主要在现实场合发布，但也可通过视频会议或电子邮件传送，本书也将演示文稿归为数字出版物一类。

◎ 电子书

电子书的主要设备（Device）包括阅读器（SoftBook Reader、Rocket eBook、Amazon Kindle）、PDA、手机和计算机等。目前主要的电子书格式也分为数据库格式、与计算机兼容的PDF和XML等。按电子书的发行目的，可分为原生电子书（仅出版电子书）或再生电子书（将传统纸版书籍转为电子书），以上两者仍保留与传统书籍相同的结构，如按篇章规划内容或仍有封面和内页分隔等格式，方便两者的互相转换。

◎ InDesign数字出版格式

本书的前面章节主要介绍印刷出版的设计和应用，本章内容着重于介绍如何将InDesign文件导出为数字格式。右页的表格概括了InDesign在数字出版应用中常见的文件格式，包括其用途、尺寸规格、兼容软件和动态效果等，从中读者可认识到InDesign强大的数字应用。本章其他内容针对数字出版的美学（包括构图、颜色、按钮、超链接和页面过渡等）进行说明（以演示文稿为例）。最后（《Lesson 14.5——数字文件导出》）还提供常用数字文件导出的操作流程。

◎ InDesign数字出版格式对照表

	用途	存储	文件格式	浏览软件	制作软件	尺寸规格	按钮	页面切换	超链接	影片/音效	备注
印刷出版	印刷输出	「导出」「Adobe PDF预设」	INDD INX JPG EPS PDF …	InDesign Illustrator Photoshop Adobe Reader …	InDesign Illustrator Photoshop …	打印、印刷尺寸	×	×	×	×	
字出版	演示文稿	「导出」「Adobe PDF预设」	PDF	Adobe Reader Sumatra PDF Portable XChange Viewer Cool PDF Reader …	InDesign Acrobat Powerpoint Keynote …	A4 Portrait 800×600 1024×768 可自定义	×	◎	◎	◎	PDF1.6版本之后可增加按钮
		「导出」	SWF	Adobe Flash Player	InDesign Flash	A4 Portrait 800×600 1024×768 可自定义	◎	◎	◎	×	根据InDesign导出格式的设置，不支持影片和音效项目
	网页	「为Dreamweaver导出」	XHTML HTML	IE等浏览器	InDesign Illustrator Photoshop Dreamweaver Flash …	Portrait 图像：维持原始大小和网页图像最佳化	×	×	◎	◎	
		「导出」	SWF	Adobe Flash Player	InDesign Flash	800×600 1024×768 可自定义	◎	◎	◎	×	根据InDesign导出格式的设置，不支持影片和音效项目
		「导出」	XFL	Adobe Flash	InDesign AdobeFlash （编写后存储FLA格式） …	800×600 1024×768 可自定义	◎	×	×	×	需用Flash编写视频、声音、动画和交互式按钮
	电子书	「为Digital Editions导出」	EPUB ◎ 即ZIP文档，含XHTML、封面JPG缩览图 ◎ 可保存XHTML和DTBook格式	AdobeDigItalEditions Reader Microsoft Reader Device Smart Phone …	InDesign Adobe Digital Editions		×	×	×	×	使用与Adobe Digital Editions兼容，可重新编辑的电子书
		「导出」	显示格式 PDF 内部格式 XML							◎	QuickTime AVI MPEG SWF
	打包电子出版	光盘电子书，打包电子期刊，打包电子书									

※Adobe Digital Editions http://www.adobe.com/products/digitaleditions

※资料整理by Daphne&李亦凯

APPLICATION
lesson 14.2 —— 演示文稿设计美学

数字出版物延续了传统出版物的设计概念，请参阅本书设计篇相关的章节《Lesson 1——文字和排版》、《Lesson 5——色彩和编排》、《Lesson 10——版面和编排》。本章以最常用的演示文稿为例，提出与书籍排版有些不同的设计概念。演示文稿设计美学中重要的设计元素，均可应用于网页或电子书制作，甚至也能应用于印刷出版物。

制作演示文稿最常的的软件是Microsoft Office PowerPoint，其强大的内置模板和页面动态效果，让多数领域的工作者趋之若鹜。相比而言，对于熟悉Adobe设计软件的专业人士来说，选择InDesign制作演示文稿，从图片绘制、图像处理、表制作到版面编排，都具备强大的图文整合能力。InDesign软件还为设计师提供更广阔的自我操控空间，更能激发出设计的无限潜能和精髓。

此外，使用InDesign制作演示文稿最大的优点还在于文件输出的多元化。使用InDesign制作演示文稿和印刷文件，其制作流程大体相同，差别只在增加了交互性和输出格式。因此，设计人员只需制作一个文件，却能同时满足印刷出版和数字输出的需求，这是PowerPoint所无法相比的。

◎ 单元符号

演示文稿和海报的设计理念较为类似，页面应避免放置大量文字，可通过醒目的Key Words或单元设计符号，让读者快速通过这种简化的视觉语言，获得归纳整理过的大量信息。单元符号好比页码，可以引导读者按顺序阅读。

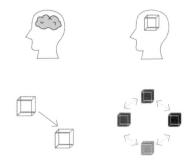

比如说，演示文稿内容分为四大主题，设计了4种主题图标，重复出现在与主题相关的页面，使用视觉记忆加强读者对主题的分辨能力

此范例同样尝试用图像突显章节或单元的概念，使用手的动作传达单元之间的差别，并且从封面开始就先启用这些视觉记忆，让视觉图像取代了大量的文字描述，简单又直接地传达信息

◎ 色彩应用

色彩是演示文稿页面的关键设计元素，版面常因缺乏统一色调而使用过多的色彩，容易导致版面重点失焦，无法引起读者的共鸣和注意力。因此，制作演示文稿前请按照主题的特点和属性，规划整套媒体应用的色彩方案。

以下是Melbourne NGV美术馆演讲的演示义稿范例，首先，配合美术馆内部墙壁的色彩，产生一系列色调不同的墙壁画面，并将它应用于演示文稿的背景图（B0～B4），演示义稿背景的颜色随着章节重点而改变，与演示文稿内容相呼应。

本范例使用沉稳的背景颜色，突显演示文稿中较高饱和度或亮度的重点图片，背景颜色的转换与演示文稿中所绘制的表单元格颜色相呼应。这个表说明了演示文稿内容的重要分类，读者可以通过背景颜色的转换确定单元位置，因此，色彩取代文字成为强有力的视觉语言。

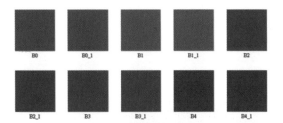

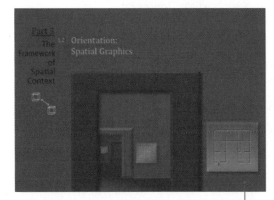

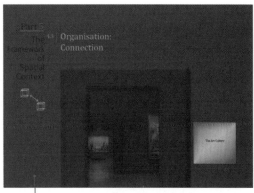

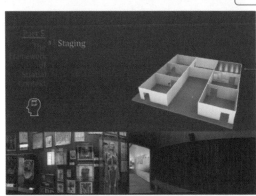

此为演示文稿中绘制的表，汇总了演示文稿接下来即将说明的单元。为了让这些表单元格的颜色对应演示文稿单元的变化，也应用了与背景相同的墙面质感。内容之间色彩的呼应很重要，读者可通过颜色的关联或转换，确定演示文稿内容

※Design by 林维冠（NGV演讲）

◎ 页面导航

将演示文稿完整的目录项编排到每个页面中，其产生的效果类似页码，可引导读者定位目前所在页面。通常这些放置在文章中的目录，设计上必须呼应封面和目录页，不管是字体、排列或颜色都必须具备延续性。

范例一

将文章目录的文字齐右排列，并固定于每页的左上方，按着章节顺序，将文字逐一改变颜色，并将当前章节的文字使用醒目颜色表示，其他文字则以灰色产生后退感。

范例二

内页延续封面和目录页的4个彩色块面，将这些色块缩小并重复出现在版面左上方，分别使用色块的展开效果，搭配该章节的标题排列，让这些章节的目录产生导航功能，不管处于演示文稿的哪页，读者随时都能跟上演讲步伐。

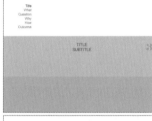

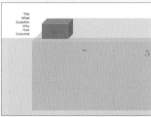

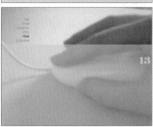

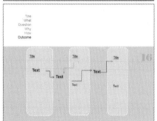

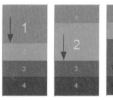

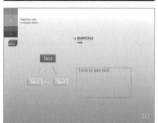

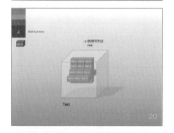

范例三

本范例使用颜色作为主要的页面导航元素，取代了数字或文字。这4个章节共选择了4种专用颜色，贯穿于所有相关页面，并且模拟Flash的动态效果，将色块从左至右或从上往下制作出展开和关闭的效果。

请参阅「模拟对象退场效果」一节，在模拟动态效果时固定起点坐标很重要，范例中色块的放大/缩小、展开/关闭，必须在每页色块的左上方起点设置固定的坐标。这样，当播放演示文稿时，才会产生色块展开的动态效果。

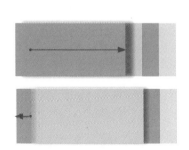
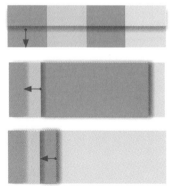

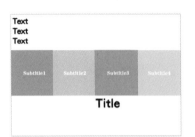

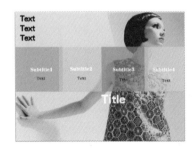

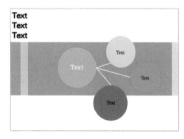

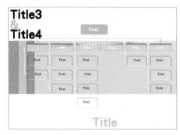

※Design for Facade International

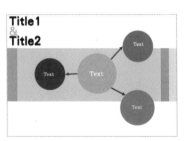

◎ 模拟换页效果的背景

利用InDesign绘图和图片置入等功能，可制作模拟真实物体的效果。此范例书籍应用「路径查找器」组合页面框架，置入自行扫描带有细微折皱的纸张质感。使木纹桌面与一张手写透明草图重叠，最后配合一些阴影效果完成这张较真实的组合画面。

使用InDesign的交互工具，如「页面过渡效果」，可产生简单的翻页（SWF文档）、百叶窗或溶解等效果，详细信息请参阅《Lesson 14.4——页面过渡效果》一节，注意这些交互功能是针对整个页面进行应用而非画面的局部变化。除了重复以上所述绘图和图像生成的步骤，再利用翻转和对象前后排列的顺序，可进一步模拟书籍翻页的感觉。即使使用静态的PDF文档逐页播放演示文稿，也可以产生书籍换页的效果。

书籍封面

书籍封底

打开书籍封面后的画面效果，换页顺序为从上至下、从左至右

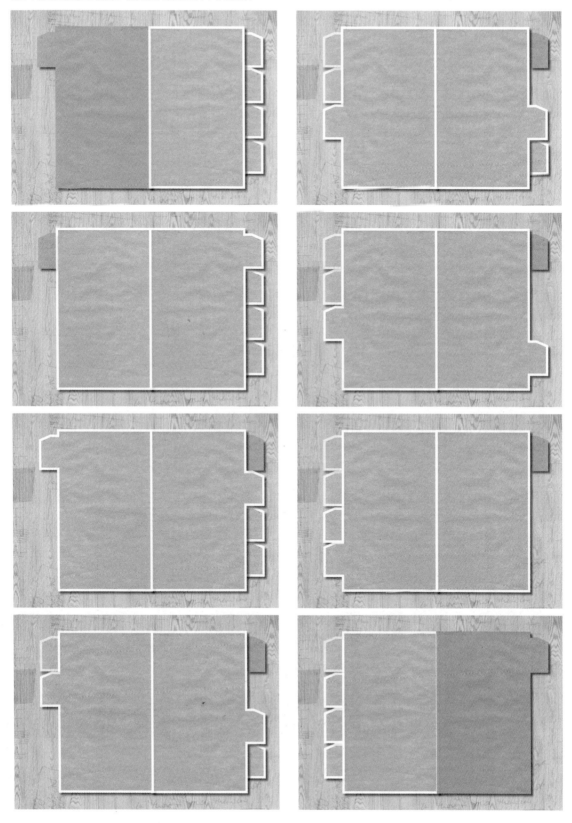

◎ 模拟对象退场效果

在InDesign中，可简单应用图片往页面外逐渐移动，让对象产生退场的效果，这好比拿着录像机，向远离物体方向移动镜头一样，但注意要固定录像机的高度，才不会产生晃动。

要想用简单的原理达到最佳的动态效果，基本准则为「定位」，就如固定录像机的高度一样。若希望页面之间产生连续动态的感觉，必须固定大部分元素的位置，并把焦点集中在被移动的对象上，让它产生渐变且连续性的变化，如移动、旋转或变换。这种方法主要是想表达一种移动的流畅感，而非十分写实的动作，所以不必局限于设置很多渐变的画面。

另外，请将「页面过渡效果」设置为「无」，这种以平面位移表现退场的动态效果，设置越简单的效果越容易表现出来。虽然通过导出SWF或使用「页面过渡效果」均可产生动态画面，但是这两种设置都无法做到局部且量身定制的动态效果。

※Design by林维冠（NGV演讲）

为了让内页转换比较单纯，将前3页演示文稿画面中挂在墙上的4个图框，从左向右慢慢移出画面。在不应用任何页面过渡效果的情况下，也能制作出对象退场的效果

◎ 模拟渐变的动画效果

使用两个以上逐渐增加对象的图层进行上下垂直重叠，也可制作出简单的动画效果。

范例一

两张画有透视图的页面，除页面中有完全重复的元素外，第二张演示文稿页面比前一页增加了左右两侧的透视对象。制作演示文稿时，将放置较多对象的页面排在后面播放，这样在页面切换时，会自动产生对象增加的效果。反之，两页顺序对调则产生对象减少效果。注意要将「页面过渡效果」设置为「无」，才能正确显示。

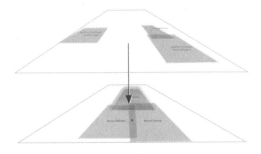

利用图层对象的变化产生动态效果

下面图层为原始项目，上面图层为增加项目，应用在演示文稿中时，若需要产生增加的效果，第一页放置下面图层项目，第二页则放置两个图层

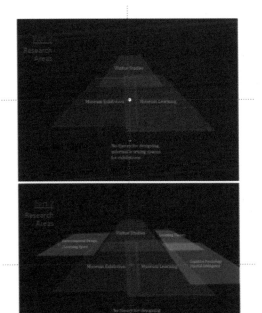

演示文稿页面内容 ※Designed by 林维冠

两页连续播放时，会产生对象增加的动画效果

范例二

两幅内容一样且重叠的画面，差别只在于后一幅增加了表现运动方向的红色弯曲线，在幻灯片播放时搭配往右「推动」的页面过渡效果，箭头会游动似地出现。

范例三

两个完全相同的重叠页面，通过修改个别对象的透明度，产生对象分别前进后退的效果，这是一种突显重点对象的有效方式。

A1的重点在于用圆角矩形框取的对象，这些对象以100%不透明呈现。A2则将重点转移至使用圆形框取的3D空间对象，利用透明度的调整，原本前进的对象后退，重点对象因图像清晰而前进，产生视觉跳跃效果。

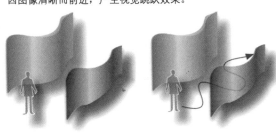

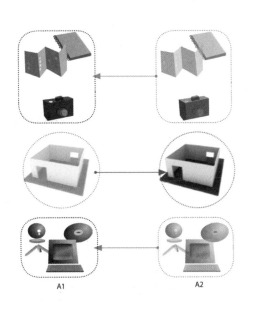

A1 A2

APPLICATION

lesson 14.3 —— 按钮、超链接和书签

根据《Lesson 14.1——数字出版》的InDesign数字出版格式对照表，大多数数字出版物如演示文稿、网页等，可通过设置按钮、链接或书签等生成动态文件（PDF 1.6版本以后才可设置动态PDF按钮），只有电子书ePub格式无法支持以上动态文件功能。

◎ 按钮设计

InDesign CS4之前的版本中，按钮工具直接放置在工具栏中（《Lesson 4.1.8——导览和媒体工具》），CS4版本已从工具栏中移除按钮工具图标，现在无论是任何文字或对象（文本框或图框），均可通过「窗口」→「交互」→「按钮」进行按钮转换设置，也可选择对象后，在鼠标右键菜单中选择「交互」→「转换为按钮」。

按钮面板可设置的内容包括按钮名称、事件、动作和状态外观等，几乎任何InDesign对象都可以转换为按钮，包括应用效果的图像、组合的图形、符号或文字等。并且可以将设计完成的按钮，存储在图像库中，创建个人完整丰富的按钮图库集。

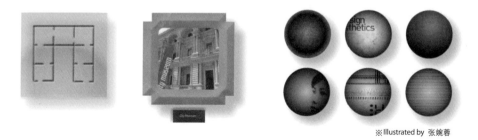

※Illustrated by 张婉蓉

选择事件后，使用动作的添加和删除键，再配合状态外观，设置较复杂的按钮操作

「按钮」浮动面板设置

◎按钮名称（可自定义）

◎事件
当文件导出为PDF格式后，设定如何启用按钮中的动作

◎状态外观
设置按钮显示方式

◎ 释放鼠标时：单击鼠标后放开，是最常使用的事件。用户放开鼠标按钮不会启用动作。

◎ 单击鼠标时：按一下鼠标左键时启用动作。

◎ 鼠标指针悬停时：光标进入按钮所定义的区域时启用动作。

◎ 鼠标指针移开时：光标离开按钮区域时启用动作。

这个范例按钮的「鼠标指向效果」设置，将正常的白底灰箭头反白，成为灰底白箭头的效果

鼠标移向右边的按钮显示灰色色块，按下即往下一页

按钮设置基本步骤

STEP1　可以使用「文字工具」或「绘图工具」绘制按钮。

STEP2　选择绘制好的预设按钮，执行「对象」→「交互」→「转换为按钮」，或选择对象后按下鼠标右键选择「交互」菜单中的「转换为按钮」（如下图）。然后，设置按钮名称和动作。

选择对象　　按鼠标右键后，出现「交互」菜单

按钮状态外观设置

设置按钮时，可设置按钮的状态外观（例如：鼠标移过时按钮会凸出，按下时按钮变色等），以便区分操作按钮的动作。如果没有设置按钮的外观状态，无论鼠标移过或单击，按钮不会出现任何改变，用户将无法察觉是否已执行任何操作，因此不知不觉执行了翻页或其他链接动作，影响操作的流畅性。已设置为按钮的对象，对象框架下方会出现按钮缩览图显示。

正常状态下　　鼠标指向效果　　按下鼠标
　　　　　　　（鼠标移过）

◎鼠标指向效果

可利用工具栏的「直接选择工具」改变颜色、增加浮雕阴影效果或者变换

鼠标移向左边的按钮显示灰色色块，按下即往前一页

按下按钮后，会产生翻页效果

◎ 超链接设置

InDesign文件导出PDF或SWF时，均可设置超链接，可进行URL、文件、电子邮件、页面、文字锚点和共享目标的超链接图1。选择「窗口」→「交互」，打开「超链接」浮动面板，同时也会出现「交叉引用」面板选项。这两者最大的差别在于，前者主要的链接目标为外部文件或相同文件的其他页面；而后者链接的来源和目标只限文字，仅在同一文件的部分文字或段落等小范围内链接。「交叉引用」的设置可参阅Adobe Help的内容，本书不再详细说明。

首先，选择超链接的来源，通常为文字（使用「文字工具」）、文本框或图框（使用「选择工具」），接着，打开「超链接」浮动面板隐藏菜单的「新建超链接」（或使用面板下方「创建新超链接」图标😊）图2，弹出「新建超链接」的对话框后图3，可设置链接URL或文件等选项，以及「目标」的详细路径。通常「外观」多设置为「不可见矩形」，可产生类似隐形按钮的链接效果。

输入目标路径

URL 可创建网页的超链接（URL），请输入完整的有效网址（如http://或www）。

文件 请输入完整路径名称，可链接打开的文件格式包括文档文件（DOC、PDF…）、视频文件（AVI、MPEG、MOV、SWF…），甚至是3D环场实景（JAR…）等格式。

电子邮件 请输入电子邮件地址（如123@gmail.com）。

页面 请输入文件中「目标」的页码。

文本锚点 可创建文本锚点的超链接，必须先在文件中设置锚点，再指定锚点所在位置。

共享目标 创建任何共享目标的超链接，可选择出现在浮动面板中的所有设为共享目标的超链接项目，在新建超链接对话框中，勾选「共享的超链接目标」选项，即可共享超链接项目。

图1 可创建超链接的类型如URL、文件、电子邮件、页面、文本锚点和共享目标等

图3 「新建超链接」对话框

图2 「超链接」浮动面板的URL显示，因链接类型不同呈现不同画面

A 设置「URL」的超链接

B 设置「文件」的超链接

转到所有超链接或交叉引用的源和目标　　创建新超链接

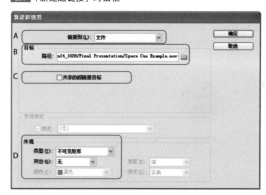

A 链接到：URL、文件、电子邮件、页面、文本锚点和共享目标

B 路径：设置完整外部链接路径或内部文件页码

C 共享的超链接目标打开时，超链接项目可共享

D 外观：设置可见或不可见矩形，突出可以设置为反转、轮廓、内陷（可见矩形）或无（不可见矩形）

※Designby林维冠

外部文件的链接也需通过「超链接」设置，将上图The Art Gallery的方块，外观设为「不可见矩形」，链接至「文件」，选择目标文件（与输出文档放置在同一文件夹），并提供完整路径的文件名。本页目标文档为使用WireFusion制作的3D环场（JAR文档）

「源」对象

Exhibition_Animation_0
1_Window

「目标」文件

外部文件的链接也需通过「超链接」设置，将上图画框（红虚线框选处）设置为源对象，外观也设置为「不可见矩形」，选择目标文件（与输出文件放置在同一文件夹），并提供完整路径的文件名。本页目标文档为使用QuickTime制作的环场影片（MOV文档）

Space Cas Example

「源」对象

「目标」文件

使用Acrobat设置链接

除了在InDesign文档中设置超链接外，未设置链接但已输出为PDF的文档，也可直接在Acrobat软件中设置超链接，这是创建动态PDF更简单和便捷的方式。

在Acrobat中打开InDesign导出的PDF文档，选择「工具」→「高级编辑工具」→「链接工具」，用鼠标光标拖曳设置「源」对象范围，即出现「创建链接」对话框 图1，执行链接动作后按「下一步」出现文件选择和「指定打开首选项」图2 对话框，选择「新建窗口」时，目标文件会以独立小窗口显示（如上图两个范例页面）；选择「现有窗口」时，目标文件将直接覆盖目前窗口的画面，前者为较为合适的打开设置。

请将超链接文件和PDF文件放置在相同文件夹中

图1 Acrobat「创建链接」对话框，与InDesign十分相似，都有链接外观和动作的设置

图2 选择「新建窗口」，链接文件会以独立窗口弹出；选择「现有窗口」，链接文件将覆盖目前文件画面

◎ PDF书签设置

书签是一种文件内部的链接，主要在PDF文件中产生效果。创建书签可快速链接到同一文件的其他页面、文字段落或图形。书签大多以文件章节名称或标题命名，用户可以通过InDesign设置好的书签，轻松在Adobe Reader单击书签项目，跳跃式地浏览想要查看的文件段落。正常情况下，InDesign设置的书签项目，可出现在Adobe Reader窗口左侧的「书签」索引卷标处。要生成正确的书签内容，在InDesign中将文件存储为PDF格式时，务必勾选「导出PDF对话框」中「包含」项目的「书签」。这样，在Adobe Reader（或Acrobat）中打开PDF文档时，书签才能发挥作用。

STEP 1

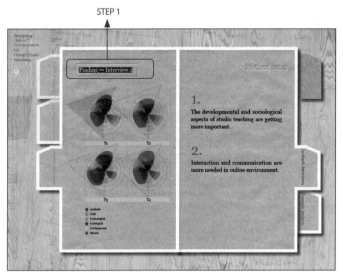

STEP 2

STEP 3

设置书签的步骤很简单，如果直接使用文字标题创建书签，请使用文字工具选择文字（如STEP 1选择第9页标题"Finding from Interview"），打开「书签」浮动面板隐藏菜单，选择「新建书签」（STEP 2），出现新的书签项目，使用「重命名书签」将名称简化为"Finding"即完成设置（STEP 3）。

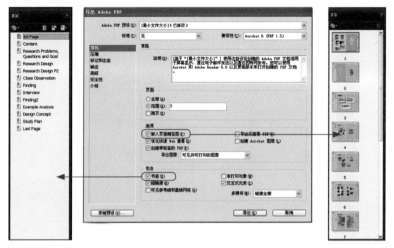

在InDesign中，将已创建书签的文档导出为Adobe PDF文件。

在导出的对话框中，若勾选「包含」中的「书签」项目，Acrobat窗口左侧的「书签」索引卷标处，将出现InDesign中创建的书签项目；若勾选「选项」中的「嵌入页面缩览图」项目，在Acrobat窗口左侧的「页面」索引处，将出现文件的页面缩览图。

嵌套书签

可应用书签的嵌套架构，创建父、子关联书签。例如，在"Interview"「父」书签项目下，在同一页面内新建两张与Interview单元相关的照片。所以，这两张照片创建的书签链接，就构成与「父」书签相关的「子」书签。

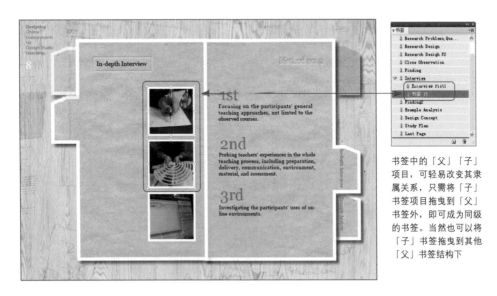

书签中的「父」「子」项目，可轻易改变其隶属关系，只需将「子」书签项目拖曳到「父」书签外，即可成为同级的书签。当然也可以将「子」书签拖曳到其他「父」书签结构下

测试预览

在InDesign中设置书签后，选择导出PDF文档，使用Adobe Acrobat或Adobe Reader打开PDF文档（如下图），在窗口左侧的书签索引卷标处，将出现在InDesign中使用章节设置的所有书签名称，选择"Finding"（即第9页标题"Finding from Interview"的页面），画面立即跳转至文件的第9页。

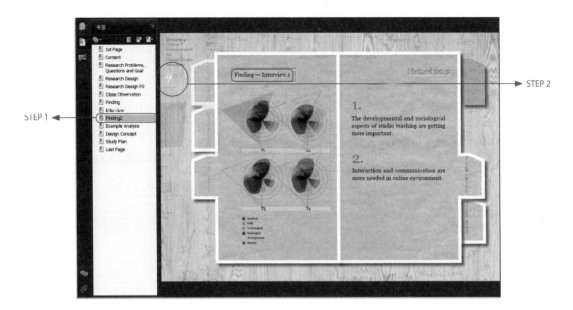

APPLICATION
lesson 14.4 —— 页面过渡效果

InDesign页面过渡效果可应用于PDF和SWF文件,是InDesign软件内置的页面转换效果,与PowerPoint演示文稿的页面过渡效果类似。

页面过渡效果常用在演示文稿中,可将编辑完成的InDesign文件转换为PDF或SWF文件,供动态文件使用。页面过渡效果分别应用在单独页面中,除非在「页面过渡效果」面板中,勾选「应用到所有跨页」选项,整个文件才会自动应用同一种效果设置 图1。其中「翻页」是最受欢迎的页面过渡效果,它模拟真实的翻书效果,但仅供导出为SWF的文件使用,经常应用于在线杂志。

◎ 设置页面过渡效果

选择页面,打开「窗口」→「交互」→「页面过渡效果」浮动面板 图2,可供设置的项目如「过渡效果」(如翻页、百叶窗、渐隐等12种效果,请参考右页的模拟效果)、「方向」(如向上、下、左上、右下等)及「速度」(快、中、慢)。

也可以利用「页面」浮动面板的页面显示区(图3红框区),选择任何页面缩览图进行页面过渡效果设置,若页面右下角出现图标，代表该页面已设置页面过渡效果。

图1 勾选「应用到所有跨页」选项后,可将页面过渡效果应用到所有页面

图2 「页面过渡效果」浮动面板:最常使用的是「翻页」效果(仅限于导出SWF格式),选择页面后打开「页面过渡效果」窗口,也可以设置其他过渡效果,并且能设置过渡的方向和速度

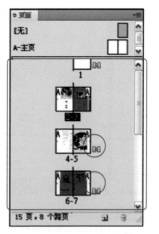

图3 「页面」面板的页面显示区:可以直接选择页面显示区的页面缩览图并应用页面过渡的效果,再单击鼠标右键隐藏菜单的「应用到所有跨页」,当页面右下角出现图标,代表该页已设置页面过渡效果

页面过渡效果

以下是应用不同页面过渡效果设置所出现的效果图，搭配「方向」
和「速度」设置，可产生更多页面过渡的效果。

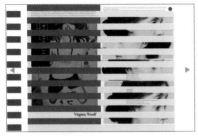

「百叶窗」页面过渡效果

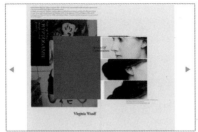

「盒状」页面过渡效果

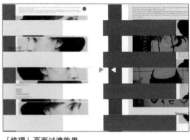

「梳理」页面过渡效果

「覆盖」页面过渡效果

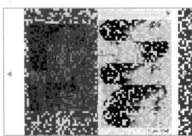

「溶解」页面过渡效果

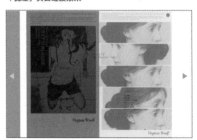

「渐隐」页面过渡效果

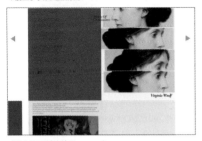

「推」页面过渡效果

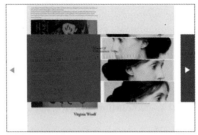

「拆分」页面过渡效果

「揭开」页面过渡效果

「划出」页面过渡效果

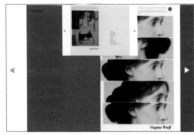

「放大／缩小」页面过渡效果

「翻页」页面过渡效果（仅SWF）

APPLICATION

lesson 14.5 —— 数字文件导出

前面章节分别介绍数字文件格式，以及动态文件的效果设置。InDesign中可以导出许多文件格式，包括平面文件使用的PDF、EPS、INX（InDesign交换格式，用于InDesign新旧版本转换）和JPG；动态文件使用的XFL、SWF、XML，另外，还有单独列在「文件」菜单中的「为Digital Editions导出」和「为Dreamweaver导出」。本章重点介绍导出文件的基本操作流程，以InDesign常用的数字文件格式为例，分别介绍以SWF、XFL、Digital Editions和Dreamweaver等4种格式进行导出。

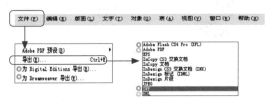

◎动态文件导出格式（本章讨论范围）
◎动态文件格式（不在本章讨论范围内）

◎ 导出SWF

请参阅《lesson 14.1——数字出版》汇总的InDesign数字出版格式对照表，SWF文件可用于网页和演示文稿，但更常用于网页的动画浏览格式。InDesign文件只有在导出动态SWF文件后，才可应用真实的「翻页」页面过渡效果。这常见于在线杂志的翻阅功能，也让演示文稿的播放更具趣味性。以往制作SWF文档时，必须将设计完成的文件逐一拆分成对象进行存储，然后在Flash软件中重新组合进行动画输出。现在可以直接通过InDesign软件，将整个文件导出为SWF文档。这对于设计人员来说是一大喜讯，除了缩短工作时间外，只需完成平面作品，即可随时输出为网页。

导出SWF操作步骤

STEP 1　使用InDesign进行页面排版设计，设置按钮、页面过渡和超链接等效果。

STEP 2　选择「文件」→「导出」SWF格式。SWF文件适用于页面浏览，进入「导出SWF」对话框（右页图1）后，项目设置的详细说明如下，设置完成后按「确定」。

　　　　大小　建议使用常见屏幕分辨率，如800╳600或1024╳768或宽屏幕1440╳900。

　　　　页数　导出页数范围。

　　　　文字　可设置Flash文字、矢量路径和点阵图像。

　　　　交互性　按钮、超链接、页面过渡效果，以及交互卷边。

STEP 3　选择已导出的SWF文件，可通过Adobe Flash Player查看动态SWF。

用 途	存储方式	文件格式	浏览软件	制作软件	尺寸规格	按钮	页面过渡效果	超链接	交互卷边
网页	「导出」	SWF	Adobc Flash Player	InDesign Flash ···	800×600 1024×768 可自定义	◎	◎	◎	×

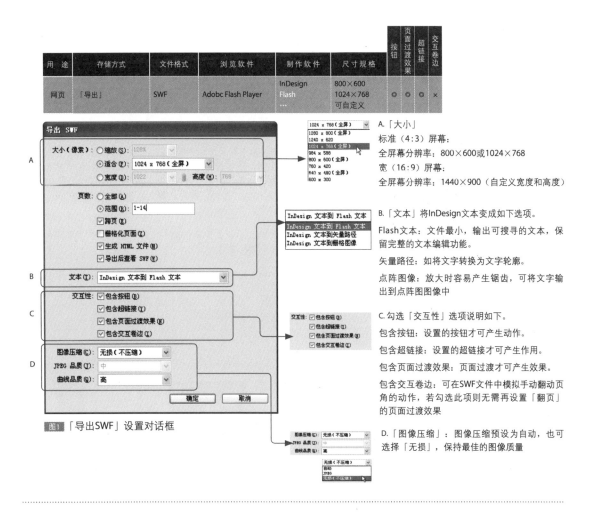

图1 「导出SWF」设置对话框

A.「大小」
标准（4:3）屏幕：
全屏幕分辨率：800×600或1024×768
宽（16:9）屏幕：
全屏幕分辨率：1440×900（自定义宽度和高度）

B.「文本」将InDesign文本变成如下选项。

Flash文本：文件最小，输出可搜寻的文本，保留完整的文本编辑功能。

矢量路径：如将文字转换为文字轮廓。

点阵图像：放大时容易产生锯齿，可将文字输出到点阵图像中

C. 勾选「交互性」选项说明如下。

包含按钮：设置的按钮才可产生动作。

包含超链接：设置的超链接才可产生作用。

包含页面过渡效果：页面过渡才可产生效果。

包含交互卷边：可在SWF文件中模拟手动翻动页角的动作，若勾选此项则无需再设置「翻页」的页面过渡效果

D.「图像压缩」：图像压缩预设为自动，也可选择「无损」，保持最佳的图像质量

导出SWF时，需注意以下设置：

页面大小设置 图像过大或过小都不合适，版面水平过宽或垂直过长，窗口都需通过产生的滚动条移动页面 图2 。而尺寸设置过小的文件所产生的窗口，除了影响版面美观外，画面中的文字过小也导致可阅读性不理想 图3 。

交互性效果 如果打开输出的SWF文件时，其「交互性」项目无法呈现，请重新检查导出对话框中是否勾选「交互性」中包含的所有项目。

图像压缩 网页需要注意文件大小，适当执行图像压缩可以减小SWF文件。

图2 分辨率设置过大或和屏幕长宽比例不符的文件，窗口会产生滚动条，可以移动整个页面。这种不断操作移动画面的动作，容易产生阅读疲劳感

图3 窗口内版面面积太小，屏幕背景太多，除了不够美观外，文字太小也导致阅读困难

导出SWF时，若勾选「包含交互卷边」或设置「翻页」的页面过渡效果，在Adobe Flash Player中打开后，可移动鼠标至页面右下角，页角会呈现自动卷曲的翻页效果，按住鼠标左键并往左拖曳页面，将产生如真实翻书般的效果。

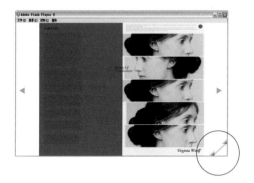

设计小技巧——Design Tips

从InDesign导出的SWF文档，无法包含影片或声音文档。如果想要置入音频或图像部分，请先将InDesign文件导出为XFL文件，然后使用Flash打开并编辑内容。

不过，InDesign中的交互元素如超链接、页面过渡效果和按钮动作等，导出后将不会嵌入到XFL文件中，因此这些设置或链接将不会产生任何作用。但是，可在InDesign中设计静态按钮，再使用Flash加入视频、声音、动画和复杂的交互效果（使用Action Script语法）。

本章范例效果以SWF文件示范为主，如果想观看效果和制作过程，请到悦知网站下载：

http://www.delightpress.com.tw/book.aspx?book_id=SKNM00010

起始页|结束页

右翻|左翻

用 途	存储方式	文件格式	浏览软件	制作软件	尺寸规格	按钮	页面过渡效果	超链接	交互卷边
网页	「导出」	XFL	Flash	InDesign Adobe Flash 制作后存为 FLA格式…	800×600 1024×768 可自定义	◎	×	×	×

◎ 导出XFL（可用Flash编写的网页格式）

XFL是Adobe Flash CS4 Pro专用的格式，与SWF一样属于动态Flash文件，SWF格式可在Adobe Flash Player中浏览，但无法编辑，XFL则可在Flash中打开和编辑，只不过在InDesign文件中设置的超链接、页面过渡效果和按钮动作等交互性元素，将不会包含在导出的XFL文件中，需要重新进入Flash环境执行置入视频、音频、制作特效或创建交互式按钮等。若要导出XFL文档，在InDesign中执行「文件」→「导出」图1 。

将InDesign页面导出为XFL之后，打开Flash软件进行编辑。首先，每个跨页如同幻灯片一样，先自动转换为时间轴中的帧（Frame）。例如：跨页2～3将对应Flash时间轴的第二格帧，而跨页4～5则对应第三格帧，依此类推图2 。跨页将对应帧执行连续页的动画。对Flash动画设计师而言，XFL可弥补在InDesign中无法制作的交互效果，或是其他串场动画的格式。

图1 「导出XFL」设置对话框

导出XFL文件后，在Flash软件中打开时，原本设置动态的按钮变为静态（上图），其他动态设置如页面过渡效果等，也无法执行。需要转换为按钮对象，并在Flash中重新设置按钮动作和语法。

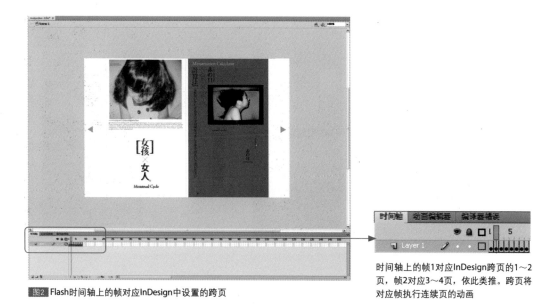

图2 Flash时间轴上的帧对应InDesign中设置的跨页

时间轴上的帧1对应InDesign跨页的1～2页，帧2对应3～4页，依此类推。跨页将对应帧执行连续页的动画

用　途	存储方式	文件格式	浏览软件	制作软件	尺寸规格	按钮	页面过渡效果	超链接	交互卷边
电子书	「为Digital Editions导出」	EPUB 即zip文档,含XHTML、封面JPG缩览图 可存储XHTML和DTBook格式	Adobe Digital Editions Reader Microsoft Reader Device Smart Phone …	InDesign Adobe Digital Editions …		×	×	×	×

◎ 为Digital Editions导出

选择「文件」→「为Digital Editions导出」的文件格式为epub格式,其实它是一个包含XTHML和封面缩览图JPG文件的ZIP文件夹,是将书籍转为电子书(eBook)常用的格式,导出epub内容格式可分为XHTML和DTBook(Digital Talking Books)两种。需使用特定软件如Adobe Digital Editions或其兼容软件执行打开、阅读和编辑操作。

A.「常规」:

EBOOK / 包含文档元数据

CSS样式基础:本地格式 / 已定义样式 / 仅样式名

项目符号和编号:映射到无序列表或转换为文本

包含嵌入字体:所有包含适当嵌入位置的字体都会被嵌入

导出后查看eBook:打开 / 关闭

B.「图像」:

复制图像:原始、最佳化(建议)

选择原稿显示效果好,但文件较大,浏览较慢

带有格式:勾选则保留InDesign的图像设置

图像转换:自动

GIF选项:调板 / 交错

JPG选项:图像品质 / 格式方式

C.「ePub目录」:

ePub内容的格式

XHTML:网页浏览格式

DTBook:数字有声书Digital Talking Books格式

目录

包括InDesign目录项:电子书左侧窗口生成目录

目录样式:可自定义电子书目录样式

禁止文档的自动条目:电子书目录隐藏文件名称

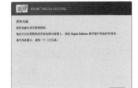

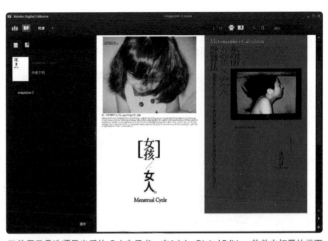

已使用目录选项导出后的ePub电子书,在Adobe Digital Editions软件中打开的画面

※请参考Adobe Digital Editions网站(http://www.adobe.com/products/digitaleditions),下载并安装Adobe Digital Editions软件,进行电子书的预览和测试

用 途	存储方式	文件格式	浏览软件	制作软件	尺寸规格	按钮	页面过渡效果	超链接	影片
网页	「为Dreamweaver导出」	XHTML HTML	IE等浏览器	InDesign Illustrator Photoshop Dreamweaver Flash…	图像：维持原始大小，优化网页图像	×	×	◎	◎

◎ 为Dreamweaver导出

在InDesign执行Dreamweaver导出，其主要文件格式为XHTML，这是可以直接使用多数浏览器浏览并可进行编辑的网页格式。特别注意网页的文字设置，需通过Dreamweaver内置CSS样式，与InDesign的字符样式对应，才能保留原始在InDesign中设置的文字样式。另外，InDesign文件的动态设置如页面过渡效果、影片（除了SWF）链接等，也会在导出后消失。

XHTML导出选项

A.「常规」：

导出：选区或文档

项目符号和编号：映射到列表或转换为文本等

从左至右分别设置「选区」为文字、页面和文档等三种输出范围

B.「图像」：

复制图像：原始、优化（建议），选择「原始」显示效果佳，但文件较大浏览较慢

格式：勾选则保留InDesign的图像设置

图像转换：自动／图像自动转换JPG和GIF网页格式

C.「高级」CSS选项和JavaScript选项

空CSS声明：空白声明的 CSS 样式表

无CSS：略过 CSS 部分

外部CSS：需选择Dreamweaver CSS 样式表

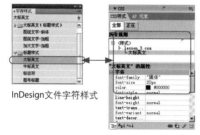

InDesign文件字符样式

Dreamweaver CSS样式

XHTML导出步骤

在导出过程中，影响最大的是文本格式，需在Dreamweaver软件中设置同样的CSS样式，对应InDesign内置字符样式，以便保留大部分InDesign的文字设置。

STEP 1　将网页应用文件，选择「为Dreamweaver导出」。

STEP 2　选择导出范围（选区或文档），按上图对话框中的A「常规」、B「图像」、C「高级」，进行图像压缩 或外部CSS设置。

STEP 3　打开XHTML文档，使用网页浏览器测试效果。

图书在版编目（ＣＩＰ）数据

设计的品格探索×呈现×进化的InDesign美学 / 达
芙妮·肖著. -- 北京：人民邮电出版社，2010.9（2012.3 重印）
ISBN 978-7-115-23133-8

Ⅰ. ①设… Ⅱ. ①达… Ⅲ. ①排版－应用软件，
InDesign Ⅳ. ①TS803.23

中国版本图书馆CIP数据核字(2010)第112151号

版权声明

本书为台湾精诚资讯股份有限公司悦知文化授权人民邮电出版社出版。此中文简体字版本仅限
在中华人民共和国境内（不包括香港、澳门特别行政区及台湾地区）印刷、发行及经销。

本书原版权属精诚资讯股份有限公司悦知文化。

版权所有，侵权必究。

内 容 提 要

　　本书作者多年致力于艺术、设计的教学，并在自学软件的过程中获得启示，每个单元均以美学角色切
入，再引导实际操作，通过作品来呈现美感，进而熟悉InDesign的操作。

　　本书分为3部分，通过对生活细致的观察与感受，以充满温度的视觉图像及优美的文字来掌握恰到好
处的设计方法，让设计不只是设计，更重要的是培养企划能力与想法，具体表现文字、色彩、框架、复合
造型、图表、构图、样式设定、库以及电子杂志主题的设计。在全书编排上，以大量的视觉图像来表现，
每个跨页几乎都塞满了实例作品。除了作者本身的作品外，辅以新锐年轻设计师的平面设计、网页规划、
多媒体等领域的创作，以激发出更自由的设计灵感。

　　本书适合从事平面设计的各类人员阅读参考。

设计的品格

探索×呈现×进化的 InDesign 美学

◆　著　　　　Daphne Shao　　Recto & Verso Studio

　　责任编辑　俞　彬

◆　人民邮电出版社出版发行　　　北京市崇文区夕照寺街 14 号

　　邮编　100061　电子邮件　315@ptpress.com.cn

　　网址　http://www.ptpress.com.cn

　　北京画中画印刷有限公司印刷

◆　开本：787×1092　1/16

　　印张：21.5

　　字数：725 千字　　　　　　　　　2010 年 9 月第 1 版

　　印数：5 501 – 7 500 册　　　　　　2012 年 3 月北京第 3 次印刷

　　著作权合同登记号　图字：01-2010-0691 号

ISBN 978-7-115-23133-8

定价：79.00 元

读者服务热线：(010)67132705　印装质量热线：(010)67129223

反盗版热线：(010)67171154